특종! 믿음사건

리 스트로벨 지음 · 윤종석 옮김

The Case for Faith
by Lee Strobel

Originally published in the U.S.A. under the title: The Case for Faith

Translated by Yoon, Jong Seok
Published by permission of Zondervan, Grand Rapids, Michigan

특종! 믿음사건

특종! 믿음 사건

지은이 | 리 스트로벨
옮긴이 | 윤종석
초판 발행 | 2001. 11. 8
43쇄 발행 | 2017. 7. 24.
등록번호 | 제3-203호
등록된 곳 | 서울시 용산구 서빙고동 95번지
발행처 | 사단법인 두란노서원
영업부 | 2078-3333 FAX | 080-749-3705
출판부 | 2078-3444

책값은 뒤표지에 있습니다.
ISBN 978-89-531-1547-7 03230

독자의 의견을 기다립니다.
tpress@duranno.com http://www. duranno.com

두란노서원은 바울 사도가 3차 전도 여행 때 에베소에서 성령 받은 제자들을 따로 세워 하나님의 말씀으로 양육하던 장소입니다. 사도행전 19장 8-20절의 정신에 따라 첫째 목회자를 돕는 사역과 평신도를 훈련시키는 사역, 둘째 세계선교(TIM)와 문서선교(단행본·잡지) 사역, 셋째 예수문화 및 경배와 찬양 사역, 그리고 가정·상담 사역 등을 감당하고 있습니다. 1980년 12월 22일에 창립된 두란노서원은 주님 오실 때까지 이 사역들을 계속할 것입니다.

추천사

리 스트로벨의 책은 그리스도인과 회의론자 모두에게 유익한 선물이다. 상상할 수 있는 가장 어려운 질문들 −하나님과 고난, 하나님의 심판과 지옥, 세상의 불의, 그리스도의 배타성 등−도 피하지 않는다. 복합적인 문제에도 과감히 뛰어든다. 그래서 독자들에게 영합하지 않고 유익 없이 해만 끼치는 단순 논리를 거부한다. 아울러 이런 난제들을 다루는 전문가와의 인터뷰를 그만의 집필 방식으로 기록, 누구에게나 놀라운 매력으로 다가간다. 내게 유익하고도 매혹적인 책이었다.

−제럴드 싯처(Gerald L. Sittser), **휘트워스 대학 종교학 교수**

사이비 영성과 어줍잖은 회의론으로 찢긴 이 시대에 리 스트로벨은 집요한 취재 기자 근성과 명쾌한 전달 기술로 믿음의 난제들에 맞서고 있다.

기독교 신앙을 진리로 믿는 사람들에게 여전히 남아 있는 어려운 자기 성찰의 질문들을 두려워하지 않고 마음을 사로잡는 답으로 훌륭하게 집대성한 책이다.

−래바이 재커라이어스(Lavi Zacharias)

리 스트로벨은 지적 깊이와 정직함으로 기독교를 반박하는 매우 집요한 반론들을 무력케 한다. 지성인과 회의론자와 호기심 많은 이들에게 완벽한 책이다. 믿음을 세워 주는 역작이다.

−빌 브라이트(Bill Bright) **박사, 국제 대학생 선교회**(CCC) **창설자/대표**

기자에게 사건은 일용의 양식 이상이다. 사건을 보면 피가 끓고 사건의 진상을 꿰어 맞추면서 희열을 느낀다. 리 스트로벨은 이 기자의 본능을 신앙에 맞추었다. 인간이 믿음을 갖는 것이야말로 일생 최대의 사건이 아닌가. 그는 이미 '예수의 십자가 사건'을 인류 최대의 사건으로 규정하고 그 진실 여부를 규명했다. 그는 그 열정을 가지고 다시 인간이 예수를 믿는 사건의 본질에 다가선다.

우리의 믿음은 어디에 근거한 것인가. 우리는 얼마나 회의하면서 믿음을 포장하는가. 혹 이해되지 않아야 믿음이라는 생각에 안주하고 있는 것은 아닌가. 믿기지 않는 것을 붙들고 믿음이라고 위로하면서 건강한 신앙의 길을 스스로 포기하지는 않는가. 정말 인간은 이성으로는 믿음을 가질 수 없단 말인가. 이성과 감정은 대체 믿음에 어떤 역할을 하고 있는가.

저자는 이 물음에 답하기 위해 오늘날 우리 모두가 서 있는 '흔들리는 믿음의 기초'를 파헤친다. 인간은 진실로 창조의 산물인가. 하나님이 어떻게 뉴욕 테러를 방치할 수 있는가. 성경에 기록된 수많은 학살은 무엇인가. 성경이 진실로 일점 일획 오류가 없는 책인가. 전쟁 중 해가 멈추고 사람이 물 위를 걷고 죽은 사람이 다시 사는 기적들을 모두 사실로 받아들여야 하는가. 도대체 왜 예수만이 길이고 진리란 말인가.

치열한 의문은 치열한 답을 준다. 끝없는 회의는 끝없는 믿음의 다른 면이다. 우리는 모두 회의의 골짜기를 지나서 믿음의 정상을 오르는 친구들이다. 리 스트로벨은 사망의 음침한 골짜기에서 산이 있다는 사실조차 모르거나, 자욱한 안개 때문에 산 정상에 오르기를 포기했거나, 자신도 모르는 사이 정상으로의 길에 잘못 들어선 모든 벗들에게 새로운 이정표를 선물했다. 그리고 믿음이 회의의 진통 속에 어떻게 자랄 수 있는지를 입증한다. 다행히 번역의 깔끔함도 길 찾는 데 큰 도움이었다.

—조정민(iMBC 대표이사, 전 MBC 보도국 부국장)

감사의 말

여러 방법으로 이 책의 집필을 도와준 많은 이들에게 큰 빚을 졌다. 기독교 창작을 소중히 여기고 격려와 지원을 아끼지 않은 릭 워렌(Rick Warren)과, 헤아릴 수 없이 많은 부분에서 나를 성장하도록 도와준 빌 하이벨스(Bill Hybels)에게 특별히 감사를 표한다. 존경하는 두 사람을 생각하면 나는 할 말을 잊게 된다.

집필과 사역을 병행하는 일이 버거울 때 마크 미텔버그(Mark Mittelberg)는 여느 때처럼 내게 동기를 잃지 않도록 힘을 주었다. 그는 한마디로 내 평생 가장 좋은 친구이다.

존더반(Zondervan) 출판사의 존 슬로운(John Sloan)에게 어떻게 다 감사할 수 있을까? 그는 「예수 사건」과 이 책을 쓸 수 있도록 길을 열어 주고 지도를 아끼지 않았다. 이 두 책은 누구보다도 그의 공로이다. 스캇 볼린더(Scott Bolinder), 스탠 건드리(Stan Gundry), 존 톱리프(John Topliff), 그레그 스틸스트라(Greg Stielstra), 밥 허드슨(Bob Hudson) 등 존더반의 모든 식구는 내게 있어 최고의 동역자들이다.

격려를 아끼지 않은 케이 워런(Kay Warren), 짐 멜라도(Jim Mellado), 행크 헤네그라프(Hank Hanegraaff), 폴 영(Paul Young), 밥 고든(Bob Gordon), 개리 풀(Garry Poole), 폴 브로더키스(Paul Braoudakis), 자료를 모아 준 밥과 그레첸 파산티노(Bob & Gretchen Passantino), 일을 거들어 준 조디 월(Jodi Walle), 파커 밴더플로그(Parker VanderPloeg), 바바라 호글런드(Barbara Hoglund)에게도 고마움을 전한다. 새들백 밸리 커뮤니티 교회와 윌로우크릭 커뮤니티 교회의 사역자들과 성도들, 특히 글렌 크룬(Glen Kreun), 더그 슬레이보프(Doug Slaybaugh), 포레스트 라인하트(Forrest Reinhardt), 브래드 존슨(Brad Johnson), 존 오트버그(John Ortberg)에게 감사한다.

이 책을 위해 기꺼이 인터뷰에 응한 전문가들의 참여에 특별히 감사한다. 그들의 지혜와 인품은 내게 깊은 영향을 미쳤다. 물론 아내 레슬리(Leslie), 딸 앨리슨(Alison), 아들 카일(Kyle)이 없었다면 이 책을 쓰지 못했을 것이다. 그들의 사랑은 내게 세상 전부와 같다.

특종! 믿음 사건

|contents|

믿음을 향한 도전

이성을 조금이라도 존중하는 사람이라면 마땅히 기독교의 유일신을 거부해야 한다.

—조지 H. 스미스(George H. Smith), 무신론자[1]

기독교 신앙은 엉터리 비약이 아니다. 객관적으로도 성경의 주장들은 이성적 증거로 잘 뒷받침되는 합리적 명제다.

—찰스 콜슨(Charles Colson), 그리스도인[2]

1 *Atheism : The Case Against God*(무신론 : 하나님을 거역한 사건), p 51.

2 *How Now Shall We Live?*(이제 어떻게 살아야 하나?), pp. 31-32.

빌리 그레이엄은 연단의 양끝을 붙들고 몸을 지탱했다. 80세의 나이로 파킨슨병과 싸우고 있었지만 인디애나폴리스 RCA 돔에 모인 군중을 뚫어져라 응시하며 흐트러짐 없는 강력한 목소리를 내는 데 부족함이 없었다. 머뭇거림이나 모호한 기색은 전혀 없었다. 그의 설교는 지난 50년간 이어 온 단순하고 명확한 메시지 그 자체였다.

그는 전 세계의 혼돈과 폭력을 언급한 뒤 인간 개개인의 마음속에 있는 고뇌와 아픔에 초점을 맞추었다. 죄, 용서, 구원, 고독, 절망, 우울에 관해 이야기했다.

"우리는 모두 사랑받고 싶어합니다." 귀에 익은 노스캐롤라이나 억양이었다. 설교는 결론에 이르고 있었다. "우리는 모두 자신을 사랑해 줄 사람을 원합니다.

하나님이 당신을 그렇게 사랑하십니다. 그분은 당신을 너무나 사랑하시기에 그 아들을 주셨고 십자가에 죽게 하셨습니다. 그분은 당신을 너무나 사랑하시기에 당신의 삶 속에 들어오셔서 삶의 방향을 바꾸고 당신을 새사람으로 만들어 주십니다. 당신이 누구든 상관없습니다.

그리스도를 안다는 확신이 있습니까? 지금 하나님의 성령이 당신을 부르시고 깨우치시며 마음을 열도록 촉구하십니다. 하나님과의 관계에 확신을 가지라고 말씀하십니다. 아직 그런 확신이 없는 분들이 있습니까? 그 확신을 갖고 싶습니까? 설사 오늘 밤 집으로 돌아가는 길에 죽는다 해도 하나님을 만날 것이라는 확신을 가지고 이 자리를 떠나십시오."

드디어 그가 사람들을 초청하자 과연 사람들이 앞으로 나오기 시작했다. 처음에는 얼마 안 됐지만 점차 수문이 터진 듯 한 사람씩, 부부끼리, 온 가족이 연단 앞으로 쏟아져 나왔다. 곧 그들은 어깨를 부딪치며 서야 했다. 그렇게 무대 양옆을 둘러싼 사람들이 거의 삼천 명에 달했다. 자신의 죄를 깊이 깨닫고 울고 있는 이들도 있었다. 부끄러운 과거가 못내 가슴 아파 바닥만 쳐다보는 이들도 있었다. 입이 찢어지도록 웃고 있는 이들도 있었다. 자유와 기쁨…, 드디어 집에 돌아온 것이다.

한 부인이 전형적인 예였다. 부인은 상담자에게 이렇게 말했다. "어렸을 때 엄마가 암으로 돌아가셨어요. 그때 나는 하나님께 벌을 받았다고 생각했지요. 오늘 밤에야 하나님이 날 사랑하신다는 것을 깨달았어요. 알고 있긴 했지만 왠지 내 것으로 붙잡을 수 없었던 거예요. 이제 평안이 찾아왔어요."[3]

3 1999년 6월 4일, 빌리 그레이엄 인디애나폴리스 전도 대회.

믿음이란 무엇인가? 무더운 6월 그날 밤, 그들 모두 이 말의 정의를 알았을 것이다. 그들에게 믿음이란 거의 손에 잡히는 것이었다. 그들은 하나님께 안기기를 바라며 그분 앞으로 나아갔다. 믿음은 그들을 짓누르던 죄책감을 벗겨 주었다. 믿음은 절망을 희망으로 바꿔 주었다. 믿음은 새로운 방향과 목표를 심어 주었다. 믿음은 천국 문을 열어 주었다. 믿음은 그들의 메마른 심령에 촉촉이 배어드는 시원한 물과도 같았다.

그러나 믿음이 언제나 이렇듯 간단하고 쉬운 것은 아니다. 믿음을 간절히 바란다 해도 쉽지 않다. 굳건한 신앙에 굶주려 있으면서도 뭔가 가로막는 것 때문에 그것을 체험하지 못하는 이들도 있다. 자유를 맛보고 싶어도 장애물이 버티고 서 있다. 반론이 못살게 군다. 회의가 조롱한다. 가슴은 하나님을 향해 치솟지만 지성은 그들을 바닥에 꽁꽁 묶어 둔다.

그들은 텔레비전에서 빌리 그레이엄의 요청으로 연단 앞으로 나오는 무리들을 보며 고개를 내젓는다. 저렇게 간단할 수만 있다면…. 한숨이 절로 나온다. 의문이 그렇게 많지만 않아도….

한때 빌리 그레이엄의 설교 동역자이자 절친한 친구였던 찰스 템플턴(Charles Templeton) 역시 하나님에 대한 의문이 풀리지 않고 응어리져, 결국 기독교를 배격하게 된 사람이다. 템플턴도 그레이엄처럼 대형집회에서 군중을 향해 강력히 도전하며 예수 그리스도께 헌신하도록 초청하곤 했다. 템플턴이 머잖아 전도자로서 그레이엄을 능가하리라 예측한 사람들도 있었다.

그러나 그것은 오래 전 일이었다. 풀리지 않는 의문들로 큰 타격을 입기 전이었다. 템플턴의 믿음은 집요하고 고집스런 회의에 연신 두들겨 맞아 결국 스러지고 말았다. 어쩌면 영원히….

믿음, 회의를 맞다

1949년. 서른 살의 빌리 그레이엄은 자신이 고비에 서 있음을 몰랐다. 로스앤젤레스 전도 대회를 준비하는 동안 이상하게도 그는 확신이 없어 씨름하고 있었다. 하나님의 존재나 예수의 신성에 관해서라기보다 성경의 내용을 전적으로 믿을 수 있느냐는 근본적 이슈였다.

4 「빌리 그레이엄 자서전」 두란노.

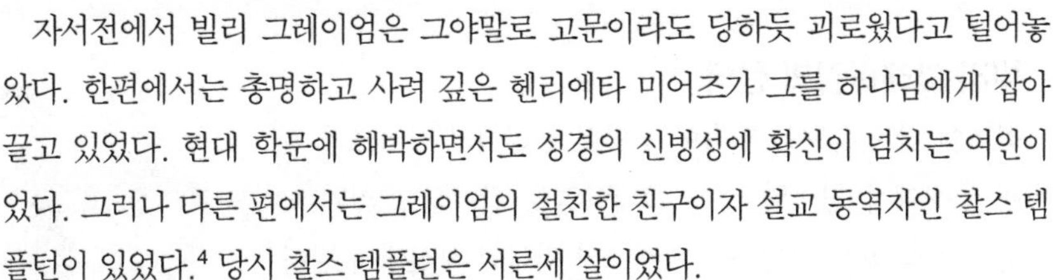

자서전에서 빌리 그레이엄은 그야말로 고문이라도 당하듯 괴로웠다고 털어놓았다. 한편에서는 총명하고 사려 깊은 헨리에타 미어즈가 그를 하나님에게 잡아끌고 있었다. 현대 학문에 해박하면서도 성경의 신빙성에 확신이 넘치는 여인이었다. 그러나 다른 편에서는 그레이엄의 절친한 친구이자 설교 동역자인 찰스 템플턴이 있었다.[4] 당시 찰스 템플턴은 서른세 살이었다.

자신의 고백에 따르자면, 템플턴은 그로부터 15년 전에 그리스도인이 되었다. 당시 그는 토론토 「글로브」지 스포츠면 간부로서 자신의 삶에 염증을 느끼고 있었다. 그날도 지저분한 스트립쇼 술집에서 밤을 보내고 막 집에 돌아온 그는 자신이 초라하고 더럽게 느껴져 어둠 속 침대 옆에 무릎 꿇고 앉았다.

그는 이렇게 술회했다. "내 위에 까만 이불이 덮여 있는 것 같았다. 죄책감이 내 마음과 몸을 온통 헤집고 지나갔다. 내 입에서 나오는 말은 이것뿐이었다. '주님, 내려오소서. 내려오소서….' 그때였다.

천천히 나를 짓누르던 무거운 짐이 벗겨지기 시작했다. 그 짐은 내 다리와 몸통과 팔과 어깨를 통과해 멀리 날아가 버렸다. 표현할 수 없는 온기가 몸에 오르기 시작했다. 가슴속에 불이 들어와 나를 깨끗이 태우는 것 같았다. 그 순간이 멈추거나 바뀔까 봐 나는 숨소리조차 바짝 죽였다. 입술에서 나직한 속삭임이 되풀이되었다. '감사합니다, 주님. 감사합니다. 감사합니다. 감사합니다.' 나중에 잠자리에 들어서도, 온몸을 감싸는 찬란한 행복이 걷잡을 수 없이 밀려왔다.[5]"

5 *Farewell to God* (하나님과의 작별), 1996, p. 3.

언론인의 길을 버리고 사역자가 된 템플턴은 1945년 YFC 청소년 집회에서 그레이엄을 만났다. 모험에 찬 유럽 순회 기간, 두 사람은 룸메이트로 늘 붙어 다니는 친구였고 교대로 강단에 올라 말씀을 전했다. 후에 템플턴은 교회를 개척했는데 천이백 석 예배당이 곧 차고 넘쳤다. 이에 대해 「아메리칸 매거진」지는 템플턴이 "대중 전도에 새로운 표준을 수립했다"[6]고 평했다. 그레이엄과의 우정도 깊어졌다. 그레이엄은 전기 작가에게 이렇게 말한 바 있다. "그는 내 평생 사랑한 친구들 중 하나입니다."[7]

6 위의 책, p. 11.

7 위의 책, p. 9.

그러나 곧 회의가 템플턴을 괴롭히기 시작했다. 후에 그는 이렇게 회고했다. "내가 회심을 경험했을 때는 너무 어렸다. 의문과 회의가 나를 공격하기 시작할 당시만 해도, 그 불가피한 일을 감당할 만한 믿음의 버팀목으로서 지적 역량과 신학적 훈련이 부족했다. …내 이성은 도전에 나섰고 때로 기독교 신앙의 핵심 신조를 반박하기 시작했다."[8]

8 위의 책, pp. 5-6.

빌리 그레이엄의 선택

회의에 찬 템플턴은 믿음이 충만한 헨리에타 미어즈의 정반대 입장에서 친구인 빌리 그레이엄을 잡아끌고 있었다. 성경은 믿을 만한 책이라는 미어즈의 거듭된 확신에서 멀어지게 하려는 것이었다. 템플턴은 강변했다. "빌리, 자네는 50년이나 시대에 뒤져 있어. 아무도 더는 성경이 영감으로 기록되었다고 믿지 않아. 자네 신앙은 너무 순박해."

⬆ Gospel Light, Forest Home, GLINT(Gospel Literature International)의 창립자 헨리에타 미어즈. 오른쪽이 빌리 그레이엄.

템플턴이 줄다리기에서 이기는 듯했다. 그레이엄은 "의심까지는 아니었을지 몰라도 나는 분명 혼란스러웠다"고 고백했다. 성경을 믿을 수 없다면 앞으로 더는 나갈 수 없다는 것을 그는 알았다. 그레이엄의 사역이 전 세계로 확장되는 계기가 된 로스앤젤레스 전도 대회는 이렇게 아슬아슬한 기로를 맞고 있었다.

➡ 빌리 그레이엄 전도 사역의 새로운 계기가 된 로스앤젤레스 전도 대회.

그레이엄은 해답을 찾아 성경을 뒤졌다. 기도했다. 묵상했다. 달빛 비치는 샌버나디노(San Bernadino) 산을 무거운 마음으로 걷던 중 모든 것이 절정에 이르렀다. 그레이엄은 성경책을 붙들고 무릎 꿇었다. 그리고는 템플턴을 비롯해 다른 사람들이 제기하는 철학적, 심리학적 문제 중 자신이 풀 수 없는 것이 있다고 고백했다.

그는 이렇게 썼다. "하나님께 최대한 솔직히 털어놓으려 했으나 아직 입 밖으로 나오지 않은 말이 있었다. 마침내 성령에 힘입어 나는 이렇게 고백했다. '아버지, 믿음으로 이 책을 아버지의 말씀으로 받아들이겠습니다! 지식적 의문과 회의보다 믿음을 더 앞자리에 두겠습니다. 성경이 아버지의 영감으로 된 말씀임을 믿겠습니다.'

여전히 젖은 눈으로 무릎을 일으켰을 때 지난 몇 달간 느끼지 못한 하나님의 능력이 감지되었다. 의문이 다 풀린 것은 아니지만 가장 중요한 다리를 건넌 셈이었다. 영혼에서 벌어진 영적 전투에서 싸워 이겼음을 나는 머리와 가슴으로 알 수 있었다."[9]

9 「빌리 그레이엄 자서전」 두란노.

그것은 그레이엄에게 중대한 순간이었지만 템플턴이 보기에는 턱없이 빗나간 사건 전개였다. 템플턴은 이렇게 단언했다. "그는 지성을 닫음으로써 지적 자살을 감행한 것이다." 그가 친구를 향해 가장 강하게 느낀 감정은 연민이었다. 이때부터 두 사람의 삶은 갈라지기 시작했다.

그 후 그레이엄에게 일어난 일은 역사가 알고 있다. 그는 이 시대 가장 설득력 있고 영향력 있는 전도자요, 가장 존경받는 인물이 되었다. 그렇다면 템플턴은 어떻게 되었을까? 회의에 무너져 사역의 길을 떠난 그는 캐나다로 돌아가 시사 해설가 겸 소설가가 되었다.

템플턴의 지성은 믿음을 몰아내 버렸다. 그렇다면 믿음과 지성은 정말 양립할 수 없는 것일까? 성경을 믿는 그리스도인이면서 동시에 사고하는 지성인이 되는 것은 불가능한 일일까? 그렇다고 믿는 사람들이 있다.

무신론자 조지 H. 스미스(George H. Smith)는 이렇게 주장한다. "이성과 믿음은 반대말이요 상호 배타적인 단어이다. 화해나 공통분모는 있을 수 없다. 믿음이란 이성 없는 신념이요 이성을 거역하는 신념이다."[10]

그리스도인 교육가 W. 빙햄 헌터(Bingham Hunter)의 생각은 정반대이다. "믿음이란 자연, 인류 역사, 성경, 부활하신 아들을 통해 나타난 하나님의 자기 계시에 대한 합리적 반응이다."[11]

인생의 긴 세월을 무신론자로 살아온 나로서는 안이한 논리나 얄팍한 근거 위에 세워진 고지식한 믿음이야말로 정말 바라지 않는 것이다. 내게 필요한 것은 이성에 어긋나지 않고 합치되는 믿음이다. 실체와 유리되지 않고 실체에 근거한 믿음이다. 기독교 신앙이 이성의 정밀 검사를 견뎌 낼 수 있는지 기필코 밝혀 내야 했다.

드디어 내게 찰스 템플턴과 얼굴을 맞댈 순간이 다가왔다.

10 *Atheism : The Case Against God*, p. 98.

11 *The God Who Hears*(들으시는 하나님), 1986, p. 153.

이제는 불가지론자가 된 전도자 이야기

빌리 그레이엄의 인디애나폴리스 전도 대회가 열리고 있는 곳에서 북쪽으로 800킬로미터쯤 떨어진 토론토의 중산층 지역에 템플턴이 살고 있는 현대식 고층 건물이 있다. 승강기를 타고 25층으로 올라가 '옥상 주택'이라고 표시된 문의 놋쇠 문고리를 두드렸다.

옆구리에는 템플턴의 최신간 서적을 한 권 끼고 있었다. 제목부터가 신앙에 대한 그의 시각을 더할 나위 없이 분명히 보여 주고 있었다. *Farewell to God : My Reasons for Rejecting the Christian Faith*(하나님과의 작별 : 내가 기독교 신앙을 거부하는 이유). 신랄한 말투가 자주 등장하는 이 방대한 책에서 그는 기독교 신앙을 한낱 "시대에 뒤떨어지고, 논증으로 밝혀질 만한 사실성이 없으며, 갖가지

12 *Farewell to God*, 12장.

13 위의 책, pp. 200-202.

표현을 통해 때때로 개인과 사회에 해악을 끼치는"[12] 것으로 비난하고 있다.

템플턴은 다양한 예증을 제시하면서 성경에 나타난 믿음을 공박하는데 그중 특히 뭉클하게 와 닿는 부분이 있었다. 치매의 참상을 지적하는 대목이다. 책에는 사람의 정신과 기억을 파괴함으로써 자신의 정체감마저 흉측하게 빼앗아 가는 치매 과정이 생생히 묘사되어 있다. 그리고 이렇게 따져 묻는다. 하나님이 정말 사랑의 하나님이라면 어떻게 치매 환자와 가족들에게 이토록 소름 끼치는 질병을 허락할 수 있단 말인가?

그가 내린 결론은 간단하다. 사랑의 하나님이 존재한다면 치매란 존재할 수 없다. 치매는 하나님이 존재하지 않는다는 사실의 설득력 있는 증거다.[13] 내 경우에도 처가 쪽에 치매로 무척 고생하신 분이 있는데, 나와 같은 사람들에게는 심리적으로 상당한 공감을 불러일으키는 주장이다.

나는 어떤 일이 벌어질지 몰라 묘한 심정으로 템플턴의 문 앞에서 응답을 기다렸다. 책에서처럼 그렇게 전투적으로 나올까? 빌리 그레이엄에 대해 신랄한 자세를 보일까? 나와의 인터뷰에 잘 응하기는 할까? 이틀 전 짤막한 전화 통화로 인터뷰를 수락하면서 그는 막연히 건강이 좋지 않다고 했었다.

문이 열리고 옥상 정원에서 막 화분 손질을 마쳤다는 그의 아내 매들린 템플턴이 나왔다. "시카고에서 먼 길을 오신 분한테 차마 말씀 드리기 죄송하지만 남편은 지금 아주 안 좋아요."

"다음에 다시 와도 됩니다." 나는 말했다.

"남편 상태가 어떤지 한번 보세요." 그의 아내는 빨간 카펫이 깔린 계단을 지나 위층의 고급 아파트로 나를 안내했다. 발끝에는 큰 푸들 두 마리가 졸랑졸랑 따라왔다. "주무시나 봐요."

그때 83세 된 템플턴이 침실에서 나왔다. 가벼운 연갈색 가운 안에 비슷한 색깔의 잠옷을 입고 발에는 검정색 슬리퍼를 신고 있었다. 벗겨진 머리에 남아 있는 회색 머리칼이 약간 헝클어져 있었다. 수척하고 창백했지만 잿빛이 감도는 벽안의 눈동자는 총기가 있었고 표정이 풍부해 보였다. 그는 정중히 손을 내밀어 악수를 청했다.

그는 헛기침을 하며 말했다. "몸이 이 모양이라 미안합니다." 그리고는 남의 얘기처럼 이렇게 덧붙였다. "사실 나는 곧 죽을 몸이라오."

"어디가 불편하신데요?" 나는 물었다.

그의 대답에 정신을 잃을 뻔했다. "치매라오."

치매가 하나님의 부재의 증거라던 그의 글이 퍼뜩 떠올랐다. 순간 손에 들고 있는 책의 동기를 조금은 알아차릴 수 있었다.

"벌써 꽤 됐소. 글쎄, 한 3년째던가?" 그는 눈썹을 치켜올리며 아내에게 도움을 청했다. "그렇지, 여보?"

그의 아내는 고개를 끄덕이며 말했다. "맞아요, 여보. 3년째예요."

"기억력이 전과 같지 않소. 알겠지만 치매는 치명적인 병이라오. 언제나. 멜로드라마처럼 들리겠지만 사실 내 운명은 정해졌소. 조만간 이 병이 날 죽일 겁니다. 그전에 내 생각부터 가져가겠지만." 그는 희미하게 미소를 지었다. "두렵지만 벌써 시작된 일이라오. 아내가 증인이지요."

"말씀 중간에 죄송합니다만 지금 인터뷰할 기분이 아니시라면…."

그러나 템플턴은 강경했다. 그는 나를 거실로 안내했다. 현대식으로 밝게 꾸며진 거실 유리창으로 오후의 햇살이 비쳐 들고 그 너머로 숨가쁜 도시의 장관이 펼쳐져 있었다. 우리는 나란히 있는 쿠션 의자에 앉았다. 단 몇 분 사이 템플턴은 활력을 되찾은 것 같았다.

"전도자에서 불가지론자가 된 경위를 설명해 달라는 거지요?" 그는 믿음을 버리게 된 사연을 차근차근 설명해 나갔다. 내가 바라던 바였다. 하지만 이 대화가 어떻게 끝날지는 전혀 예상할 수 없었다.

한 장의 사진

템플턴은 이제 활력이 넘쳤다. 사건의 정확한 순서를 연결하지 못하거나 같은 얘기를 반복하는 등 간혹 치매 증상이 보이기도 했지만 대부분 그는 달변가다웠다. 인상적인 어휘를 사용하여 열정적으로 말하면서 강조하는 대목에서는 그 낭랑하고 확고한 목소리가 오르락내리락 했다. 어딘지 귀족 티가 있는 어조 때문에 간혹 극중 대사 같은 인상을 풍기기도 했다.

"하나님에 대한 믿음을 잃게 된 특별한 요인이 있었습니까?" 나는 그렇게 물었다.

잠시 생각하던 그는 이윽고 입을 열었다. "「라이프」지에 실린 사진이었소."

"사진이요? 어떤 사진인지 말씀해 주시겠습니까?" 나는 다시 물었다.

그는 다시금 그 사진을 응시하기라도 하듯 눈을 가늘게 뜨고는 저만치 앞쪽을 바라보았다. 그는 설명했다. "아프리카 북부의 한 흑인 여자 사진이었소. 그곳은 처참한 가뭄을 겪고 있었소. 여자는 죽은 아기를 안고 한없이 야속하다는 표정으로 하늘을 올려다보고 있었지요. 그 사진을 보며 나는 이런 생각이 들었소. '이 여자한테 필요한 거라곤 비뿐이다. 그런데도 비를 내려 주지 않는 신이 사랑과 자비의 창조주란 말인가?' "

'비' 라는 단어를 발음하며 그는 숱 많은 잿빛 눈썹을 위로 치켜올리며 반응을 구하기라도 하듯 양팔을 들어올렸다.

"사랑의 하나님이라면 어떻게 '그런 일' 을 할 수 있소?" 그는 의자 끝으로 당겨 앉으며 한층 격렬하게 캐물었다. "비는 누구 소관입니까? 나는 아닙니다. 당신도 아닙니다. 그의 소관입니다. 그때는 그렇게 생각했소. 하지만 사진을 보는 즉시 알아차렸지. 사랑의 하나님이 존재하는데 이런 일이 일어날 수는 없다는 것을 말이오. 그건 말도 안 되오. 악마가 아니고서야 누가 아기를 앗아 가고 그 엄마마저 고통으로 죽어 가게 할 수 있단 말이오? 필요한 거라곤 '비' 뿐인 그 상황에서 말이오."

그는 질문을 허공에다 던져 둔 채 잠시 말을 멈추었다. 그리고는 다시 의자 뒤쪽에 몸을 파묻으며 말을 이었다. "그때가 절정의 순간이었소. 그 후 나는 세상이 하나님의 피조물이라는 주장을 재검토하기 시작했소. 지구 구석구석을 휩쓸며 보통 사람, 훌륭한 사람, 못된 사람 할 것 없이 모든 부류의 사람을 무차별하게, 또 대부분 고통스럽게 죽이는 온갖 재앙을 생각하기 시작했소. 그러면서 더없이 명백해진 사실은 지성을 가진 사람이 사랑의 신의 존재를 믿는다는 것은 불가능하다는 것이오."

템플턴은 오랜 세월 나를 괴롭혔던 이슈로 들어서고 있었다. 신문 기자로 일하면서 나 역시 극심한 고통이 나타난 사진들을 많이 보았다. 아니, 단지 사진을 본 정도가 아니었다. 비극과 고통이 곪아 터지는 삶의 음지를 직접 목격할 때도 많았다. 미국의 병든 도심, 인도의 불결한 빈민가, 쿡 카운티 감옥을 비롯한 교도소들, 호스피스가 지키는 불치병 환자 병상 등 그야말로 온갖 종류의 재앙의 현장을 보았다. 내 눈앞에 펼쳐지는 부패와 비탄과 고통을 사랑의 하나님이라는 개념과 조화시키느라 마

➡ 쿡 카운티 감옥 (Cook County Jail) 일리노이 주에 있는 교도소. 1970년 블루스 가수 B.B. 킹이 2천여 재소자 앞에서 라이브 공연을 벌이기도 했다.

음이 어지러웠던 때가 한두 번이 아니었다.

템플턴의 말은 끝나지 않았다. "또 나는 지옥이라는 개념에 생각이 미쳤소. 세상에!" 그의 목소리에 경악의 기미가 섞였다. "나라면 누군가의 손을 불속에 한 순간도 넣어 둘 수 없소. 단 1초도 그렇게 못합니다! 자기 말에 순종하지 않고 자기 뜻대로 움직이지 않았다는 이유만으로 어떻게 사랑의 하나님이 한 인간을 영원히 고문할 수 있단 말이오? 죽지도 못하고 영원히 그 고통 속에 있게 한단 말이오? 아무리 강력 범죄자라도 그렇게는 못할 것이오!"

"그런 것들이 맨 처음 찾아온 회의였나요?" 나는 물었다.

"그전에도 의문은 얼마든지 있었소. 수많은 무리에게 이와 정반대의 메시지를 전했지만 나 자신이 더는 그것을 믿을 수 없어 당황했지요. 그것을 믿는다는 것은 내게 주어진 두뇌를 거부하는 일이었소. 내가 틀렸다는 것을 분명히 깨닫고 사역을 떠나기로 결정한 거요. 이렇게 해서 나는 불가지론자가 되었소."

"그 단어의 의미를 설명해 주십시오." 사람마다 '불가지론자'의 의미를 각기 다르게 해석하고 있기에 나는 그렇게 요청했다.

그는 대답했다. "무신론자는 하나님이 없다고 말합니다. 그리스도인과 유대교인은 하나님이 있다고 하지요. 불가지론자는 '알 수 없다'고 합니다. '없다'가 아니라 '알 수 없다'입니다. 나는 감히 하나님이 없다고 딱 잘라 말할 생각은 없소. 나라고 모든 것을 다 알 수 있겠소? 나는 지혜의 화신이 아니오. 다만 하나님을 믿는 것이 나로서는 불가능하오."

다음 질문을 꺼내기가 망설여졌다. 나는 머뭇거리며 입을 열었다.

"연세가 드시고 이렇게 치명적인 병이 찾아오면서 혹시…"

"내 생각이 틀리지 않았을까 걱정되느냐고?" 그가 불쑥 말을 잘랐다. 그리고는 웃으며 말했다. "아니오."

"왜입니까?"

"평생 해 온 생각이기 때문이오. 한 순간의 기분으로 내린 흑백 논리식 결론이 아니오. 오늘날 우리가 사는 세상에 이런 일들을 일어나게 하는 자라면 그것이 사물이든 사람이든 어떤 존재이든, 사랑의 하나님이라 부를 만한 존재로 믿기란 나로서는 불가능한, 정말 불가능한 일이오."

"믿고 싶은 마음은 있습니까?" 나는 물었다.

"그야 물론이지요!" 그는 큰소리로 말했다. "믿을 수만 있다면 믿고 싶소. 내 나이 이미 여든셋이오. 게다가 난 치매에 걸렸소. 곧 죽을 몸이오. 기정 사실이오! 하지만 나는 평생 해 온 생각을 이제 와서 바꾸지는 않을 거요. 누군가 내게 이렇게 말한다 칩시다. '이봐요, 할아버지. 할아버지가 병이 든 건 처음 발을 들여놓았던 길을 중간에 저버린 데 대한 하나님의 벌입니다.' 그런다고 내 생각이 바뀔 것 같소?"

그리고는 자문자답하듯 힘주어 선언했다. "아니오, 아니오. 우리가 사는 세상에는 사랑의 하나님이란 있을 수 없소."

그의 눈빛이 나를 마주했다. "있을 수 없소."

믿음 유감

템플턴은 손으로 머리칼을 쓸어 올렸다. 이제 피곤의 기미가 보였다. 나는 그의 몸 상태를 주의하고 있었지만 아직 묻고 싶은 질문이 더 남아 있었다. 그의 허락을 받고 나는 계속 말을 이었다.

"지금 이 순간 빌리 그레이엄은 대형 집회를 열고 있습니다. 그리스도를 믿기로 결단하고 앞으로 나오는 사람들에게 뭐라고 하시겠습니까?"

템플턴의 눈이 커졌다. 그는 대답했다. "그들의 삶에 참견하고 싶은 마음은 전혀 없소. 그들을 바보라고 생각하긴 하지만 사람에게 신앙이 있고 신앙이 그를 더 나은 인간으로 만들어 준다면 얼마든지 좋다고 봅니다. 나도 한때 그리스도인이었기 때문에 그것이 삶에 얼마나 중요한지 잘 압니다. 믿음은 그들의 결정을 바꿔 놓고 어려운 문제를 해결하는 데도 도움이 되지요. 믿음은 설명할 수 없는 축복입니다. 하지만 그것이 하나님의 존재를 증명해 줍니까? 아니오. 그렇지 않소."

템플턴의 목소리에 오만한 기색은 없었지만 어딘지 그 사람들을 불쌍히 여긴다는 느낌이 강하게 풍겨 나왔다. 믿음이란 정말 그런 것인가? 더 나은 인간이 되려고 자신을 속이는 것? 자기 도덕성의 눈금을 조금씩 올리는 동기로 삼고자 하나님이 있다고 억지로 믿는 것? 밤에 잠을 더 잘 자려고 옛날 이야기에 심취하는 것? 그건 아니라는 생각이 들었다. 그것이 믿음이라면 나는 그런 믿음에 관심 없다.

"빌리 그레이엄에 대해서는 어떻습니까? 책에는 그가 불쌍하다고 쓰셨는데요." 나는 물었다.

"아니오. 그건 그렇지 않소." 책 내용과는 반대로 그는 강변했다. "내가 누구라

⬅ 1946년, 찰스 템플턴과 빌리 그레이엄이 최초의 YFC 유럽 여행을 계획할 당시. 가운데가 템플턴, 왼쪽이 빌리 그레이엄 .

고 다른 사람의 믿음에 대해 불쌍한 감정을 품는단 말이오? 굳이 말하자면 좀 유감스럽다는 거지요. 현실에 대해 자신의 지성을 닫아 버렸으니 말이오. 하지만 그가 잘못되기를 바라는 마음은 조금도 없습니다!"

템플턴은 옆에 있는 유리로 된 테이블을 쳐다보았다. 그 위에 빌리 그레이엄 자서전이 놓여 있었다.

그는 다정하게 말했다. "빌리는 순금입니다. 속에 꾸밈이나 속임수가 전혀 없지요. 그는 1등급 인간입니다. 철저한 그리스도인이라오. 흔히들 하는 말대로 진품이지요. 그의 믿음은 진심입니다. 의심할 나위 없습니다. 누구보다도 온전하고 신실한 사람이오."

그렇다면 예수에 대해서는 어떨까? 나는 템플턴이 기독교의 머릿돌인 예수에 대해 어떻게 생각하는지 알고 싶었다. "예수가 지구상에 살았다는 사실은 믿습니까?" 나는 물었다.

"두말할 필요 없는 사실이오." 금방 대답이 나왔다.

"예수는 자신을 하나님이라 생각했을까요?"

그는 고개를 저었다. "예수는 그런 생각조차 하지 않았을 것이오."

"그의 가르침은 어떻습니까? 찬탄할 만하다고 생각하십니까?"

"글쎄요, 썩 훌륭한 설교자는 아니지 않소? 그가 한 말은 단순한 것들이오. 깊이 생각하지 않고 한 말이지요. 게다가 인간에게 있어 가장 중대한 질문은 고민하지 않았소."

"그 질문이란…"

"하나님이 존재하느냐는 것이오. 지금 이 세상에 벌어지는 일들을 일으키거나 허용하는 하나님을 인간이 어떻게 믿을 수 있겠소?"

"그래서 예수를 어떻게 평가하십니까?" 논리적으로 당연히 따라 나올 질문이었다. 그러나 그것이 불러일으킨 반응은 전혀 뜻밖이었다.

그렇다면 예수는

템플턴의 몸짓이 부드러워졌다. 한때나마 사랑하던 옛 친구를 떠올리니 긴장이 풀리고 편안해진 것 같았다. 수시로 격앙되곤 하던 그의 목소리에는 이제 구슬픈 사색의 기운이 감돌았다. 경계의 빛도 없이 서두르지 않고 신중히 단어를 선택하며 향수에 젖어 예수에 대해 얘기했다.

"예수는 이 땅에 살았던 가장 위대한 인간이었소. 또 천재적인 도덕가였소. 독특한 윤리 감각을 가졌지요. 내가 살면서 또는 책을 통해 만난 사람 중 본질상 가장 지혜로운 사람이었소. 그의 헌신은 철저했고 그 때문에 죽었소. 세상으로 말하자면 큰 손실이었지. 하나의 위대한 삶이었다는 말 외에 달리 뭐라고 할 수 있겠소?"

나는 깜짝 놀랐다. "그분을 정말 소중히 여기는 것처럼 들립니다."

그는 대답했다. "그런 셈이오. 사실 그는 내 인생에서 가장 중요한 사람이라오. 그러니까…, 음…" 그는 정확한 단어를 찾는 듯 말을 더듬었다. "이상하게 들릴지 모르지만 이렇게 말할 수밖에 없소. 나는 그를 흠모합니다!"

어떻게 반응해야 할지 난감했다. "진심이시군요." 나는 말했다.

"음… 그렇소. 내가 아는 모든 선한 것, 내가 아는 모든 훌륭한 것, 내가 아는 모든 순결한 것, 그것을 나는 예수에게서 배웠소. 그렇소… 그렇소. 그것도 아주 힘겹게 배웠지요! 예수를 봐요. 그는 사람들을 책망했소. 분노했소. 사람들은 그런 줄도 모르지만 그건 그들이 성경을 읽지 않기 때문이오. 그에게는 의분이 있었소. 압제받고 착취당하는 자들을 걱정했소. 그는 역사상 누구보다도 도덕 수준이 높고 표리부동하지 않고 동정심이 많았소. 거기엔 이의가 있을 수 없소. 훌륭한 사람들이 많이 있지만 어디까지나 예수는 예수입니다."

"그러니까 세상이 그를 본받는다면 잘하는 일이겠군요."

"그야 물론이오! 나도 예수라면 어떻게 할까 생각하며 그대로 행동하려 해 왔소. 물론 해 보는 정도에 불과하지만. 그렇다고 내가 그의 마음을 알 수 있다는 뜻은 아니오. 예수는 우리 생각과 정반대로 한 경우가 많았으니 말이오. 그것이 예수의 매혹적인 면이기도 하지만."

거기서 갑자기 템플턴은 말을 멈추었다. 계속해야 할지 말아야 할지 분간이 안 서는지 짧은 침묵이 흘렀다.

그가 천천히 입을 열었다. "음… 하지만… 아니지. 그는 가장…" 거기서 말이 끊겼다 다시 이어졌다. "내 생각에 그는 이 땅에 존재했던 인물 중 가장 중요한 사람이오."

그때 템플턴에게서 들으리라 상상도 하지 못했던 말이 그의 입에서 나왔다. "이렇게 표현해도 된다면…" 그의 목소리가 갈라지기 시작했다. "나는… 그가… 그립다오!"

동시에 그의 눈에서 눈물이 흘러내렸다. 그는 고개를 돌려 바닥을 보며 왼손으로 얼굴을 가렸다. 흐느낌을 따라 그의 어깨가 위아래로 흔들렸다.

무슨 일일까? 차마 가릴 수 없었던 그 영혼의 단면일까? 그에게 마음이 끌리며 그를 위로해 주고 싶었다. 그러나 동시에 내 안에 있는 기자성은 이런 반응을 불러일으킨 내막의 핵심을 파헤치고 싶어했다. 예수가 왜 그립다는 것인가? 어떻게 그립다는 것인가?

나는 부드러운 목소리로 물었다. "어떻게 말입니까?"

템플턴은 평정을 되찾으려 애썼다. 낯선 사람 앞에서 자제력을 잃은 것이 평소의 자신답지 않다고 여기는 모양이었다. 그는 깊은 한숨을 내쉬며 눈물을 닦았다. 어색한 순간이 조금 더 지난 후 그는 그만하자는 듯 손을 내저었다. "이 정도로 해 둡시다." 그는 조용하면서도 단호히 말했다.

그는 몸을 앞으로 기울여 커피 잔을 들었다. 잔에서 온기를 취하려는 듯 양손으로 잔을 꼭 받쳐 들고 커피를 한 모금 마셨다. 자기 영혼의 꾸밈없는 단면을 들여다본 일이 절대 없었다는 듯 태연한 척하려는 빛이 역력했다.

하지만 나는 그냥 접어 둘 수 없었다. 하나님에 대한 템플턴의 신랄하면서도 진실한 반론도 적당히 얼버무릴 수 없었다. 분명 그 반론들은 답이 필요하다.

나뿐만 아니라 그를 위해서도.

답을 찾아 떠나는 길

16억 명의 그리스도인이 틀렸을 수도 있다. 내 주장은 간단하다. …합리적인 사람이라면 이 신앙을 버려야 한다.

—마이클 마틴(Michael Martin), 무신론자[1]

오늘날 지성인이 무신론이나 불가지론의 환상을 받아들여, 내가 저질렀던 실수와 똑같은 지적 실수를 범할 만한 타당한 이유는 없다. 내가 지금 알고 있는 것을 진작 알았더라면 얼마나 좋았을까.

—패트릭 글린(Patrick Glynn), 무신론자 출신의 그리스도인[2]

1 *The Case Against Christianity* (하나님을 거역한 사건), 1991, pp. 3,5.

2 *God : The Evidence*(하나님 : 궁극적 증거), p. 20.

찰스 템플턴과 인터뷰를 마친 후 나는 아내 레슬리와 함께 시카고로 돌아왔다. 한참 동안 우리는 전직 전도자와의 수수께끼 같은 만남에 대해 열띤 토론을 벌였다.

솔직히 나는 그 경험을 소화할 시간이 필요했다. 하나님에 대한 단호한 거부에서부터, 한때 경배했던 예수에 대한 심리적 열망에 이르기까지 그야말로 특이한 인터뷰였다.

"당신, 그렇게 말하는 걸 보니 템플턴을 정말 좋아하는군요." 아내가 말했다.

"맞아요."

사실 나는 그에게 마음이 끌렸다. 그는 믿음을 갈망하고 있다. 본인도 그것을 인정했다. 죽음을 앞둔 그에게는 하나님을 믿고 싶어할 만한 동기가 충분히 있다. 그의 내면 깊은 곳에는 부인할 수 없이 예수에게 끌리는 마음이 있다. 문제는 그의 길을 정면으로 가로막고 있는 막강한 지적 장벽들이다.

나도 템플턴처럼 의문을 안고 씨름하던 사람이었다. 「시카고 트리뷴」지의 법률 담당 기자로 있을 때 나는 소위 '맞다, 하지만' 식의 반론을 제기하기로 유명했다. 맞다, 증거물들은 재판 결과를 쉽게 예상하게 해 준다. 하지만, 진술이 안 맞는 것이나 이 약점과 저 허술한 논리는 어찌된 것인가? 맞다, 검사가 피고의 유죄를 입증하기 위해 설득력 있는 논고를 제시했다. 하지만, 알리바이의 헛점이나 지문 부재는 어찌할 것인가?

「예수 사건」 두란노.

이런 반론은 예수에 대한 탐색에서도 마찬가지였다. 나는 무신론자였다. 하나님이 인간을 만든 것이 아니라, 죽음이라는 커다란 두려움을 덜기 위해 인간이 하나님을 만들었다는 것이 요지부동의 내 확신이었다. 그러나 「예수 사건」에 소개된 대로 신적 존재의 역사적 증거를 찾아 2년여 동안 헤매면서, 나는 하나님이 과연 존재하시며 예수가 실제로 하나님의 독생자라는 판결을 내리게 되었다(그 증거들은 이 책 말미에도 요약해 두었다).

그러나 그 자체만으로는 어딘지 부족했다. 끈질기게 따라다니는 반론들이 여전히 있었다. 맞다, 예수 부활에 대한 역사적 증거는 그분이 신이라는 판결을 지지할 수 있다. 하지만, 여전히 제기되는 광풍 같은 반론들은 어찌할 것인가? 내가 정리한 '8대 난제'는 다음과 같다.

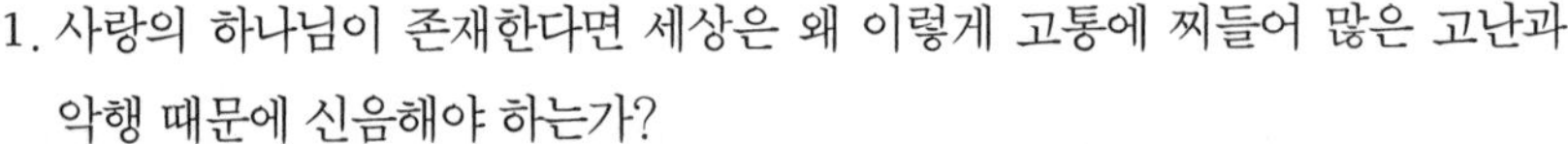

1. 사랑의 하나님이 존재한다면 세상은 왜 이렇게 고통에 찌들어 많은 고난과 악행 때문에 신음해야 하는가?
2. 하나님의 기적들이 과학과 상충되는데 어떻게 합리적인 사람들이 그것을 사실로 믿을 수 있는가?
3. 하나님이 정말 우주를 창조했다면 왜 과학의 설득력 있는 증거들은 하나같이 '생명은 자체적 진화 과정'이라는 결론에 이르는가?
4. 하나님이 도덕적으로 순결하다면 구약 성경에 나오는 대로 무고한 어린아이의 살육을 허용할 수 있는가?
5. 예수가 천국에 이르는 유일한 길이라면 그에 대해 한번도 들어본 적 없는 수많은 사람들은 어떻게 되는가?

6. 하나님이 사람들을 아낀다면 단지 자신을 믿지 않았다는 이유만으로 수많은 사람들을 영원한 고통의 지옥으로 보내겠는가?
7. 하나님이 교회의 감독자라면 왜 교회 역사는 위선과 만행으로 점철되어 있는가?
8. 여전히 회의를 떨치지 못한 채 그리스도인이 된다는 것이 가능한가?

하나님에 관해 흔히 제기되는 질문들이다. 찰스 템플턴이 인터뷰에서, 또 자신의 책에서 논한 이슈들이기도 하다. 이들은 템플턴과 마찬가지로 나와 믿음 사이도 철저히 가로막았던 장애물이다.

예수, 반론에 들지 않다

나는 템플턴이 제기했던 많은 반론에 공감하지만 동시에 각각의 반론을 액면 그대로 받아들일 만큼 고지식하지 않다. 템플턴이 말한 믿음의 장벽 중에는 결코 방해거리가 될 수 없는 것도 있다.

예를 들어, 예수가 자신을 단지 인간으로만 생각했다는 템플턴의 말은 틀렸다. 예수에 관한 최초의 가장 원색적인 정보, 즉 전설의 덧칠로 오염되지 않은 데이터로 거슬러 올라가 보아도 예수는 의심할 나위 없이 자신을 초월자요 신이요 메시아로 여겼음을 알 수 있다.[3]

3 참고 : 「예수 사건」 두란노, 7장.

사실 여기에 아이러니가 있다. 템플턴이 격찬한 예수의 탁월한 도덕적 삶에 대한 역사적 자료가 실은 예수의 신성을 거듭 주장하고 있는 것이다. 따라서 템플턴이 예수의 성품에 관한 자료를 수용한다면, 예수가 자신을 신으로 주장했고 죽은 자 가운데서 살아남으로써 그 주장을 뒷받침했다는 부분도 신빙성 있는 기록으로 인정해야 한다.

아울러 예수의 부활은 템플턴의 주장처럼 결코 전설이 아니다. 초대 교회의 신조는 죽은 자 가운데서 살아난 예수를 직접 목격한 사람들의 증언을 토대로 만들어졌다. 많은 학자들은 그것이 아주 일찍, 즉 예수가 죽은 지 이삼 년 내 만들어졌다고 보고 있다.[4] 신화로 기록이 왜곡되기에는 너무 빠른 시간이다. 역사상 그렇게 빠른 속도로 전설이 생겨나 엄연한 사실(史實)의 핵을 없애 버린 사례는 거의 없다.[5] 그것은 분명한 사실이다.

4 참고 : 고린도전서 15 : 3-8.

5 참고 : 「예수 사건」 두란노, 13장.

맞다. 「예수 사건」에 체계적으로 제시한 바와 같이 목격자들의 증언, 증언 재조사, 기록상의 증거, 과학적 증거, 심리학적 증거, 구약 성경의 증거, 기타 역사적 증거 모두 예수가 진정 하나님의 독생자라는 결론을 강력하게 지지하고 있다.

맞다, 하지만…

하지만 템플턴이 믿음을 받아들이지 못하게 막는 곤란한 이슈들은 어떻게 할까? 나를 끈질기게 좇아다니며, 한때 나를 난처하게 만든 바로 그 이슈들. 아내와 함께 고속도로를 달려 시카고 집으로 오는 동안 몇 가지 문제들이 새삼 나를 괴롭히기 시작했다.

같은 길이기에

아내와 나는 한동안 말이 없었다. 나는 차창 밖으로 캐나다 시골의 물결치는 초장을 내다보았다. 이윽고 아내가 말했다. "인터뷰가 좀 갑작스레 끝났네요. 떠나기 전에 템플턴이 뭐라고 했어요?"

"아주 친절하게 집 구경까지 시켜 주었지. 내가 가지 않았으면 하는 눈치더라니까. 하지만 아무리 애써도 예수에 대한 그의 감정을 다시 듣지는 못했소."

나는 잠시 생각했다. "참, 마음에 와 닿는 말을 또 한 번 하긴 했어요. 내가 막 떠날 준비를 하는데 내 눈을 아주 뚫어지게 쳐다보면서 진심 어린 말투로 말하더군. '우리는 같은 길을 걸었소' 라고."

아내는 고개를 끄덕였다. "과연 맞는 말이네요. 둘 다 작가이고 둘 다 회의론자니까요." 그리고는 웃으며 덧붙였다. "둘 다 엉뚱한 함정이 없다는 확신이 설 때까지 절대 믿음을 갖지 않을 만큼 고집도 세고요."

아내 말이 맞다. 나는 말했다. "하지만 그의 마음이 철저히 닫혀 있는 것 같았소. 사랑의 하나님은 있을 수 없다고 강변했지. 그러면서도 어떤 면에서 인디애나폴리스에 모여 있는 사람들 못지 않게 예수를 원하고 있다는 생각이 들어요. 다만 그게 잘 안 되는 것이겠지. 반론들이 있는 채로는 안 되는 거지."

우리는 미시간에서 하룻밤을 묵고 다음날 오전, 시카고 집에 도착했다. 나는 짐 가방을 질질 끌고 계단을 올라가 침대 위에 털썩 내려놓았다. 아내는 가방을 열고 옷을 꺼내기 시작했다.

"어쨌든 당분간은 집에 있겠네요." 아내가 말했다.

"글쎄, 그럴 수 있을까?" 나는 말했다.

템플턴의 질문들을 그냥 넘길 수는 없었다. 그 질문들은 나 역시 깊이 공감하고 있는 것들이다. 그래서 나는 「예수 사건」을 쓸 때 추구했던 것보다 더 넓은 세계의 영적 여정에 오르기로 결심했다. 「예수 사건」은 예수 그리스도의 삶과 죽음과 부활의 역사적 증거를 탐색한 책이다. 이번에는 우리 마음과 생각에 끈질긴 회의를 가져다 주는, 삶의 가장 혹독하고 난해한 질문들에 기독교가 영혼을 만족시키는 해답을 주는지 밝혀 내고 싶었다. 믿음은 과연 이성을 견뎌 낼 수 있을까? 아니면 지적 정밀 검사 앞에서 밀려나고 말 것인가?

나는 아주 박식하고 열렬한 기독교 옹호자들을 직접 찾아다니기로 했다. 내 의도는 냉소적인 자세나 따지는 태도가 아니었다. 교묘한 질문으로 그들을 귀찮게 하거나 잔꾀를 부려 수사적 궁지에 몰아넣을 생각도 없었다. 내게 이것은 게임이 아니었다.

진정 내 관심은 그들이 '8대 난제'에 합리적 해답을 갖고 있는지 알아보는 데 있었다. 나는 그들이 자신의 논리적 증거를 자세히 풀어 낼 수 있는 충분한 기회를 주어 그들의 입장이 어떤지 평가해 보고 싶었다. 무엇보다도 나는 "너희가 전심으로 나를 찾고 찾으면 나를 만나리라"[6] 하신 하나님의 말씀이 과연 진실인지 알아보고 싶었다.

6 예레미야 29:13.

나는 전화기를 들었다. 답을 찾아 길을 떠나려면 먼저 계획을 세워야 했던 것이다.

찰스 템플턴을 흡족하게 하려면 보통 수준으로는 어림없을 것이다.

사랑의 하나님이 악과 고난을 허용할 수 있는가?

하나님은 악을 없애고 싶어도 능력이 없거나, 능력은 있어도 그럴 마음이 없거나, 능력도 없고 그럴 마음도 없거나 셋 중 하나이다. 원하는데 능력이 없다면 그는 무능하다. 능력은 있는데 원하지 않는다면 악하다. 하나님이 능력도 있고 악을 없앨 마음도 있다면 이 세상에 악이 존재했겠는가?

—에피쿠로스, 철학자

고난의 정체는 의심할 나위 없는 기독교 신앙 최대의 도전이다. 모든 세대에서 그랬다. 고난의 정도와 빈도는 무작위처럼 보이기에 불공평해 보일 수 있다. 민감한 영혼이라면 하나님의 공의와 사랑이 고난과 조화를 이룰 수 있는지 의문이 들게 마련이다.

—존 스토트, 신학자[1]

에피쿠로스 BC 341-270 그리스 철학자.

1 「그리스도의 십자가」 IVP.

신문방송 대학을 갓 졸업한 젊은 이상주의자 기자인 내가 「시카고 트리뷴」지에서 처음 맡은 업무는 도시에 거주하는 빈민들의 실상을 소개하는 30회분 연재 기사를 쓰는 일이었다. 나는 동질성이 강한 신도시에서 자랐다. 고급 캐딜락이 한 대 이상 없으면 곧 '가난'으로 통하던 곳이었다. 그런 내가 순식간에 빈곤과 절망에 찌든 시카고 빈민가에 들어가야 했다. 어떤 면에서 그 경험은 죽은 아기를 안고 있던 아프리카 여자의 사진에 찰스 템플턴이 경악한 것과 비슷했다.

나는 위풍당당한 「시카고 트리뷴」지 본사 고층 건물이 우아한 부티크며 호화 호텔들과 어깨를 맞대고 있는 중심가를 벗어나 차를 몰고 작고 허름한 아파트 단지로 들어섰다. 페르펙타 드 헤수스라는 60세의 할머니가 두 손녀를 데리고 사는 집이 방문지였다. 예전에 살던 바퀴벌레 들끓는 영세민 아파트가 불에 타 없어진 뒤 이곳으로 이사온 지 한 달쯤 되었다고 했다.

병자처럼 허약한 페르펙타는 진작부터 돈이 떨어져 구호금과 소액의 식량 배급표를 받아 왔다. 음식이 떨어지지 않도록 끼니마다 고기 한 조각과 밥, 콩만 먹으며 근근히 버티고 있었다. 고기는 금방 떨어졌다. 이어 콩이 바닥났다. 이제 남은 거라고는 쌀 한 줌뿐이었다. 기일을 넘긴 보조금 수표가 도착하면 순식간에 집세와 공과금으로 날아가고 일가족은 여전히 굶주린 상태로 있어야 했다.

아파트는 가구도 살림살이도 카펫도 없이 텅 비어 있었다. 휑하니 드러난 벽과 차가운 나무 바닥에 부딪혀 목소리가 메아리처럼 울려 퍼졌다. 살을 에는 듯한 추운 겨울 아침, 열한 살 된 손녀 리디아는 반소매 셔츠 위에 얇은 회색 스웨터만 달랑 입고 800미터를 걸어 학교에 간다. 반쯤 가다가 리디아는 스웨터를 벗어 두 살 위 언니 제니에게 주고 그때까지 소매 없는 옷을 입고 추위에 떨던 제니가 거기서부터 학교까지 스웨터를 두르고 간다. 두 아이에게 있는 옷이 그 한 벌이었던 것이다.

"애들한테 어떻게든 잘하려고 애쓰고 있어요. 애들이 착해요. 불평도 없고."[2] 페르펙타는 스페인어로 말했다.

몇 시간 후, 시카고 최고의 부자 동네가 한눈에 내려다보이는 호반의 고층 건물로 돌아온 나는 상반된 양쪽의 현실에 현기증을 느꼈다. 하나님이 있다면 왜 페르펙타와 손녀들 같은 친절하고 선량한 사람들이 손꼽히는 부자 도시 한복판에서 춥고 배고프게 내버려 둔단 말인가? 연재 기사를 위해 날마다 자료를 수집하면서 나는 그와 비슷하거나 더 열악한 환경 속에 사는 사람들을 만나게 되었다. 나는 기왕의 무신론에 더 깊이 빠져들었다.

빈곤, 고생, 비탄, 비인간적 대우 등이 기자인 내게 주어진 일용의 양식이었다. 먼 곳에서 찍어 온 잡지 사진을 보는 것이 아니었다. 바로 옆에서 목격하는 삶의 질곡과 아픔이었다.

나는 외동딸이 강간당하고 토막 살해당했다는 소식을 막 들은 젊은 엄마의 눈빛도 보았다. 무고한 피해자에게 가해진 소름 끼치는 참사에 대한 법정 증언도 들었다. 사회의 쓰레기 하치장쯤으로 취급되는 감옥도 가 보았다. 노인들이 사랑하는 이들로부터 버림받고 비참하게 살아가는 싸구려 양로원도 가 보았다. 비쩍 마른 아이들이 무서운 말기 암에 대항해 속절없이 싸우고 있는 소아과 병동도 가 보

2 참고 : 리 스트로벨, "Thanksgiving Near : Only Food Rice(추수 감사절 다가오다 : 쌀뿐인 양식)," 「시카고 트리뷴」지, 1974년 11월 25일자.

➡ 사진 김창현.

았다. 마약 거래와 도심 총격전이 다반사로 벌어지는 범죄의 소굴도 가 보았다.

하지만 인도 봄베이의 빈민가에서처럼 충격을 받은 적은 없었다. 시끄럽고 지저분하고 북적거리는 거리 양편, 눈 닿는 곳은 모두 작은 판잣집이 늘어서 있었다. 버스와 차들이 매연과 배기가스를 뿜어내는 차도 옆이었다. 벌거벗은 아이들은 하수도 도랑 안에 들어가 놀고 있고 사지가 없거나 기형으로 몸이 뒤틀린 사람들이 흙바닥에 앉아 있었다. 사방에 벌레들이 윙윙거렸다. 끔찍한 광경이었다. 택시 기사는 그곳이 길바닥에서 태어나 평생 길바닥에서 살다가 제 명도 못 살고 길바닥에서 죽는 곳이라 했다.

거기서 나는 열 살 난 소년의 얼굴을 마주 대하게 되었다. 당시 내 아들 카일과 얼추 비슷한 나이였다. 인도 소년은 영양 실조로 뼈만 앙상했고 머리는 때가 찌들어 엉클어져 있었다. 병에 걸린 한쪽 눈은 반쯤 감겨 있고 다른 쪽 눈도 초점을 잃은 채 허공을 응시하고 있었다. 얼굴의 상처에서 피가 나오고 있었다. 소년은 손을 내밀며 힌두어로 뭐라고 중얼거렸다. 동전을 구걸하는 것 같았다. 그러나 아무런 반응도 기대하지 않는 듯 목소리는 분명치 않았고 생기도 없고 높낮이도 없었다. 모든 희망이 다 사라진 모습이었다.

이 비참한 지옥 구덩이 어디에 하나님이 있단 말인가? 이 소년을 즉시 고쳐 줄 능력이 있는 하나님이라면 왜 등을 돌리는가? 이들을 사랑한다면 왜 그 사랑의 표현으로 이들을 구해 주지 않는가? 가슴이 찢어지는 끔찍한 고난이 존재하는 사실 자체가, 사랑의 하나님이 존재하지 않는다는 증거는 아닌가? 그것이 진짜 증거가 아닐까?

고통의 의미 찾기

아픔과 슬픔을 당해 보지 않은 사람이 있을까. 우리 아버지는 더 오래 사시며 손자 손녀들이 자라는 모습을 보셔야 할 나이에 심장병으로 돌아가셨다. 나는 갓 태어난 우리 딸아이가 원인 모를 병과 싸우는 모습을 신생아 중환자실에서 밤을 새우며 지켜보았다. 아이는 생사를 헤매는데 의사들은 어찌할 바를 몰랐다. 딸이 음주 운전자에게 치었다는 친구의 고뇌에 찬 전화를 받고 병원으로 달려간 적도 있었다. 그 아이가 목숨을 잃는 순간 나는 친구의 손을 붙잡고 있었다. 친구의 두 어린 자녀에게 엄마가 자살했다는 소식을 전한 적도 있었다. 어린 시절의 친구들이 암이며 루게릭병이며 심장병에 걸리거나 교통 사고를 당하는 모습도 지켜보았다. 내가 사랑하는 사람이 치매로 정신을 유린당하는 모습도 보았다. 누구에게나 이와 비슷한 개인적 아픔의 사연들이 있을 것이다.

우리는 이제 막 잔혹성과 비인간성이 전례 없이 기승을 부린 한 세기를 벗어났다. 히틀러, 스탈린, 폴포트, 마오쩌뚱 같은 독재자들 때문에 수천만을 헤아리는 피해자가 생겼다. 엄청난 잔혹성에 사고가 무디어질 정도다. 그러다가도 이따금씩 개인적인 참사의 사연을 접하면 새삼 진저리를 치게 된다.

안테 파벨릭(1889-1959) 크로아티아에 선 나치 괴뢰 정권의 수장.

최근에 읽은 이탈리아 기자가 쓴 기사도 그런 경우다. 2차 대전 중 그는 크로아티아의 나치 찬동 지도자 안테 파벨릭(Ante Pavelic)을 찾아갔다. 그는 기자에게 자랑스레 웃으며 바구니 하나를 보여 주었다. 그 안에는 굴처럼 생긴 것이 가득 들어 있었다. 군인들이 자기에게 보내온 선물로 18킬로그램에 달하는 인간의 안구라는 것이었다. 자기들이 살육한 세르비아인, 유대인, 집시들에 대한 조그만 기념품인 셈이었다.[3]

3 Peter Maass, "Top Ten War Crimes Suspects(10대 전범 혐의자)," 「조지」지, 1999년 6월호.

이런 사연들, 즉 유대인 대학살, 캄보디아 킬링필드, 르완다의 집단 학살, 남아프리카 공화국의 고문실 따위 끔찍한 악을 접할 때 우리는 피할 수 없는 의문에 부딪힌다. 하나님은 어디 있는가? 수많은 인명을 앗아 가는 지진과 태풍을 보면서도 의문이 든다. 왜 하나님은 막지 않았을까? 전 세계 10억 인구가 기본 생필품이 없다는 통계를 읽으며 의문이 든다. 왜 하나님은 나 몰라라 하고 계실까? 만성적 고통이나 뼈아픈 상실, 절망적인 상황으로 아파할 때 역시 의문을 떨칠 수 없다. 왜 하나님은 도와주시지 않는가? 하나님이 사랑이 많고 전능하고 선하다면 이 모든 고난은 정녕 존재해서는 안 된다. 그러나 고난은 존재한다.

설상가상으로 대개 무고한 사람들이 피해를 본다. 불가지론자였다가 그리스도인이 된 셸던 배너켄(Sheldon Vanauken)은 이렇게 썼다. "악당들만 허리가 부러지거나 암에 걸리고, 사기꾼과 나쁜 사람들만 파킨슨병에 걸린다면 그나마 우주 안에 시행되는 천상의 정의를 조금은 볼 수 있으리라."

그러나 언제나 그렇듯 착하고 순한 아이가 뇌종양으로 죽고 풋풋한 젊은 아내가 자기 눈앞에서 남편과 자식이 음주 운전자에 치여 죽는 것을 본다. 우리는 하늘을 향해 소리 없이 절규한다. "왜? 왜?" 하나님, 또는 하나님의 뜻을 거론해 봐야 전혀 도움이 되지 않는다. 선한 하나님, 사랑의 하나님이 어떻게 그런 일을 할 수 있단 말인가? 어떻게 그런 일이 일어나도록 놓아둘 수 있단 말인가? 무심한 별들은 아무런 답도 주지 않는다.[4]

필립 얀시(Philip Yancey)가 쓴 고통에 관한 책, 「내가 고통 당할 때 하나님은 어디 계십니까」(*Where Is God When It Hurts?*, 생명의말씀사 역간)는 "결코 사라지지 않을 문제"[5]라는 제목의 첫 장으로 시작된다. 알맞은 제목이다. 고통은 단지 현실과 격리된 학계에서 논쟁하는 지적인 이슈만이 아니라, 우리의 감정을 응어리지게 하고 우리를 영적 현기증에 빠뜨릴 수 있는 지극히 개인적인 문제다. 우리는 방향을 잃은 채 겁에 질리고 분노에 떨 수 있다. 어떤 작가는 고통의 문제를 "물음표가 인간의 마음속에서 낚시 바늘로 변한 것"[6]이라 표현했다.

사실 이것은 영적 구도자들에게도 최대의 장애물이다. 나는 여론 조사 전문가인 조지 바나(George Barna)에 위촉해 과학적 방법으로 전국 성인 남녀 표본 집단을 추출하여 의견을 물었다. "하나님에게 딱 한 가지 질문을 던질 수 있고 반드시 대답해 주시겠다면 당신은 무슨 질문을 하겠습니까?" 가장 많이 나온 답은 "세상에 왜 아픔과 고난이 있습니까?"였다. 질문이 있다고 말한 사람들 중 17%가 그런 반응을 보였다.[7]

찰스 템플턴 역시 그 질문을 던졌다. 그가 믿음을 버린 것은 「라이프」지에 실린 사진 한 장이 발단이었다. 죽은 자식을 품에 안고 비가 오지 않는 하늘을 쳐다보는 아프리카의 한 어머니 사진이었다. 기독교를 버리게 된 경위를 털어놓은 자신의 책에서 템플턴은 고대 역사와 현대 역사의 비극들을 장황하게 늘어놓은 뒤 이렇게 단언했다.

"'사랑의 하나님'이라면 지금껏 우리가 보아 온 참사, 즉 시간이 시작된 이래 계속되어 왔고 지금도 날마다 계속되고 있고 앞으로도 삶이 존재하는 한 계속될 참사들을 절대 만들어 낼 수 없다. 그것은 상상할 수도 없는 고난과 죽음의 이야기다. 그런데 그 이야기가 사실(또는 역사)이기 때문에 사랑의 하나님이 존재할 수 없다는 것은 너무나 분명하다."[8]

존재할 수 없다? 고난의 존재는 반드시 하나님의 부재를 뜻하는 것일까? 고난이라는 믿음의 장애물은 과연 정복 불가능한 것인가? 사랑이 많고 전능하신 하나

4 피터 크리프트, *Making Sense Out of Suffering*(고통의 의미 찾기), 8장.

5 「내가 고통 당할 때 하나님은 어디 계십니까」 생명의말씀사.

6 소설가 Peter De Vries의 말 인용.

7 1999년 1월 바나 연구소(Barna Research Group, Ltd.)에서 실시한 여론 조사.

8 *Farewell to God*, pp. 201-202.

님 아버지를 전심으로 믿으려면 내 주변의 악과 고통의 현실에 적당히 눈감아야만 하는가? 기자인 내게 그것은 전혀 대안이 될 수 없었다. 나는 어떤 것도 과소평가하지 않고 모든 사실과 증거를 밝혀야 했다.

이런 문제로 아내와 토론한 적이 있었다. 아내의 인생에서 힘겨웠던 시기였는데 삼촌이 막 세상을 떠나고 숙모마저 치매와 말기 암 진단을 받은 때였다. 격랑에 휩싸인 아내는 뻔하고 쉬운 답을 주려는 사람을 경계했다.

"작은 꾸러미에 모든 것을 깔끔하게 싸고 거기 예쁜 신학적 리본을 묶으려는 사람은 저리 꺼져 버리라." 그것이 아내의 생각이었다.

나는 아내가 옳다고 생각한다. 나는 보스턴 대학에 전화를 걸어 *Making Sense Out of Suffering*(고통의 의미 찾기) 저자와 인터뷰 약속을 정했다. 그 책의 제목이 정확히 내가 찾으려는 것이었다.

| 첫 번째 인터뷰 |

피터 크리프트 박사

http://ic.net/~erasmus/RAZ29.HTM

나는 피터 크리프트(Peter Kreeft)를 '비(非)철학자'로 표현하고 싶다. 그렇다고 그가 철학자가 아닌 것은 아니다. 그는 포드햄(Fordham) 대학교에서 박사 학위를 받고 예일 대학교 연구 과정을 거쳐 빌라노바(Villanova) 대학교에서 가르쳤으며 1965년 이후 보스턴 대학에서 38년 동안 철학 교수로 재직해 온 최고 수준의 철학 사상가이다. 그는 형이상학, 윤리학, 신비주의, 성(性), 동양 철학, 그리스 철학, 중세 철학, 현대 철학 등의 과목을 가르쳤고 우드로 윌슨, 예일-스털링 기금 등을 받는 명예도 안았다.

그런데도 크리프트는 전형적 철학자의 이미지를 떠올리려 할 때 얼른 생각나는 그런 사람은 아니다. 편견인지 모르지만 철학자들은 대개 약간 고리타분하고, 애매하고 복잡한 문장으로 말하며 세상과는 담을 쌓은 학문의 상아탑 속에 살면서 심각할 정도로 우울해 하지 않는가.

그러나 크리프트는 마음을 잡아끌면서 현실 세계에 맞는 대답을 재미있게 들려준다. 곧잘 인상적인 표현으로 시원시원하게 의사를 전달한다. 엉뚱한 웃음을 지으며, 극히 신성한 주제에 대해서까지

기상천외한 농담을 억누르지 못한다. 62세의 나이임에도 근처 해변 어딘가에서 서핑을 즐기는 그의 모습을 심심찮게 목격할 수 있다(그의 신작에는 이런 제목을 붙인 장도 있다. '나는 서핑한다. 고로 나는 존재한다').

천주교 신자이지만 개신교 애독자도 적지 않은 크리프트의 저서로는 *Love is Stronger than Death*(사랑은 죽음보다 강하다), *Heaven : the Heart's Deepest Longing*(천국 : 마음의 가장 깊은 동경), *Prayer : the Great Conversation*(기도 : 위대한 대화), *A Refutation of Moral Relativism*(도덕적 상대주의에 대한 반박), *Handbook of Christian Apologetics*(기독교 변증론 핸드북) 등 40권이 넘는다. 그의 특이한 상상력은 특히 *Between Heaven and Hell*(천국과 지옥 사이)와 *Socrates Meets Jesus*(소크라테스 예수를 만나다)에 잘 나타나 있다. 전자는 C. S. 루이스, 존 F. 케네디, 앨더스 헉슬리(Aldous Huxley)가 사후에 만나 그리스도에 대해 논하는 책이고, 후자는 고대 사상가 소크라테스가 하버드 대학교 신학부에서 그리스도인이 된다는 내용이다.

나는 사무실에 들어서기도 전에 크리프트의 색다른 유머 감각을 만났다. 침침하고 희미한 복도에 늘어선 아주 깔끔한 16개의 사무실과 달리 크리프트의 사무실 문은 둔즈베리와 딜버트 만화 등 우스꽝스러운 그림들이 줄줄이 붙어 있었다. 채찍이 몸 속을 관통하고 있는 황소 그림도 있고, 아인슈타인이 장난스레 혀를 내밀고 있는 사진도 있고, 지옥에서 사탄이 "곧 알겠지만 여기는 옳은 것도 그른 것도 없다. 뭐든 당신한테 통하는 것만 있을 뿐이다"라며 사람들을 맞이하는 만화도 있었다.

내가 크리프트에게 끌린 것은 고통에 대한 그의 통찰력 있는 책, *Making Sense Out of Suffering*(고통의 의미 찾기) 때문이다. 이 책에서 그는 소크라테스와 플라톤과 아리스토텔레스, 어거스틴과 키에르케고르와 도스토예프스키, '스타 트랙'과 '벨벳 토끼'와 '햄릿', 모세와 욥과 예레미야를 두루 섭렵하면서 발견한 것을 솜씨 좋게 엮어 놓았다. 그 여정의 시종에 흐르는 궁극적이며 최종적인 단서는 하나님의 눈물과 예수이다.

벨벳 토끼
(The Velveteen Rabbit)
마거리 윌리암스 원작. 1922년 처음 출간. 인간의 사랑을 받으면 진짜가 될 수 있다고 믿는 장난감 토끼 이야기.

나는 일찍 도착하여 복도에서 크리프트를 기다렸다. 그는 곧 도착했다. 보스턴 어딘가에서 열린 철학자 회의를 막 마치고 오는 길이었다. 갈색 트위드 재킷과 알이 굵은 안경, 단정히 빗어 넘긴 짙은 회색 머리칼이 아버지 같은 인상을 풍겼다.

그는 자신의 책상 뒤에 앉았다(머리 위쪽에 '쓰레기 버리지 말 것' 이라고 쓰인 표지판이 붙어 있었다). 대화는 그가 좋아한다는 보스턴 레드삭스 팀의 연패에 관한 이야기로 시작됐다. 고통이라는 주제를 감안할 때 적절한 화제였다.

나는 크리프트에게 기독교에 대한 템플턴의 도발적 반론을 정면으로 들이밀었다. 가뭄에 타는 아프리카에서 한 어머니가 죽은 아기를 끌어안고 고통스러워하는 그 사진 말이다.

덫에 걸린 곰, 사냥꾼을 만나다

나는 템플턴의 심정으로 크리프트를 마주보며 노트에 적어 둔 사진 설명과 전직 전도자의 회의에 찬 말을 그대로 전해 주었다.

"이 여자한테 필요한 거라곤 비뿐입니다. 그런데도 비를 내려 주지 않는 사랑과 자비의 창조주 존재를 믿어야 합니까? 사랑의 하나님이라면 어떻게 이런 일을 할 수 있습니까? 비는 누구 소관입니까? 나는 아닙니다. 당신도 아닙니다. 그의 소관입니다. 그때는 그렇게 생각했소. 하지만 이 사진을 보는 즉시 알아차렸소. 사랑의 하나님이 존재하는데 이런 일이 일어날 수는 없다는 것을 말이오. 그건 말도 안 되오. 악마가 아니고서야 누가 아기를 앗아 가고 그 엄마마저 고통으로 죽어 가게 할 수 있단 말이오? 필요한 거라곤 '비' 뿐인 그 상황에서 말이오. 그 후 나는 지구 구석구석을 휩쓸며 모든 사람을 고통스럽게 죽이는 온갖 재앙을 생각하기 시작했소. 그러면서 더없이 명백해진 사실은 지성을 가진 사람이 사랑의 신의 존재를 믿는다는 것은 불가능하다는 것이오."

나는 노트에서 눈을 떼고 크리프트를 바라보았다. 그의 눈은 내게 고정되어 있었다. 나는 강조의 뜻으로 몸을 의자 앞쪽으로 바짝 기울여 약간 따지는 어투로 말했다. "크리프트 박사님, 박사님은 지성인으로서 사랑의 신의 존재를 믿는 분입니다. 템플턴의 말을 어떻게 생각하십니까?"

크리프트는 헛기침을 한 뒤 이렇게 말문을 열었다. "우선, '불가능하다' 는 표현을 짚고 넘어가고 싶습니다. 역사상 가장 유명한 회의론자라는 데이비드 흄도 하나님이 존재할 가능성을 '거의 없다' 고 표현했습니다. 적어도 약간의 가능성이 있다고 보는 것, 그것이 어느 정도 합리적인 입장이 아닐까요? 우리의 미래를 포함해 우리보다 훨씬 많이 아시는 사랑의 하나님이 템플턴이 본 아프리카의 악을 허용하실 가능성이 전혀 없다고 말한다는 것은, 글쎄요, 내게는 지적 오만으로 느껴집니다."

나는 깜짝 놀랐다. "왜 그렇습니까?"

"한낱 유한한 인간이 어떻게 무한한 지혜의 존재가, 우리가 내다보지 못하는 보다 장기적 선을 위해 특정한 단기적 악을 허용할 수 없다고 확신할 수 있습니까?" 그는 그렇게 되물었다.

요지는 알 것 같았지만 예가 필요했다. "좀 더 자세히 설명해 주십시오."

크리프트는 잠시 생각하다 말을 이었다. "이런 식으로 생각해 보십시오. 하나님과 우리의 차이가, 우리와 곰의 차이보다 크다는 데 동의하십니까?"

나는 고개를 끄덕였다.

"좋습니다. 그렇다면 덫에 걸린 곰 한 마리와 안타까운 마음으로 그 곰을 덫에서 풀어 주려는 사냥꾼을 상상해 보십시오. 사냥꾼은 곰의 마음을 얻으려 하지만 쉽지 않습니다. 그래서 곰에게 약물이 든 주사기를 찌르려 합니다. 하지만 곰은 그것을 공격으로 받아들이고 사냥꾼이 자기를 죽이려 한다고 생각합니다. 그 일이 동정심에서 일어난 일임을 모릅니다.

곰을 덫에서 꺼내려면 곰을 덫 안으로 더 밀어 넣어 용수철을 풀어야 합니다. 이때 곰에게 의식이 남아 있다면 사냥꾼이 아픔과 고통을 가하는 적(敵)이라는 확신이 굳어질 것입니다. 그러나 곰의 생각은 틀린 것입니다. 곰은 사냥꾼의 마음을 모르기 때문에 부정확한 결론에 이른 것입니다."

크리프트는 내가 그 예화를 실감하도록 뜸을 들인 뒤 이렇게 결론지었다. "자, 하나님과 우리 사이를 이 비유로 설명한다면 어떻겠습니까? 나는 하나님이 우리에게 이처럼 하신다고 믿습니다. 곰이 사냥꾼의 동기를 이해하지 못하는 것처럼 우리도 그분이 왜 그런 일을 하시는지 모릅니다. 하지만 곰이 사냥꾼을 믿으면 되듯 우리가 하나님을 믿으면 됩니다."

믿음 안의 편견

나는 잠시 크리프트가 한 말의 요지를 생각하고 있었다. 내가 대답하기 전에 그가 다시 말을 이었다.

"템플턴을 깎아내리고 싶은 마음은 조금도 없습니다. 그는 하나님에게 불리하게 작용하는 것에 아주 정직하고 진실하게 반응하고 있습니다. 믿음이란 믿음을 갖기 어려운 곳에서만 존재합니다. 둘 더하기 둘이 넷이라든가, 정오의 태양 위치

따위에 대해서는 굳이 믿음이 필요 없습니다. 이미 틀림없는 사실이니까요. 성경은 하나님을 숨어 있는 분으로 묘사합니다. 그분을 찾으려면 믿음의 노력이 필요합니다. 따라서 우리가 따를 수 있는 '단서' 들이 있을 것입니다.

단서가 주어지지 않았다면 그분에 대해 진정 자유로운 선택을 내릴 수 있겠습니까. 만일 단서 정도가 아니라 절대적 증거가 주어졌다면 태양을 부인할 수 없는 것처럼 하나님을 부인할 수 없겠지요. 아무런 증거도 없다면 결코 하나님께 이를 수 없습니다. 하나님은 당신을 찾는 사람들에게 꼭 필요한 만큼의 증거를 주십니다. 단서를 찾게 해 주십니다.

성경은 말합니다. '찾으라 그러면 찾을 것이다.'[9] 모든 사람이 다 찾는다는 뜻이 아닙니다. 아무도 찾지 못한다는 말도 아닙니다. 일부 찾는 사람들이 있다는 것입니다. 누구일까요? 찾아 나서는 자들입니다. 그분을 찾기로 마음먹고 단서를 따르는 사람들입니다."

9 마태복음 7:7.

"잠깐만요." 나는 주저없이 끼어들었다. "조금 전 박사님은 '하나님에게 불리하게 작용하는 것' 이 있다고 하셨는데 그렇다면 악과 고난이 하나님을 반대하는 증거라고 시인하시는 거군요." 그렇게 지적한 뒤 나는 말을 이었다. "악이 하나님의 존재를 반증한다고 인정하셨으니 사건은 이것으로 끝입니다!" 나는 판결을 내리듯 책상을 내려치며 짐짓 득의양양하게 말했다.

크리프트는 내 격한 행동에 잠깐 주춤하더니 고개를 저었다. "아닙니다. 증거가 있다는 것이 결론일 수는 없습니다. 이 세상에는 하나님을 반대하는 증거도 있고 하나님을 지지하는 증거도 있다는 뜻입니다. 어거스틴은 그것을 이렇게 표현했지요. '하나님이 없다면 왜 이렇게 선이 많은가? 하나님이 있다면 왜 이렇게 악이 많은가?'

하나님의 부재를 주장하는 한 가지 근거가 악이라는 데 이의는 없습니다. 다만 나는 하나님의 존재를 지지하는 증거로 20가지를 댈 수 있습니다. 내 책에 잘 간추려 놓았지요.[10] 하나님을 믿는 나는 한 가지에만 답하면 되지만 무신론자들은 20가지 주장에 모두 답변해야 합니다. 우리는 각자 자기 표를 던져야 합니다. 믿음이란 능동적인 것입니다. 믿음은 반응을 요구합니다. 증거 앞에 충실히 고개 숙이는 이성과는 달리 믿음에는 편견이 개입됩니다."

10 참고 : 피터 크리프트, *Handbook of Christian Apologetics*(기독교 변증론 핸드북), InterVarsity, 1994, pp. 48-88.

편견이라는 단어가 귀에 들어왔다. "편견이 개입되다니 무슨 말입니까?"

"지금 경찰이 이 방에 들어와 내 아내가 13명의 이웃을 죽이는 것을 현장에서 체포했고 목격자들도 있다고 한다 칩시다. 나는 그를 비웃을 것입니다. '천만에! 있을 수 없는 일이오. 당신은 내 아내를 모르오.' 그렇게 말할 것입니다. 그러면 그는 '증거가 뭐요?' 하고 말하겠지요. 나는 '당신이 갖고 있는 증거와는 다르지만 그런 일이 있을 수 없다는 증거가 분명 있소' 할 것입니다. 그런 의미에서 내게는 편견이 있습니다.

하지만 이 편견은 합리적 편견입니다. 내 실제 경험을 통해 모아진 증거에 기반을 두고 있기 때문입니다. 마찬가지로 하나님을 아는 사람에게도 증거가 있고 자연히 그 증거에 기반을 둔 편견이 있습니다. 하나님을 모르는 사람에게는 없는 증거지요."

악은 하나님을 지지하는 증거

크리프트가 잠시 후 덧붙인 말은 전혀 뜻밖의 것이었다. "게다가 악과 고난의 존재는 실상 하나님에게 유리하게 작용할 수도 있습니다."

나는 의자에서 몸을 일으켜 세우며 물었다. "어떻게 그럴 수 있습니까?"

크리프트는 말했다. "생각해 보십시오. 그런 사건들에 격노한 템플턴의 반응이 옳다면 그것은 선과 악에 차이가 있다는 것을 인정한 것입니다. 선의 기준을 사용하여 악을 판단하는 것, 끔찍한 고난이 절대 있어서는 안 된다는 것은 마땅히 옳은 일에 대한 개념이 이미 있다는 뜻이지요. 또 그 개념이 옹호하는 모종의 실체를 인정하는 것인데 그것은 '최고선(Supreme Good)'이라 불리는 실체입니다. 그것이야말로 하나님의 또 다른 이름이 아닙니까."

철학적 궤변처럼 미심쩍게 들렸다. 나는 크리프트의 요지를 제대로 이해했는지 확인하려고 그의 말을 조심스레 요약했다. "그러니까 템플턴은 악을 인정함으로써 그 악을 판단하는 객관적 기준이 있음을 가정한 셈이고, 결국 자기 의도와는 무관하게 하나님의 실체를 증거하게 되었다는 뜻이군요."

"맞습니다. 내가 어떤 학생에게 90점을 주고 다른 학생에게 80점을 주는 것은 100점이라는 기준의 실체를 전제로 한 것입니다. 하나님이 없다면 악을 악으로 가려내는 선의 기준은 어디서 왔습니까.

C. S. 루이스 말대로 '우주가 그렇게 나쁘다면 도대체 인간이 어떻게 우주의 기원을 지혜롭고 선한 창조주에게 돌리게 되었단 말입니까?' 우리 마음속에 악의 개념, 거기 전제되는 선의 개념, 또 그 선의 기원이요 표준인 하나님의 개념이 존

재한다는 사실을 드러내는 것이지요."

재미있는 반격이라는 생각이 들었다. "무신론에 불리한 증거들이 또 있습니까?" 나는 물었다.

"예, 있습니다. 창조주가 없다면, 그리하여 창조의 순간이 없다면 만물은 진화의 산물입니다. 시작이나 최초의 원인이 없다면 우주는 항상 존재했어야 합니다. 그 말은 곧 우주가 무한이라는 시간 동안 진화해 왔고 지금쯤은 모든 것이 이미 완벽해져 있어야 한다는 뜻입니다. 진화가 모두 끝나 악이 사라질 만큼의 시간은 충분히 있었을 것입니다. 하지만 악과 고난은 불완전하게 여전히 존재하고 있습니다. 그래서 우주에 관한 무신론자들의 생각이 틀렸다고 보는 것입니다."

"그렇다면 무신론은 악의 존재를 증거하는 데 적합합니까?"

"쉬운 답입니다. 값싼 답이라고 할 수 있겠지요. 무신론은 사람을 값싸게 취급합니다. 무신론은 역사상 인류의 열 명 중 아홉 명이 하나님에 관해 착각하고 가슴 한복판에 거짓말을 품고 살았다고 거만하게 말하는 것입니다.

지금까지 우리보다 훨씬 고통스런 상황에서 살았던 인류의 90% 이상이 신을 믿었는데 그것은 어떻게 가능했을까요? 그저 세상의 낙과 고통의 비율을 따져보아서는 최고선인 하나님을 향한 믿음을 정당화할 수 없겠지요. 하지만 그 믿음은 지금껏 거의 전 세계에 보편적인 현상이었습니다.

그 사람들이 다 미쳤다는 말입니까? 엘리트주의자라면 그렇게 생각할 수도 있겠지요. 하지만 우리도 레오 톨스토이처럼 농부들한테서 배울 필요가 있습니다. 톨스토이 역시 악의 문제로 씨름했습니다. 그가 본 인생은 고통이 너무나 많았고 선보다 악이 많았기에 자연히 무의미해 보였습니다. 그는 깊은 절망에 빠져 자살의 유혹을 느꼈습니다. 어떻게 견딜 수 있을지 모르겠다고 털어놓았습니다.

그러다 그는 이런 생각을 하게 됐습니다. '사람들은 대부분 잘 참고 있잖아. 나보다 더 삶이 고달픈데도 거기서 놀라운 삶을 살아가고 있어. 어떻게 그럴 수 있을까? 그것은 믿음이야.' 고달픈 농부들에게서 믿음과 희망을 발견했던 것입니다.[11]

하지만 무신론은 사람들을 싸구려 취급합니다. 무신론은 죽음의 의미도 앗아갑니다. 죽음이 의미 없다면 삶이 어떻게 의미를 지닐 수 있습니까? 무신론은 모든 것을 싸구려로 바꿉니다. 지구상에서 가장 강력한 형태의 무신론인 공산주의를 보십시오.

11 「톨스토이 참회록」 크리스챤다이제스트사.

결국 무신론자는 죽어서 자기가 예견했던 무(無) 대신 하나님을 만나 깨닫게 될 것입니다. 고상하고 유일한 것, 바로 무한한 가치를 지닌 하나님을 거부했기 때문에 자신이 싸구려가 되었음을 말입니다."

하나님의 속성과 악의 관계

크리프트는 재미있는 요지를 짚어 주긴 했지만 주제의 주변을 맴돈 감이 있었다. 이제 문제의 핵심으로 들어갈 때가 되었다. 비행기 안에서 긁적거렸던 노트를 꺼내며 나는 논란이 되는 결정적 질문을 던지기로 했다.

"그리스도인들은 다섯 가지를 믿습니다. 첫째, 하나님은 존재한다. 둘째, 하나님은 철저히 선하다. 셋째, 하나님은 모든 것을 할 수 있다. 넷째, 하나님은 모든 것을 안다. 다섯째, 악은 존재한다. 이 다섯 가지가 어떻게 동시에 사실일 수 있습니까?"

알 수 없는 미소가 크리프트의 얼굴에 번졌다. 그는 수긍했다. "그럴 수 없어 보이지요. 전에 어떤 자유주의자 목사가 근본주의자에게 동조하지 못하도록 나를 설득하던 일이 기억납니다. 그는 이렇게 말했지요. '이것은 논리상 문제가 있습니다. 이성적이고 정직한 사람이 근본주의자일 수 없습니다.' 그러자 근본주의자도 말했습니다. '정직하거나 이성적이면서 동시에 자유주의자일 리 없습니다.'"

나는 웃으며 말했다. "지금 우리의 논리도 똑같군요."

"맞습니다. 다섯 가지 믿음 중 하나를 버려야 할 것 같은 상황이지요. 하나님이 전능하다면 그야말로 뭐든 할 수 있습니다. 하나님이 선하다면 오직 선한 것만을 원할 것입니다. 하나님이 전지하다면 무엇이 선인지도 압니다. 따라서 그리스도인들이 믿는 것이 모두 사실이라면 악은 존재할 수 없다는 결과가 당연하겠지요."

"하지만 악은 엄연히 존재하지 않습니까. 그러니 그런 하나님이 존재하지 않는다는 가정이 논리적이겠지요."

"그렇지 않습니다. 우리가 하나님에 대해 믿는 것 중 하나가 틀렸거나 우리가 제대로 이해하지 못하거나 둘 중 하나일 것입니다."

바로 그것을 밝혀야 한다. 나는 크리프트에게 하나님의 세 가지 속성인 전능, 전지, 선을 악의 존재와 결부시켜 차례로 검토해 줄 것을 부탁했다.

하나님의 속성 1 : 모든 것을 할 수 있다

"하나님이 모든 것을 할 수 있는 존재라는 것은 무슨 뜻일까요?" 크리프트는 그렇게 묻고는 스스로 답했다. "그것은 하나님이 의미 있는 모든 일, 가능한 모든 일, 이치에 닿는 모든 일을 할 수 있다는 뜻입니다. 하나님은 당신의 존재를 멈출 수 없습니다. 선을 악이 되게 할 수도 없습니다."

"하나님이 전능해도 할 수 없는 일들이 있기는 하군요."

"바로 전능하기 때문에 할 수 없는 일들이 있습니다. 하나님은 실수할 수 없습니다. 실수란 약하고 어리석은 존재들만이 하는 것입니다. 그 실수 중 하나가 자가당착입니다. 둘 더하기 둘은 다섯이라든지 동그란 사각형 따위를 주장하는 것입니다.

악의 문제와 관련하여 하나님을 지지하는 고전적 변호가 있습니다. 자유 의지가 있는데 도덕적 악이 없다는 것은 언어도단이라는 것입니다. 즉 하나님이 인간을 자유 의지를 가진 존재로 창조하신 만큼 죄가 있는지 없는지는 하나님에게 달린 문제가 아니라 인간에게 달린 문제입니다. 그것이 바로 자유 의지입니다. 하나님이 인간을 창조하기로 결정하신 상황 속에 악이 존재할 가능성, 악이 불러오는 고난의 존재 가능성이 내포되어 있는 것입니다."

"그렇다면 하나님이 악의 창조자로군요."

"아닙니다. 그분은 악이 존재할 가능성을 창조했습니다. 그 잠재성을 현실화한 것은 인간입니다. 악의 근원은 하나님의 능력이 아니라 인류의 자유입니다. 전능한 하나님도 진정한 자유 의지를 가지면서 죄의 가능성은 전혀 없는 세상을 만들 수는 없었습니다. 인간의 자유에는 그 의미 자체에 죄의 존재 가능성이 포함되기 때문입니다. 진정한 선택권이 있는데 악을 선택할 가능성은 없다면, 그것은 의미 없는 무(無)의 세상입니다. 하나님에게 왜 그런 세상을 만들지 않았느냐고 묻는 것은 왜 색깔 없는 색이나 동그란 사각형을 만들지 않았느냐고 묻는 것입니다."

"그렇다면 하나님은 왜 인간의 자유가 없는 세상으로 만들지 않았을까요?"

"그것은 인간 없는 세상이나 다를 바 없기 때문입니다. 그런 세상이라면 미움 없는 곳이 되었을까요? 맞습니다. 고난 없는 곳이 되었을까요? 맞습니다. 하지만 우주의 가장 높은 가치인 사랑 없는 세상도 되었을 겁니다. 최고선은 절대 경험할 수 없었을 것입니다. 하나님과 우리의 서로를 향한 진정한 사랑에는 선택권이 있어야 합니다. 그러나 그 선택의 자유에 사랑 대신 미움을 택할 수 있는 가능성도 따라오는 것입니다."

"하지만 창세기에 보면 자유 의지가 있으면서 동시에 죄가 없는 세상이 나오지 않습니까?"

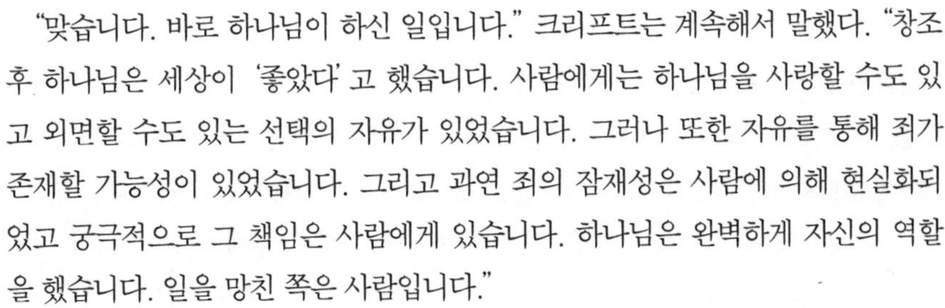

"맞습니다. 바로 하나님이 하신 일입니다." 크리프트는 계속해서 말했다. "창조 후 하나님은 세상이 '좋았다' 고 했습니다. 사람에게는 하나님을 사랑할 수도 있고 외면할 수도 있는 선택의 자유가 있었습니다. 그러나 또한 자유를 통해 죄가 존재할 가능성이 있었습니다. 그리고 과연 죄의 잠재성은 사람에 의해 현실화되었고 궁극적으로 그 책임은 사람에게 있습니다. 하나님은 완벽하게 자신의 역할을 했습니다. 일을 망친 쪽은 사람입니다."

랍비 해럴드 쿠쉬너
매사추세츠 이스라엘 사원의 랍비.

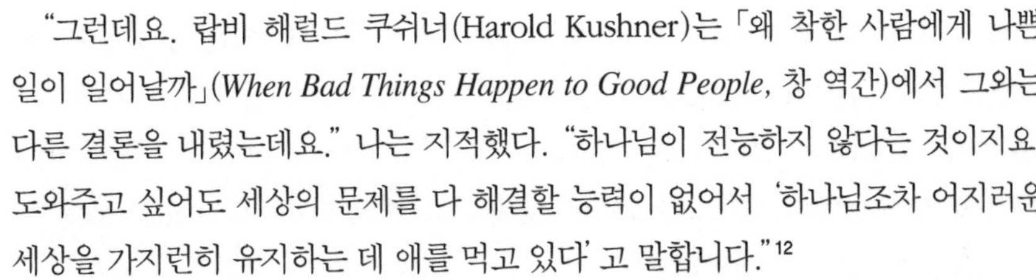

"그런데요. 랍비 해럴드 쿠쉬너(Harold Kushner)는 「왜 착한 사람에게 나쁜 일이 일어날까」(*When Bad Things Happen to Good People*, 창 역간)에서 그와는 다른 결론을 내렸는데요." 나는 지적했다. "하나님이 전능하지 않다는 것이지요. 도와주고 싶어도 세상의 문제를 다 해결할 능력이 없어서 '하나님조차 어지러운 세상을 가지런히 유지하는 데 애를 먹고 있다' 고 말합니다."[12]

12 「왜 착한 사람에게 나쁜 일이 일어날까」 창. 해럴드 쿠쉬너가 14살 된 아들을 유전자 질환으로 잃을 때 경험을 토대로 쓴 세계적인 베스트셀러.

크리프트는 눈썹을 치켜올리며 말했다. "랍비가 그런 말을 했다니 이해가 안 되는군요. 유대교 특유의 하나님 개념은 그와 정반대인데요. 유대인들은 놀라울 정도로 전능하면서 동시에 철저히 선한 하나님의 존재를 주장한다고 알고 있습니다.

사실 이 개념이 이교도의 신앙을 비합리적으로 만들었습니다. 이교도들은 세상에는 악이 있기 때문에 많은 신들이 필요하다고 하지요. 신 중에는 선한 신도 있고 악한 신도 있는데, 신이 하나라면 자기가 통제할 수 없는 세력에 직면해 곤란을 겪을 거라나요. 참된 하나님에 대한 유대교의 계시가 있기 전까지 이것이 아주 보편적인 철학이었습니다."

"하나님에 대한 쿠쉬너의 개념을 반대하시는군요." 나는 말했다.

"솔직히 그런 하나님이라면 별로 믿고 싶지 않습니다. 자기 힘닿는 데까지 일할 뿐, 해도 그만 안 해도 그만인 '형님' 이라면 있든 없든 무슨 상관입니까?" 그는 어깨를 으쓱해 보이며 말했다. "그것이 무신론과 다를 게 뭐가 있습니까? 먼저 너 자신을 믿으라. 그리고 필요에 따라 하나님을 믿거나 말거나 하라.

하지만 아닙니다. 하나님은 정말 전능합니다. 자유 의지는 있되 죄가 존재할 가능성이 없는 세상은 모순입니다. 인간이 하나님 대신 악을 택할 수 있는 문이 열렸고 그 결과 고통이 따라왔습니다. 이 세상 고통의 대부분은 죽이고 욕하고 이기적이며 성적으로 문란하고 약속을 어기며 멋대로 살기로 한 우리의 선택에 원인이 있습니다."

하나님의 속성 2 : 모든 것을 안다

크리프트는 하나님의 다음 속성을 설명하기 시작했다. 그는 의자를 뒤로 밀어 자세를 편하게 한 다음 생각을 가다듬는 듯 시선을 돌렸다가 입을 열었다.

"이렇게 시작해 봅시다. 하나님이 전지하다면 그분은 현재 일뿐 아니라 장래 일도 아십니다. 현재의 선과 악뿐 아니라 미래의 선과 악도 아십니다. 사냥꾼의 지혜가 곰의 지혜를 능가하듯 그분의 지혜가 우리의 지혜를 훨씬 능가한다면 템플턴의 분석과는 반대로 최소한 이런 사실이 가능해집니다. 기아 같은 끔찍한 일을 기적으로 간섭하기보다 그냥 허용하는 것이 장기적으로 더 많은 사람을 행복하게 해 주리라 내다보고 그런 고통을 일부러 허락하신다는 것입니다. 최소한 이성적으로 가능한 얘기 아닙니까?"

나는 고개를 저으며 말했다. "받아들이기 힘듭니다. 내게는 변명처럼 들리는군요."

"좋습니다. 그렇다면 한번 시험해 봅시다." 크리프트가 대답했다. "내가 방금 말한 원리를 아주 구체적으로 들어 봅시다. 역사상 발생한 최악의 일이 어떻게 최선의 일이 되었는지 우리는 알고 있습니다."

"무엇을 말하는 거지요?" 나는 물었다.

"신의 죽음입니다. 십자가에서 있었던 하나님 자신의 죽음. 당시에는 그 비극에서 조금이라도 선한 것이 나올 수 있을지 상상도 하지 못했습니다. 그러나 하나님은 그 결과로 인류에게 천국이 열리리라는 것을 내다보셨습니다. 그래서 역사상 최악의 비극이 역사상 가장 영광스러운 사건이 되게 하셨습니다. 그곳에서 최고의 악이 최고의 선을 가져올 수 있었다면, 개인적인 우리 자신의 삶에서도 그런 일이 벌어질 수 있습니다. 하나님은 아주 살짝 커튼을 들어올리고 우리에게 보여주십니다. 그 외의 부분에 대해서는 단지 이렇게 말씀하십니다. '나를 믿어라.'

따라서 인간의 삶은 말할 수 없이 극적입니다. 과학 공식이 아니라 아직 결말을 모르는 드라마 같은 것이지요. 이 극적인 이야기의 줄거리를 잠시 따라가 봅시다.

당신이 악마라고 합시다. 당신은 하나님의 적입니다. 하나님을 죽이고 싶지만 죽일 수 없습니다. 그런데 하나님은 인간을 창조하여 사랑한다는 터무니없는 약점이 있습니다. 그것이야말로 당신이 덮칠 수 있는 부분입니다. 아하! 이제 당신은 인질을 잡은 셈입니다! 그래서 당신은 간단히 세상에 내려와 인간을 타락시키고 그중 얼마를 지옥으로 끌고 갑니다. 하나님이 그들을 일깨우려고 선지자를 보내면 선지자도 죽여 버립니다.

그때 하나님은 가장 어리석은 일을 합니다. 친아들을 보내 세상 법칙대로 살게 한 것입니다. 당신은 이렇게 혼잣말을 하겠지요. '이렇게 멍청하다니 믿어지지 않는군! 사랑 때문에 머리가 이상해진 거야! 이제 내 하수인들, 헤롯, 빌라도, 가야바, 로마 군병 몇 사람만 선동해서 그자를 십자가에 못 박아 죽여 버리면 되겠군.' 그리고는 정말 그렇게 합니다.

인간에게 버림받고 하나님에게도 버림받은 듯한 모습으로 그분의 아들은 십자가에 달려 죽어 가며 절규합니다. '나의 하나님, 나의 하나님, 어찌하여 나를 버리셨나이까?' 이제 악마인 당신의 기분은 어떻습니까? 승리와 설욕의 쾌감을 느끼겠지요! 아닙니다. 그보다 더 틀린 생각은 없습니다. 그것은 그분의 최후 승리요 당신의 패배입니다. 그분은 당신의 머리를 발뒤꿈치로 내리쳤고 당신은 그것을 깨물고 죽고 말았습니다.

자, 이것이 해괴한 한 번의 사건이 아니라 인간 상황의 패러다임이라면, 우리가 그리스도처럼 피 흘리며 고통당할 때에도 똑같은 일이 벌어질지 모릅니다. 이것이 악마를 궤멸하는 하나님의 방법인지 모르니까요.

십자가 사건이 일어날 때 제자들은 거기서 어떻게 좋은 결과가 나올지 몰랐습니다. 마찬가지로 우리도 고난과 시련과 고민에 부딪힐 때 거기서 선이 도출되리라 예상하지 못합니다. 그러나 예수의 경우에 그것이 어떻게 이루어졌는지 본 이상, 우리의 경우에도 그렇게 이루어지리라 믿을 수 있습니다. 역사상 가장 위대한 그리스도인들도 고난을 통해 하나님께 가장 가까워질 수 있었다고 고백합니다. 때로는 최악의 일이 이 땅을 위한 최선의 일일 수 있습니다."

하나님의 속성 3 : 완벽하게 선하다

이제 하나님이 선하다는 속성을 이야기해 볼 차례였다.

"선하다는 것처럼 애매한 표현도 없습니다." 크리프트는 그렇게 시작했다. "그 의미가 너무나 폭넓기 때문이지요. 하지만 다시 말하지만 하나님과 우리의 차이는 우리와 동물의 차이보다 큽니다. 우리와 동물 사이에 선함의 의미가 다르다면 우리와 하나님 사이에서는 그 의미가 훨씬 다를 수밖에 없습니다."

"그건 그렇지요." 나는 말했다. "하지만 내 아이가 트럭에 치이는데도 그저 가만히 앉아 아무것도 하지 않는다면 어떤 의미에서도 나는 선한 것이 아닙니다. 악한 아버지일 뿐입니다. 그런데 하나님이 그렇게 합니다. 기적이라도 일으켜서, 트럭에 치이는 것보다 더 큰 위험들에서 우리를 건져 주지 않고 가만히 앉아 있습니다. 그런데 어떻게 하나님을 나쁘다고 하지 않겠습니까?"

크리프트는 고개를 끄덕이며 말했다. "나빠 보이네요. 하지만 하나님은 인간에게 허용하면 악한 일이 될 수도 있는 성격의 일들을 경우에 따라 일부러 허용하실 수 있습니다. 그 사실이 반드시 하나님을 나쁘게 만드는 것은 아닙니다."

나는 그의 논리가 묘연해 설명을 요구했다.

"인간관계에서 비유를 하나 들어 보지요. 나이가 비슷한 동생에게 '내가 너를 구해 줄 수 있지만 그렇게 안 할 거야' 라고 말한다면 나는 필시 무책임한 사람이 되고 그것은 악한 일일 것입니다. 그러나 우리는 자녀들에게 늘 그렇게 하지 않나요? 아무도 자녀들의 숙제를 대신 해 주지 않습니다. 자식을 온실 안에 가두고 조금도 상처나지 않게 막아 주는 일은 하지 않습니다.

내 딸이 네다섯 살쯤이었을 때 이런 일이 있었습니다. 아이는 숙제 때문에 바늘에 실을 꿰고 있었습니다. 아주 어려운 일이었지요. 몇 번이나 손가락을 찔러 피가 나기도 했습니다. 나는 아이를 보고 있었지만 아이는 내가 보고 있는 줄 몰랐습니다. 그렇게 계속 또 하고 또 했습니다.

내 본능은 당장 가서 대신 해 주는 것이었습니다. 핏방울이 보였으니까요. 하지만 현명하게도 나는 물러서 있었습니다. '제 힘으로 할 수 있다' 고 타이르면서 말입니다. 5분쯤 지나서 아이는 드디어 해냈습니다. 내가 숨어 있던 곳에서 나오자 아이가 말했습니다. '아빠, 아빠, 이것 좀 봐요! 내가 했어요!' 아이는 자기가 바늘에 실을 꿰었다는 사실이 너무 자랑스러워 이미 고통 따위는 깨끗이 잊고 있었습니다.

그 고통은 아이에게 좋은 것이었습니다. 나는 그 고통이 딸에게 좋은 것이라고 내다볼 만큼 현명했습니다. 분명 하나님은 내가 딸을 대하는 것보다 훨씬 현명하시지요. 우리에게 고통이 필요하다고 내다보실 만큼 하나님이 현명하다고 보아도 되지 않을까요? 우리야 그 이유를 이해하지 못해도 그분은 궁극적 선을 위해 고통이 필요함을 미리 아십니다. 따라서 고통의 존재를 허락해도 그분이 악한 것은 아닙니다.

아이스킬로스
BC 500-400 그리스 희곡작가. 아테네 민주정치의 태동을 지켜보며 인간에게 닥친 모진 현실과 관련된 비극을 해피엔딩으로 써 내려갔다. 그 유명한 마라톤 전투에 참가하기도 한 그의 비석에는 흔한 연극 대사 한 줄 없이 오직 이렇게 써 있다. "나는 마라톤에서 싸웠다."

치과 의사, 운동 코치, 교사, 부모 모두가 아는 사실이 있습니다. 선하다는 것이 무조건 잘해주는 것과 같지 않다는 사실입니다. 하나님도 우리의 도덕적, 영적 교육을 통해 더 높은 선을 지향하도록 쾌락이라는 더 낮은 선을 박탈하고 고통을 허락하실 수 있습니다. 고대 그리스인들도 신들이 고통을 통해 지혜를 가르친다고 믿었습니다. 아이스킬로스(Aeschylus)는 이렇게 썼지요. '날마다 시간마다 고통이 마음에 똑똑 떨어진다. 우리의 의지를 거슬러 본의 아니게 하나님의 큰 은혜에서 지혜가 나온다.'

우리의 도덕적 성품은 고생과 장애물, 어려움을 참아 내면서 형성되는 것입니다. 예를 들어 용기란 고통 없는 세상에서는 불가능합니다. 사도 바울도 성품을 연마하는 고통의 특성을 증거하며 '환난은 인내를, 인내는 연단을, 연단은 소망을 이룬다'[13]고 말했습니다.

13 로마서 5:3-4.

현실을 직시합시다. 우리는 실수와 거기서 비롯되는 고통을 통해 배울 것이 있습니다. 우주는 영혼을 빚는 도구입니다. 어렵고 도전적이고 고통스런 경험을 통해 배우고 자라 성숙해지는 것이 그 과정의 일부입니다. 우리 인생의 취지는 안락이 아니라 영원을 위한 훈련과 준비입니다. 성경은 심지어 예수도 '받으신 고난으로 순종함을 배웠다'[14]고 말합니다. 그분조차 그랬다면 우리야 훨씬 더 그럴 필요가 있지 않겠습니까?"

14 히브리서 5:8.

크리프트는 잠시 생각을 가다듬었다. 그리고 말을 이었다. "우리에게 고통이 없다고 합시다. 모든 통증에 드는 약이 있고 오락도 공짜, 사랑도 공짜라고 합시다. 고통만 빼고 모든 것이 다 있습니다. 세익스피어도 없고 베토벤도 없고 보스턴 레드삭스도 없고 죽음도 없고 아무 의미도 없습니다. 구제 불능으로 버릇없어진 작은 악동들, 그것이 우리의 모습일 것입니다.

⬆ **보스턴 레드삭스 (Boston Red Sox)**
보스턴을 연고지로 하는 미국 메이저 리그 야구팀.

'중간 지대(Twilight Zone)' 라는 텔레비전 프로그램이 있었습니다. 총에 맞아 쓰러진 은행 강도가 깨어 보니 천상에 있는 도시 황금 문에서 푹신푹신한 구름 위를 걷고 있었습니다. 흰옷 입은 상냥한 사람이 뭐든 달라는 대로 가져다 줍니다. 하지만 그는 이내 금(金)에 싫증이 납니다. 모든 것이 공짜거든요. 아프게 만들고 싶어도 웃을 줄밖에 모르는 미모의 여자들에게도 싫증이 납니다. 이 사람은 가학 성향이 있는 사람이거든요. 그래서 그는 베드로쯤으로 보이는 인물을 부릅니다.

—뭔가 착오가 있는 것 같습니다.
—천만에요. 이곳에 착오란 없습니다.
—다시 지구로 보내 줄 수 있습니까?
—물론 안 됩니다. 당신은 죽었습니다.
—그렇다면 반대편에 있는 친구들과 같이 살고 싶습니다. 거기로 보내 주십시오.
—안됩니다. 아시다시피 규정상 그럴 수 없습니다.
—도대체 여기는 어디입니까?
—원하는 것은 무엇이나 얻을 수 있는 곳입니다.
—천국이라면 당연히 맘에 들 줄 알았는데요.
—천국이라니요? 누가 천국이라고 했나요? 천국은 저쪽 반대편 세상입니다.

요지는 이것입니다. 고통 없는 세상은 천국보다 지옥에 가깝다는 것이지요."

← 중간 지대
1959-1964 미국 TV 프로그램. 로드 스털링 원안. 공포, 환타지, SF 영역에서 획기적인 전환을 가져온 드라마로 방영 당시 에미상 등을 수상했다.

아무래도 과장처럼 들려서 나는 물었다. "박사님은 정말 그렇게 믿습니까?"

"물론입니다. 잘 믿어지지 않으면, 당신이 하나님이라 생각하고 더 좋은 세상을 한번 상상해 보십시오. 유토피아를 만들어 보십시오. 하지만 개선하고 싶은 것들의 파급 효과를 잘 생각하십시오. 악을 막기 위해 힘을 사용할 때마다 당신은 자유를 빼앗는 것입니다. 모든 악을 완전히 막으려면 모든 자유를 다 빼앗아 사람들을 꼭두각시로 전락시켜야 합니다. 그럼 인간은 자유 의지로 사랑을 택할 능력마저 결여된 존재가 되겠지요.

당신은 엔지니어나 좋아할 기계 같이 정확한 세상을 만들어 낼 수 있을지 모릅니다. 어쩌면 말입니다. 그러나 한 가지는 분명합니다. 그렇게 되면 진정 원하는 세상은 잃어버릴 것입니다."

고통이라는 메가폰

크리프트가 말하는 것마다 고통의 신비에 밝은 빛을 비춰 주었다. 그러나 새로운 통찰은 저마다 새로운 질문들을 불러일으켰다.

나는 말했다. "악한 사람들은 다른 사람을 해치고도 아무 일도 당하지 않습니다. 하나님도 그것을 공평하다고 보시지는 않겠지요. 하나님은 어떻게 그런 일이 일어나는 것을 보고만 있을 수 있습니까? 왜 개입해서 세상의 모든 악을 처치하지 않는 겁니까?"

"아무 일도 당하지 않다니요?" 크리프트는 강경히 말했다. "정의의 지연이 정의의 부인은 아닙니다. 하나님이 시비를 가려내실 날, 사람이 자기가 저지른 악과 야기한 고통에 책임질 날이 반드시 옵니다. 지금 당장 그렇지 않다고 하나님을 비난하는 것은 소설을 절반만 읽고는 구성을 매듭짓지 않았다고 저자를 비난하는 것과 같습니다. 하나님은 때가 되면 책임 소재를 가릴 것입니다. 사실 성경은 그분이 지체하는 한 가지 이유가, 여전히 단서를 찾고 있는 일부 사람이 끝내 그분을 찾아야 하기 때문이라고 말합니다.[15] 실제로 하나님이 역사의 완성을 미루고 있는 것은 그들을 향한 크신 사랑 때문입니다."

15 참고 : 베드로후서 3:9.

"하지만 그때까지 참기에는 세상의 고통이 너무 심하다고 생각하지 않습니까?" 나는 물었다. "최소한 잔혹성이 높은 일부 악만이라도 줄여 줄 수는 없습니까? 어떤 철학자가 하나님에 대한 반론을 이런 식으로 전개한 적이 있습니다. 첫째, 조금만 허용할 수 있는데도 이렇게 많은 악을 허용하는 하나님을 정당화할 수 있는 논리는 없다. 둘째, 만일 하나님이 존재한다면 그런 논리도 존재해야 한다. 셋째, 따라서 하나님은 존재하지 않는다."

크리프트는 문제에 공감하면서도 그 결론을 받아들이지는 않았다. "마치 대학살에서 유대인이 여섯 명만 죽으면 하나님을 믿을 수 있지만 7명이 죽으면 안 믿겠다는 것과 같군요. 60,000명은 되지만 60,001명은 안 된다거나 5,999,999명까지는 되지만 6,000,000명은 안 된다는 식이지요. '많은 악' 이라는 일반적 표현을 그런 구체적 예로 바꿔 보면 얼마나 터무니없는 것인지 알게 됩니다. 그런 분계선이란 있을 수 없습니다.

물론 양이 곧 질이 되는 경우도 있습니다. 물의 비등점이 그런 예지요. 일단 온도가 섭씨 100도에 이르면 물질의 상태가 액체에서 기체로 바뀌면서 이제 액체의 법칙이 아닌 기체의 법칙이 적용됩니다. 그러나 고통은 그와 다릅니다. 고통이 하나님의 존재를 부인하는 증거라면 도대체 어느 기점부터입니까? 그런 기점이란 있을 수 없습니다. 게다가 우리는 하나님이 아니기 때문에 고통이 어느 정도 필요한지도 알 수 없습니다. 우주에 있는 고통의 모든 요소가 하나하나 다 필요한지도 모릅니다. 우리가 어떻게 알 수 있습니까?"

신인동형론 (anthropomorphism) 인간이 하나님의 형상을 가지고 있다는 것으로 이를 지나치게 강조할 경우 신비적, 초자연적 해석의 오류에 빠지게 된다. 로마 신화의 신들이 대표적 모델.

나는 웃으며 말했다. "자신에게 고통이 있으면 세상에 고통이 너무 많다고 하겠지요!"

크리프트도 웃으며 큰소리로 말했다. "아하, 바로 그것입니다! 그러니 '너무 많다' 는 것도 주관적이지요. 그것이 신인동형론(神人同形論)의 전형적 사례입니다. '내가 하나님이라면 이렇게 많은 고통을 허용하지 않겠다. 하나님이 내 생각과 다를 리 없다. 그런데 하나님은 이런 고통을 허용했다. 그러니 하나님은 존재하지 않는다'는 식이지요."

"조금 전 박사님은 어떤 고통은 꼭 필요할 수 있다고 했습니다. 고통에도 의미가 있다는 뜻인데요. 과연 고통의 의미는 무엇입니까?"

"역사상 고통의 유일한 목적은 사람을 회개로 이끄는 것이었습니다. 고통이 있은 후에야, 재난을 당한 후에야 구약의 이스라엘이 하나님께 돌아온 것처럼 지금의 나라나 개인들도 마찬가지입니다. 다시 말하지만 현실을 직시합시다. 우리는 고생하며 힘들게 배웁니다. C. S. 루이스는 이렇게 말했지요. '하나님은 우리에게 기쁨을 통해 속삭이시고 양심을 통해 말씀하시며 고통을 통해 소리치신다. 고통이란 귀머거리 세상을 일깨우는 그분의 메가폰이다.'[16] 물론 회개는 다시 놀라운 삶 곧 복된 삶으로 우리를 이끌어 줍니다. 하나님이 모든 기쁨과 모든 생명의 근원이기 때문입니다. 결과는 좋습니다. 실은 좋은 것 이상입니다.

16 C. S. 루이스, *The Problem of Pain*(고통의 문제), Macmillan, 1962, p. 93.

나는 고통과 하나님의 사랑이 양립할 수 있다고 믿습니다. 고통이 치유와 교정을 위해 꼭 필요한 것이라면, 즉 우리가 중병이 들어 치료제가 절실히 필요한 상황이라면 말입니다. 사실 그것이 우리의 상황입니다. 예수는 '건강한 자에게는 의원이 쓸데없고 병든 자에게라야 쓸데 있느니라… 내가 의인을 부르러 온 것이 아니요 죄인을 부르러 왔노라'[17]고 했습니다."

17 마태복음 9:12-13.

"하지만 착한 사람들도 악한 사람들 못지 않게, 아니 때로는 그 이상으로 고통을 당합니다." 나는 지적했다. "「왜 착한 사람에게 나쁜 일이 일어날까」라는 쿠쉬너의 책 제목이 사람들 마음에 와 닿는 것도 그 때문입니다. 그것이 어떻게 공평합니까?"

"거기에 대해 대답하자면, 선한 사람이란 없습니다." 크리프트의 답변이었다.

"하지만 옛 속담대로 하나님은 불량품을 만들지 않았잖습니까?"

"맞습니다. 존재론적으로 우리는 선합니다. 여전히 하나님의 형상을 보유하고 있지요. 그러나 도덕적으로는 그렇지 않습니다. 우리 안에 있는 그분의 형상은 더럽혀졌습니다. 선지자 예레미야는 '그들이 가장 작은 자로부터 큰 자까지 다 탐람하다'[18]고 했고 선지자 이사야는 '우리는 다 부정한 자 같아서 우리의 의는 다 더러운 옷 같다'[19]고 했습니다. 우리의 선행은 이기심으로 얼룩져 있고 우리가 요구하는 정의에는 복수심이 섞여 있습니다. 자신의 단점과 죄를 가장 잘 깨닫고 인정

18 예레미야 6:13.

19 이사야 64:6.

하는 사람이 가장 착한 사람이라니 정말 아이러니입니다.

우리는 손상된 자들이요 더럽혀진 걸작품이며 반항하는 자녀입니다. C. S. 루이스는 우리가 단지 성장이 필요한 불완전한 인간 정도가 아니라 두 손 들고 항복해야 할 반항자라고 지적했습니다. 고통과 고난을 통해 우리는 하나님께 최종적으로 굴복하여 그리스도라는 치료제를 찾게 됩니다.

우리에게 절실히 필요한 것은 예수를 아는 지고의 기쁨입니다. 역사상 위대한 그리스도인들은 그것을 위해서라면 어떤 고통도 감수할 만하다고 입을 모을 것입니다."

고통을 견디다

나는 의자 뒤쪽으로 물러앉아 지금까지 크리프트가 한 말을 되새겨 보았다. 그의 논증에는 확실한 것도 있고 덜한 것도 있지만 적어도 진부한 설명은 아니었다. 모든 단서는 한 목적을 향하는 것 같았다.

나는 어거스틴의 말이 떠올랐다. '하나님은 최고선이기 때문에, 악의 존재를 허용하지 않고 자신의 전능과 선함으로 악을 선으로 이룰 것이다.' 나는 크리프트에게 이 말을 읽어 주고 질문을 던졌다. "이 말은 혹시 악에 선의 잠재력이 들어 있다는 뜻입니까?"

"그렇습니다. 나는 모든 고통에 최소한 선의 기회가 담겨 있다고 믿습니다. 하지만 모든 사람이 그 잠재력을 현실화하는 것은 아니지요. 모든 사람이 고통을 통해 배우고 유익을 얻는 것은 아닙니다. 거기에 바로 자유 의지가 개입됩니다. 같은 수용소에 있는 죄수들도 반응은 저마다 다를 수 있습니다. 환경에 대한 반응으로 내리는 선택이 사람마다 다르기 때문입니다.

그러나 자신의 과거를 돌아보며 '나는 이 고생을 통해 배웠다. 처음에는 그렇게 생각하지 않았지만 고생을 참고 견뎠기에 지금 더 크고 더 좋은 사람이 되었다'고 고백하는 일이 다반사지요. 신앙이 없는 사람들도 그런 고통의 유익을 알고 있습니다. 하나님을 모시지 않고도 악에서 선을 끌어낼 수 있다면, 하나님의 도움 하에서라면 얼마나 더 큰 선을 이룰 수 있겠습니까."

그러나 하나님의 도움은 또 다른 이슈를 야기한다. 인간을 사랑하는 하나님이 인간에게 닥치는 끊임없는 고통의 맹습을 어떻게 참을 수 있단 말인가? 나는 템플턴의 책을 꺼내 크리프트에게 이 부분을 읽어 주었다.

"예수는 말했다. '참새 다섯이 동전 하나에 팔리는 것이 아니냐? 그러나 하나님 앞에는 그 하나라도 잊어버리시는 바 되지 아니하느니라. 너희는 많은 참새보다 귀하니라.' 참새 한 마리의 죽음도 슬퍼하는 하나님이, 세기마다 온 세상 구석구석에서 벌어지는 수백, 수천만 명의 남녀노소, 동물과 새, 기타 지각 있는 모든 피조물의 질병과 고통과 죽음을 어떻게 견딜 수 있는가?"[20]

20 *Farewell to God*, p. 201.

크리프트는 말했다. "템플턴은 신인동형론을 적용하고 있습니다. 그래서 '이성적 존재가 어떻게 그 많은 고통을 견딜 수 있는지 나로서는 상상이 안 간다' 고 말하는 것입니다. 맞습니다. 그의 말이 맞습니다. 우리는 상상할 수 없습니다. 그러나 믿을 수는 있습니다. 과연 하나님은 참새를 위해 울며 악과 고통을 슬퍼하십니다. 그리스도가 십자가에서 견디신 고통은 문자 그대로 상상을 초월하는 것이지요. 그것은 육체적, 정신적으로 유한한 당신과 내가 인간의 고뇌 속에서 경험하는 아픔 정도가 아닙니다. 세상의 모든 고통이 거기 있었습니다.

템플턴이 말한 고통에 처한 아프리카 여인으로 돌아가 봅시다. 여자에게 필요한 것은 오직 비였습니다. 하나님은 어디 있습니까? 그분은 그 여자의 고통 속으로 들어갔습니다. 육체적 고통만이 아니라 정신적 고통 속으로 말입니다. 하나님은 어디 있습니까? 왜 비를 보내지 않습니까? 하나님의 대답은 성육신입니다. 그분 자신이 모든 고통 속으로 들어갔습니다. 그분 자신이 이 세상의 모든 아픔을 당했습니다. 그것이야말로 태초에 세상을 창조한 신적 능력보다도 더 어마어마한 충격적인 일이며 훨씬 감명 깊은 일입니다.

한번 상상해 보십시오. 하나님은 세상 모든 고통을 하나도 빠짐없이 공처럼 뭉쳐 직접 먹어 버렸습니다. 영원히, 완전히 맛본 것입니다. 세상을 창조하실 때 하나님은 작고 귀여운 토끼들과 꽃들과 석양만 있으라고 명하지 않고, 피와 창자와 십자가 주변에 윙윙거리는 파리들까지 있으라고 명했습니다. 어떤 의미에서 템플턴의 말이 맞습니다. 하나님은 고통의 세상을 창조하는 일에 깊이 관여합니다. 물론 고통을 야기한 것은 그분이 아니라 우리입니다. 그럼에도 그분은 '이런 세상이 있으라' 고 명한 것입니다.

만일 하나님이 그렇게 하신 후 그냥 뒤로 물러나 앉아 '모두 너희들 잘못이다' 라고 했다면 우리가 어떻게 그분을 사랑할 수 있을지 나로서는 막막합니다. 설사 그렇게 하셨다 해도 완전히 정당한 것이지만요. 그러나 그분은 공의를 넘어서서 정말 믿을 수 없을 정도로 친히 모든 고통을 당하셨습니다. 그 사실이 너무나 매력적이기에 고난에 대한 나의 답은…"

크리프트는 방 안을 둘러보며 적절한 단어를 찾았다.

"답은… 어떻게 그분을 사랑하지 않을 수 있느냐는 것입니다. 안 하셔도 될 일까지 수고를 자청하신 분, 말 대신 행동하신 분, 우리 세상 속으로 들어오신 분, 우리의 고통을 당하신 분, 슬픔에 잠긴 우리에게 자신을 내주신 분, 바로 이 분을 말입니다. 무엇을 더 바랄 수 있겠습니까?"

나는 말했다. "그렇다면 템플턴의 질문, 하나님이 어떻게 고통을 두고 볼 수 있느냐에 대한 답은 사실상 이미 견디셨다는 것이군요."

"이미 견디셨지요!" 크리프트는 단언했다. "고통에 대한 하나님의 대답은, 친히 그 속으로 들어가셨다는 것입니다. 많은 그리스도인이 하나님을 고통이라는 궁지에서 벗어나게 하려 하지만 하나님은 친히 자신을 궁지로 몰아가셨습니다. 십자가에 달린 것이지요. 그러므로 결론은 이것입니다. 하나님과 함께 있고자 한다면 우리는 고난과 함께 있어야 합니다. 생각으로나 행동으로나 십자가를 피하지 말아야 합니다. 우리는 그분이 계신 곳으로 가야 합니다. 십자가야말로 그분이 계신 곳입니다. 그분이 해 돋는 곳으로 보내시면 우리는 일출 때문에 감사하고 그분이 해 지는 곳, 죽음과 고난과 십자가가 있는 곳으로 보내시면 그것 때문에 감사해야 합니다."

"우리 앞에 닥쳐오는 고통 때문에 하나님께 감사한다는 것이 정말 가능합니까?" 나는 따지듯 물었다.

"그렇습니다. 우리가 천국에서 할 일이 정확히 그것입니다. 우리는 하나님께 이렇게 말할 것입니다. '당시 제가 이해하지 못했던 작은 아픔들을 감사합니다. 그런 아픔들이 제 생에 가장 소중한 것이었음을 이제야 깨닫습니다' 라고요.

지금 당장 감정적으로 그럴 능력이 없다 해도, 다시 말해 고통의 한복판에서 '하나님, 이 고통 때문에 감사합니다' 라고 말하지 못하고 '저를 악에서 구해 주옵소서' 라고 말할 수밖에 없다 해도 그 말은 지극히 온당하고 정직한 반응입니다. 하지만 나는 그것이 끝이 아니라고 믿습니다. 주기도문의 마지막은 '우리를 악에서 구하옵소서' 가 아니라 '권세와 영광이 아버지께 영원히 있다' 니까요.

어느 정도 성숙한 그리스도인이라면 자신의 삶을 되돌아보며 고통을 통해 하나님께 훨씬 가까워진 순간들을 발견할 수 있을 것입니다. 전에는 가능하리라 생각조차 못했던 일이지요. 고통을 다 통과하기 전에는 '이것이 무슨 선을 이룰 수 있다는 건지 도대체 이해가 안 간다' 고 말했을 것입니다. 그러나 고통을 겪고 난 후에는 '정말 놀랍다. 생각지도 못한 교훈을 배웠다. 약하고 반항적인 내 의지에 이런 힘이 있을 줄 몰랐는데 하나님이 은혜로 매순간 힘을 주셨다' 할 것입니다. 고통이 아니었다면 불가능했을 일입니다.

하나님과 가까워지는 것, 하나님을 닮아 가는 것, 하나님과 일치되는 것, 단순히 하나님과 가깝다는 느낌이 아니라 존재 자체로 하나님과 가까워지는 것, 영혼이 하나님을 닮는 것, 이것은 고난에서 비롯되며 그 효력은 엄청납니다."

"박사님은 천국을 언급하셨습니다. 성경은 이 세상에서 겪는 우리의 고난이 천국에서 경험할 일에 비하면 가볍고 순간적인 것이라고 말합니다. 고통에 있어서 천국은 어떤 역할을 합니까?"

크리프트는 눈을 크게 뜨며 말했다. "천국이 없다면 이런 이야기도 의미가 없을 겁니다. 신약 성경에서 천국에 대한 언급을 전부 빼 보십시오. 남는 것이 별로 없습니다. 테레사 수녀는 이렇게 말했습니다. '지상 최악의 고난, 지상 최악의 잔학한 고문으로 점철된 인생도 천국에 견주어 생각하면 불편한 여관에서 보내는 하룻밤 정도에 지나지 않는다.' 어떻게 보면 잔인하기까지 한 말입니다! 그러나 이것은 세파 없는 온실에서 나온 말이 아니라 고통에 가득 찬 삶을 사는 사람들 옆에서 나온 말입니다.

⬅ **테레사 수녀(1910-1997)** 유고 출생. 본명 아녜스 곤히아 브약스히야(Agnes Gonxha Bojaxhiu). 1948년 캘커타 빈민가 가난한 사람들에게 헌신. 1952년 캘커타에 니르말 리다이(Nirmal Hriday, 순수한 마음을 가진 집) 건립.

사도 바울도 비슷한 맥락에서 유쾌하지 않은 단어를 사용한 적이 있습니다. 이 땅에서 얻는 즐거움과 그리스도를 아는 즐거움을 비교하면서 로마 시민권, 바리새인 중의 바리새인, 뛰어난 교육, 율법으로 흠 없는 삶, 이 모든 것이 그리스도를 아는 것에 비하면 '배설물'[21]이라고 말했습니다. 아주 대담한 표현이지요!

21 빌립보서 3:8.

영원히 하나님을 아는 것에 비하면, 성경이 영적 결혼이라 말하는 하나님과의 친밀함에 비하면, 어느 것도 중요하지 않습니다. 그것이 고통을 통해 이루어진다면 고통도 비할 것이 아닙니다. 물론 그 자체로는 엄청난 것이지만 결과에 비하면 아무것도 아닙니다.

내가 템플턴에게 하고 싶은 말은 이것입니다. '맞습니다. 아프리카 여인의 사진이 분노를 일으킨다는 당신의 말은 아주 옳습니다. 가뭄과 기아는 과연 그 자체로 잔혹합니다. 하지만 그것이 전부는 아닙니다. 하나님의 얼굴을 들여다보며 고통과 비교해야 합니다.

저울의 한쪽에는 세상의 모든 고통이 있습니다. 저울의 다른 쪽에는 하나님의 얼굴이 있습니다. 고통 속에서 하나님을 찾는 사람에게 와 계신 얼굴이지요. 하나님의 선, 하나님의 기쁨은 세상의 모든 고통뿐 아니라 심지어 세상의 모든 기쁨까지도 능가할 것입니다."

고통 속의 하나님 임재

나는 우리 대화가 템플턴이 말한 사진 속의 여인으로 되돌아간 것이 기뻤다. 이번 인터뷰의 목표가 그것이었기 때문이다. 사진은 고통의 문제를 실제화해 주고 십억에 달하는 전 세계 빈곤층 인구의 아픔을 생생히 대표하는 것이었다.

나는 크리프트에게 말했다. "그 여자가 지금 이 자리에 있다면 뭐라고 말해 주시겠습니까?"

크리프트는 주저함 없이 말했다. "할 말이 없습니다"

나는 믿어지지 않아 눈을 깜박이며 되물었다. "할 말이 없다고요?"

"어쨌든 처음에는 그렇습니다. 내가 말하기보다는 여자 쪽에 말할 기회를 주겠습니다. 어느 중증 장애인 기관의 창설자는 자신의 장애인 사역이 아주 이기적인 이유 때문이라고 하더군요. 자기가 그들에게 줄 수 있는 것보다 훨씬 소중한 것을 그들이 자기에게 가르쳐 준다는 것입니다. 자신의 참 존재를 보게 해 준다는 뜻이지요. 감상적인 말처럼 들릴지 모르지만 사실입니다.

정도가 심하지는 않지만 우리 집 아이 하나도 장애아입니다. 나는 다른 세 아이보다 그 딸에게서 많은 것을 배웠습니다. 나 자신과 우리 모두가 장애인이라는 것을 배웠습니다. 그 딸을 보고 있으면 나 자신을 이해하는 데 도움이 됩니다.

그래서 내가 여자에게 해 줄 수 있는 일은 들어 주고 주목해 주는 것입니다. 그 고통을 들여다보는 것입니다. 우리는 비교적 안락한 온실에서 살면서 고통을 볼 때도 관찰자처럼 철학적 난제나 신학적 문제로 바라봅니다. 고통을 바라보는 잘못된 방식이지요. 고통에 대해 우리가 할 일은 그 속으로 들어가는 것입니다. 하나가 되는 것입니다. 그럴 때 우리는 거기서 뭔가를 배우게 됩니다.

의미심장하게도 고통의 문제를 제기하며 하나님의 존재를 반대하는 강력한 이론들은 상당히 편하게 살고 있는 외부 관찰자에게서 나옵니다. 반면 실제로 고통을 당하는 사람들은 고통을 통해 더 굳센 믿음의 사람이 되는 편입니다."

그것은 많은 저자들이 지적해 온 현상이다. 필립 얀시는 고통의 주제를 폭넓게 연구한 뒤 이렇게 썼다. "나보다 훨씬 심한 고통을 당하고 있는 사람들을 찾아다니면서… 나는 고통이 가져다 주는 결과에 깜짝 놀랐다. 고통은 불가지론의 씨앗을 뿌리기도 하지만 그에 못지 않게 믿음을 강화시켜 주는 것 같았다."[22] 스코틀랜드 신학자 제임스 S. 스튜어트(James S. Stewart)는 이렇게 말했다. "회의론은 구경꾼 즉 바깥에서 비극을 쳐다보는 자들 속에서 나오는 법이다. 현장 안에서 고통을 아는 이들 속에서 나오는 것이 아니다. 분명한 사실은, 불굴의 믿음으로 가장 빛나는 모본이 되어 준 사람은 세상에서 가장 큰 고통을 당한 이들이라는 것이다."[23]

22 「내가 고통 당할 때 하나님은 어디 계십니까」 생명의말씀사.

23 워렌 위어스비, *Classic Sermons on Suffering*(고통에 관한 고전 설교들), p. 92.

"왜 그렇습니까?" 나는 크리프트에게 물었다.

그의 대답은 시원했다. "자유 의지 때문입니다. 이런 얘기가 있습니다. 랍비 두 명이 수용소에 있었는데 한 사람은 믿음을 잃고 하나님이 없다고 말했고 또 한 사람은 믿음을 지키고 있었습니다. 둘 다 죽음의 샤워실로 들어서는 줄에 서 있었습니다. 믿는 랍비는 '하나님이 구해 주실 것이오' 라고 말했습니다. 그러나 마침내 자신이 들어갈 차례가 되자 그의 마지막 말은 '하나님은 없다' 였습니다.

믿음을 저버린 랍비 차례가 되었습니다. 다른 랍비의 믿음을 항상 야유하던 사람이었지요. 그는 '들으라 이스라엘아' 기도를 올리며 가스실로 들어갔습니다. 그는 신자로 남았습니다. 자유 의지는 두 길 중 어느 쪽으로나 향할 수 있습니다. 기아에 허덕이는 아프리카나 죽음의 수용소에서 왜 어떤 사람은 신자가 되고 어떤 사람은 믿음을 잃는 것일까요? 그것이 예측을 불허하는 인간의 신비입니다."

"들으라 이스라엘" 신명기 6:4의 쉐마. 오늘날도 유대인은 아침 저녁 이 쉐마를 암송한다.

"박사님은 우선 여자의 말을 들어 주겠다고 하셨는데, 그것도 좋지만 그밖에 우리가 할 일이 더 있겠지요."

"맞습니다. 아마 여자에게 예수가 되어 주고 싶을 것입니다. 여자를 섬기고 사랑하며 위로하고 끌어안고 함께 우는 것이지요. 하나님 사랑의 반사체인 우리의 사랑으로 여자와 상처받은 다른 사람들을 마땅히 도와야 합니다."

크리프트는 복도를 가리키며 말했다. "내 사무실 문에는 두 마리 거북이가 등장하는 만화가 붙어 있습니다. 한 마리가 말합니다. '난 하나님이 막을 능력이 있으면서 왜 가난과 기근과 불의를 허락하는지 물어보고 싶어.' 그러자 다른 거북이가 말합니다. '나는 하나님이 똑같은 질문을 나한테 던질까 무서워.' 예수의 마음

➡ "나는 미천하오니 무엇이라 주께 대답하리이까 손으로 내 입을 가릴 뿐이로소이다"
–욥기 40:4.

을 지닌 사람들은 상처받는 이들의 고통을 힘껏 덜어 주어 뭔가 변화를 가져다 줌으로써, 즉 실제적 방법으로 사랑을 구체화함으로써 자신의 믿음을 표현해야 합니다."

"그 만화 애기를 들으니 하나님은 정말 되묻기를 좋아하신다는 생각이 듭니다." 나는 그렇게 소감을 이야기했다.

"그렇습니다. 그분은 늘 그렇게 하시지요. 욥에게도 그런 일이 있었습니다. 욥은 하나님이 도대체 어떤 분인지 궁금했습니다. 하나님이 우주의 사디스트처럼 보였기 때문이지요. 고통의 문제에 관한 영원한 고전 욥기의 말미에서 하나님은 드디어 대답을 가지고 나타나십니다. 그런데 그 대답은 질문입니다.

'너는 누구냐? 네가 하나님이냐? 네가 대본을 썼느냐? 내가 땅의 기초를 놓을 때 네가 거기 있었느냐?' 욥은 아니라고 합니다. 그리고 그제야 만족합니다. 왜일까요? 하나님을 보았기 때문입니다! 하나님은 그에게 책을 써 주시지 않습니다. 악의 문제에 대해 최고의 책을 써 주는 대신 욥에게 당신 자신을 보여 주십니다."

"욥은 거기에 만족했군요."

"맞습니다! 마땅히 그래야 합니다. 천국에서 우리에게 영원한 만족을 줄 것도 바로 그것입니다. 나는 욥이 천국을 조금 맛보았다고 봅니다. 하나님을 만났기 때문이지요. 하나님이 만약 그에게 말씀을 주셨다면 욥은 하나님과 대화하며 또 다른 질문을 던지고 하나님은 다시 좋은 답을 주시고 이튿날도 그 이튿날도 이런 질문과 답이 이어졌을 것입니다. 욥은 아주 끈질긴 철학자였거든요. 욥기도 끝을 볼 수 없었을 것입니다. 그러나 끝이 났습니다. 왜입니까? 하나님의 임재 때문입니다!

하나님이 욥에게 고난을 허락하신 것은 사랑이 부족해서가 아니라 그분과 대면하여 만나는 자리로 욥을 데려가실 만큼 사랑하시기 때문이었습니다. 그것이야말로 인류 최고의 행복입니다. 욥의 고난은 그의 내면에 커다란 구멍을 파 놓았습니다. 하나님과 기쁨이 그 자리를 채울 수 있도록 말입니다.

인간관계에서도 마찬가지입니다. 사랑하는 사람들이 원하는 것은 설명이 아니라 임재입니다. 하나님은 본질상 임재입니다. 삼위일체 교리도 말합니다. 하나님은 완전한 지식과 완전한 사랑으로 서로에게 임재하는 세 인격입니다. 하나님이 무한한 기쁨이신 까닭이 거기에 있습니다. 그 임재에 동참할 수 있는 한 우리도 무한한 기쁨을 누릴 수 있습니다. 배설물 더미 위에서도, 세상의 선물을 다시 받기 전에도 일단 하나님을 대면하여 본 욥이 누리는 것이 바로 그것입니다.

아까도 말했듯이 이것은 인간들 사이에서도 통합니다. 로미오와 줄리엣이 세익스피어의 원작보다 훨씬 깊고 성숙한 사랑을 지녔다고 합시다. 로미오가 세상에서 가장 원하는 것이 줄리엣이라고 합시다. 그리고 그가 모든 친구와 소유를 다 잃었다고 합시다. 그는 지금 피 흘리고 있습니다. 줄리엣이 죽은 줄 알고 있습니다.

그때 줄리엣이 일어나 '로미오, 어디 있나요? 난 죽지 않았어요. 당신도 죽지 않았지요?' 하고 말합니다. 로미오는 행복할까요? 물론입니다. 더할 나위 없이 행복할까요? 그렇습니다. 자기 몸이 찢겨 피 흘리고 빈털터리가 되었다는 사실을 조금이라도 개의할까요? 천만에요! 호화 휴양지에서 이혼하는 것보다 빈민가 뒷골목에서 사랑하는 길을 택할 것입니다."

모든 눈물은 그분의 눈물

우리의 토론은 클라이맥스로 향하고 있었다. 크리프트가 인터뷰 초반에 언급했던 단서들이 한 지점으로 모이고 있었다. 그의 목소리에서 열정과 확신이 더해지는 것을 느낄 수 있었다. 나는 그의 이야기를 좀 더 듣고 싶었다. 실망하지 않을 각오는 되어 있었다.

"그렇다면 고통에 대한 답은 없는 셈이군요." 나는 지금까지 한 이야기를 요약하여 말했다.

"맞습니다." 그는 자신의 입장을 강변하는 듯 몸을 앞으로 기울이며 힘주어 말했다. "고통의 답은 답하시는 분 자신입니다. 예수 자신입니다. 장황한 말이 아닙니다. 철저히 짜여진 철학적 주장이 아니라 인격입니다. 인격이신 그분입니다. 고통에 대한 답은 단지 추상적 개념이 아닙니다. 추상적 이슈가 아니기 때문입니다. 이것은 인격적 이슈입니다. 인격적 반응을 요합니다. '하나님, 하나님은 어디 계십니까?' 라는 물음에 대한 대답은 '누군가' 가 개입된 이슈이기 때문입니다."

코리 텐 붐(1892-1983)
네덜란드 출생. 2차 세계대전 중 50대의 나이에 라벤스부르크의 나치 수용소로 보내졌다. 석방 후 죽을 때까지 하나님의 사랑과 용서가 미움보다 강하다는 것을 전했다. 참고:「내 삶의 피란처」(*Hiding Place*, 생명의말씀사 역간).

그 말이 작은 방 안에 메아리치는 듯했다. 크리프트는 이미 답이 있었다. 정말 현실적인 답, 살아 있는 그분.

그는 말했다. "예수는 여기 계십니다. 우리 삶의 가장 낮은 곳, 우리 옆에 앉아 계십니다. 우리가 찢겼습니까? 그분도 우리를 위한 빵이 되어 찢기셨습니다. 우리가 멸시받았습니까? 그분도 사람들에게 멸시받고 거부당했습니다. 견딜 수 없어 울부짖고 있습니까? 그분도 슬픔의 사람, 질고를 아는 분이었습니다. 사람들이 우리를 배반했습니까? 그분도 제자에게 팔렸습니다. 가장 다정한 관계들이 깨어졌습니까? 그분도 사랑한 자들에게 거부당했습니다. 사람들이 우리를 외면합니까? 그분의 이웃들은 문둥병자처럼 그분의 얼굴을 피했습니다.

그분은 우리의 지옥 속으로 내려올까요? 예, 내려오십니다. 코리 텐 붐은 나치 수용소라는 죽음의 깊은 골짜기에서 이렇게 썼습니다. '우리의 어둠이 아무리 깊어도 그분보다 깊지 않다.' 그분은 죽은 자 가운데서 살아나셨을 뿐 아니라 죽음의 의미를 바꾸셨고 그리하여 모든 작은 죽음, 곧 죽음을 예고하며 죽음의 일부를 이루는 고통의 의미를 바꾸셨습니다.

그분은 아우슈비츠 가스실에 들어갑니다. 남아프리카 공화국 소웨토(Soweto)에서 비웃음 받습니다. 북아일랜드에서 조롱당합니다. 수단에서 노예가 됩니다. 우리는 그분을 기꺼이 미워했지만 그분은 우리에게 사랑으로 갚으십니다. 우리가 흘리는 모든 눈물은 그분의 눈물이 됩니다. 아직은 눈물을 닦아 주시지 않을 수도

➡ 남아프리카 공화국.

소웨토(Soweto)
South Western Township. 남아프리카 공화국 요하네스버그 남서부에 있는 흑인거주 지역. 1976년 남아공 국민당 정권의 백인지상주의 통치(아파르트헤이트)를 반대하는 소웨토 학생 봉기가 일어난 곳으로 반아파르트헤이트의 상징적 성지이다. 이후 만델라를 중심으로 하는 남아공 민주주의 운동의 핵이 되었다.

있지만 결국 닦아 주실 것입니다."

그는 잠시 말을 끊었다. 확신에 찬 어조가 약간 망설이는 어조로 바뀌었다. "하나님은 우리에게 아주 조금만 설명해 주십니다." 그는 천천히 말했다. 목소리에 조심스러움이 배어 있었다. "어쩌면 더 정확한 설명이 있어도 우리에게 좋지 않다고 여기시기 때문일 것입니다. 나는 그 이유는 모릅니다. 철학자로서 무척 궁금하지만요. 그분이 우리에게 더 많은 정보를 주시면 좋겠다는 것이 내 인간적인 생각입니다."

그러면서 그는 내 얼굴을 빤히 쳐다보았다. 그리고는 단호히 말했다. "그러나 그분은 예수 자신이 어떤 설명보다 더 크다는 것을 아셨습니다. 우리에게 정말 필요한 것은 그분입니다. 병들어 죽어 가는 친구가 가장 원하는 것은 설명이 아닙니다. 옆에 함께 앉아 있어 줄 사람입니다. 그에게 가장 무서운 것은 혼자 남는 것입니다. 하나님은 우리를 혼자 남겨 두시지 않습니다."

크리프트는 의자에 등을 기대고 편안한 자세를 취했다. 그가 나에게 알려 주고 싶은 것이 한 가지 더 있나 보았다.

"이런 이유로 나는 그분을 사랑합니다."

그분이 답이다

30분쯤 지나 나는 정적만이 감도는 차 안에 타고 있었다. 보스턴의 비 내리는 거리를 구불구불 빠져나가 공항으로 가는 중이었다. 보스턴에 사는 내 친구 마크 해리엔저(Marc Harrienger)가 공항에서 크리프트의 사무실로, 또 다시 공항으로 태워다 주었다. 차창으로 허공을 응시한 채 나는 심중으로 인터뷰를 회상하고 있었다. 무엇보다 철학자의 진지한 말에 사진 속 아프리카 여자가 어떻게 반응할지 궁금했다.

크리프트의 사무실 벽에 붙은 나무 의자에 앉아 시종 골똘히 인터뷰를 들었던 마크에게도 이것은 한가한 사색을 위한 주제가 아니었다.

그가 차 안에서 침묵을 깨며 말했다. "사실이야."

"뭐가?" 나는 물었다.

"크리프트가 한 말, 사실이라고. 나는 알아. 직접 겪었으니까."

몇 년 전 마크는 집 앞에서 눈을 치우고 있었다. 그때 마크의 아내가 차를 뺄 테니 딸을 봐 달라고 했다. 그런데 차가 후진할 때 그들은 순식간에 부모에게 있을 수 있는 최악의 악몽에 내던져졌다. 간신히 걸음마를 시작한 어린 딸이 바퀴 밑에 깔렸던 것이다.

마크도 아프리카 여인처럼, 죽어 가는 자식을 안고 있는 것이 어떤 것인지 알았다. 나는 아프리카 여인과는 대화할 수 없지만 대신 마크와 대화할 수 있었다.

처음에 절망이 너무 깊어 마크는 숨쉬는 것, 먹는 것, 가장 기본적 차원의 기능조차 하나님의 도움을 구해야 했다. 그 외에는 정서적 고통으로 완전히 마비되었다. 그러나 그는 점차 하나님의 임재와 은혜, 그분의 따뜻함과 위로를 느낄 수 있었고 시간이 흐르면서 아주 천천히 상처도 치유되었다.

가장 절박한 상황 속에서 하나님을 체험한 마크는 그 시련의 도가니에서 나올 때는 딴 사람이 되어 있었다. 그는 사업을 그만두고 신학교에 들어갔다. 알면서 그런 고난을 택하는 일은 절대 없었을 것이다. 당시 그것은 삶을 송두리째 뒤흔들어 놓는 끔찍한 고통이었다. 그럼에도 불구하고 그 고난을 통해 마크는 남은 생애를 하나님께 헌신하게 되었다. 외로이 절망에 빠져 있는 사람들에게 하나님의 긍휼을 전하기로 한 것이다.

강단에 처음 서던 날 마크는 슬픔의 심연 속에서 체험한 하나님을 간증했다. 사람들은 그 말에 빨려들었다. 상실의 체험이 마크에게 특별한 통찰과 설득력과 신뢰성을 더해 주었기 때문이다. 말씀이 끝나자 여남은 사람들이 반응을 보이며 자기들도 이 예수, 이 눈물의 하나님을 알고 싶다고 말했다. 마크의 가슴이 찢겼기 때문에 다른 사람들의 가슴이 치유되었다. 한 부부의 절망이 많은 사람들에게 새 희망을 가져다 준 것이다.

마크는 말했다. "우리가 하나님에게서 도망치지 않고 그분께 달려갈 때 그분은 우리의 고통에서 선을 이루시지. 회의론자들은 그것을 비웃지만 나는 그것이 내 삶 속에서 이루어지는 것을 보았어. 깊은 고통을 통해 하나님의 선하심을 체험했다고. 어떤 회의론자도 거기에 이의를 달 수는 없을걸. 회의론자들이 부인하는 하나님, 바로 그 하나님이 깊고 음침한 곳에서 우리 부부의 손을 잡아 주셨어. 결혼생활에 힘을 주시고 믿음이 자라게 하시고 그분을 의지하는 마음이 더 깊어지게 하셨어. 우리에게 다시 두 자녀를 주시고 다른 사람을 변화시킬 수 있도록 새로운 목적과 의미를 불어넣어 주셨다네."

나는 부드럽게 물었다. "애초에 왜 그런 고통이 생겼는지 답을 찾고 싶지는 않나?"

"우리가 사는 곳은 깨어진 세상이야. 예수는 우리가 시련과 환난을 당할 것이라고 말씀하셨고.[24] 물론 이유를 더 알면 좋겠지. 하지만 크리프트의 결론이 맞아. 궁극적인 대답은 그분의 임재야. 엉뚱한 말같이 들리겠지만 삶의 세계가 요동할 때 우리가 원하는 것은 철학이나 신학이 아니라 그리스도의 실체야. 내게는 그분이 대답이었어. 우리 부부에게 꼭 필요한 바로 그 대답."

24 요한복음 16:33.

고통의 존재는 하나님을 부인하는 강력한 고발이다. 하지만 고통의 결과로 놀랍게도 그분을 믿을 수 있다. 나는 크리프트의 탁월한 분석과 비유가 믿음의 만만찮은 장애물인 고통의 문제를 파헤치는 데 꽤 충분하다고 생각한다. 그러나 아직도 다른 종류의 반론들이 많이 남아 있다. 이것은 기나긴 여정의 시작 단계에 지나지 않다. 그래서 나는 믿음 앞에 놓인 모든 장애물에 직면하여 모든 사실을 알아볼 때까지 마지막 판결을 보류하기로 했다.

한편 고통이 '기독교 신앙에 단연 최대의 도전'이라고 인정했던 저명한 영국인 목사 존 스토트의 결론은 이것이다.

십자가가 아니었다면 나는 결코 하나님을 믿지 못했을 것이다… 고통의 현실 세계에서 누가 고통이 면제된 하나님을 경배할 수 있으랴? 나는 아시아 여러 나라에서 많은 불교 사원에 들어가 경건한 마음으로 불상 앞에 서 보았다. 부처는 팔을 구부리고 가부좌를 틀고 앉아 눈을 감고 입가에 희미한 미소를 머금은 채, 세상 모든 고통에서 초연한 듯 딴 세상에 있는 듯 무표정한 얼굴을 하고 있었다. 매번 들어설 때마다 나는 곧 등을 돌려 나올 수밖에 없었다. 그리고는 상상 속에서 십자가에 달린 예수의 외롭고 일그러지고 상한 모습 앞으로 달려갔다. 손과 발에는 못이 박혀 있고 등은 갈라지고 사지는 뒤틀리고 이마는 가시에 찔려 피가 흐르고 입안은 견딜 수 없이 타 들어가 목마른 채 하나님께 버림받고 어둠 속에 내던져진 그 모습. 내게 필요한 하나님은 바로 그것이었다! 그분은 고통의 면제 특권을 내버렸다. 살과 피와 눈물과 죽음으로 얼룩진 우리의 세계 속으로 들어오셨다. 그리고 우리를 위해 고난받으셨다. 그분의 고난에 비추어 볼 때 우리의 고난은 감당할 만한 것이다. 인간의 고통에 대한 의문 부호는 여전히 존재하지만 그 부호 위에 우리는 담대히 또 다른 부호를 찍는다. 바로 하나님의 고통을 상징하는 십자가이다. 우리가 사는 세상과 같은 곳에서 그리스도의 십자가는… 하나님의 유일한 자기 변호이다.[25]

25 「그리스도의 십자가」 IVP.

최종 진술

1. 크리프트는 "모든 고통에 최소한 선의 기회가 담겨 있다고 믿는다"고 했다. 당신은 당신의 삶 속에서 어려움과 고통을 통해 하나님께 감사하고 있는가?

2. 크리프트에게 질문할 기회가 있다면 어떤 질문을 하겠는가? 그는 어떻게 대답할 것 같은가?

3. 당신이 하나님이라면 어떻게 세상을 설계했겠는가? 악행을 유발하는 악의, 살인, 아동 학대, 절도, 모함 등을 어디까지 막을 수 있다고 생각하는가?

4. 「라이프」지의 사진 속 여자와 함께 앉아 있다면, 무슨 말을 하고 싶은가?

증거 자료

- Peter Kreeft, *Making Sense Out of Suffering*, Servant, 1986.
- Joni Eareckson Tada & Steven Estes, *When God Weeps*, Zondervan, 1997.
- Luis Palau, *Where Is God When Bad Things Happen?* Doubleday, 1999.
- 필립 얀시, 「삶이 고통스러울 때」, 두란노
- 필립 얀시, 「내가 고통 당할 때 하나님은 어디 계십니까」, 생명의말씀사
- 피터 크리프트, 「삶의 세 철학 : 전도서 욥기 아가서 연구」, 성지출판사
- 조니 에릭슨 타다, 「조니의 잊을 수 없는 이야기」, 도서출판 솔로몬

비과학적 기적, 믿을 수 있는가?

동정녀의 출산, 예수의 부활, 나사로의 중생, 구약의 기적들까지 모든 것은 종교적 선전을 위해 멋대로 각색된 것이다. 과연 이것은 순박한 사람들과 어린이에게 아주 잘 먹힌다.

—리처드 도킨스(Richard Dawkins), 무신론자[1]

역사 속에서 하나님의 행하심은 도발적인 소문 정도가 아니라 지적 확신을 품을 가치가 있는 것들이다. 기독교의 기적은 기독교 세계관에서 이질적이지 않으며 죄의 어둠에 둘러싸인 인류를 향한 하나님의 긍휼을 보여 주는 충분한 증거이다.

—게리 하버마스(Gary Habermas), 그리스도인[2]

1 「포브스」지에 실린 칼럼 "Snake Oil and Holy Water(만병통치약과 성수(聖水))." www.forbes.com/asap/1999/1004/235.htm

2 *In Defense of Miracles*(기적의 변호), p. 280.

정의의 올가미가 서서히 목을 조여 올 때 진범인 피고들은 증언대에서 몸부림치며 진땀 흘리곤 한다. 어떻게든 곤경에서 벗어나려고 거짓말을 둘러댄다. 죄를 입증하는 증거를 무효화하려고 부질없이 개연성 없는 이야기를 꾸며내기도 한다. 뻔한 알리바이를 날조해 내고 무죄한 사람에게 책임을 전가한다. 경찰과 검사들을 의심하며 기록을 바꾼다. 부인하고 얼버무리며 판사와 배심원을 속이려 한다.

그런데 아직 내가 보지 못한 변호 전략이 하나 있다. 결정적인 증거 앞에서 뭔가 설명 못할 원인 즉 천재지변 탓이라고 돌리는 것은 한 번도 보지 못했다. 신비롭고 초자연적인 사건으로 자신이 만지지도 않은 곳에 느닷없이 자기 지문이 나타났다고 버티는 사람은 보지 못했다.

언젠가 한 피고가 '바보 같은 변호'를 시도한 적은 있었다. 혈당이 올라가는 바람에 어쩌다 범행을 저지르게 되었다는 애매한 주장을 내놓은 것이다. 그러나 가장 뻔뻔스럽다는 피고도 '기적 탓'을 운운하지는 않았다.

이유는? 아무도 그 말을 믿지 않기 때문이다! 어디까지나 우리는 세 번째 밀레니엄을 살고 있는 현대인이요 과학적인 인간이 아닌가. 우리는 미신이나 마술, 보이지 않는 신적 능력이 개입하는 것을 인정하지 않는다. 기적을 내세운다는 것이 어찌나 터무니없고 어리석은 일인지 심지어 가장 절박한 피고조차도 그런 전략에는 의존하지 않는다.

전에 나는 코미디언 마술사 펜(Penn)과 텔러(Teller)가 아이자야(Isaiah)라는 열 살 난 소년을 객석에서 불러내 마술하는 것을 본 일이 있다. 그들은 길다란 폴리에스터 띠를 보여 준 다음 그 띠를 묶고 중간을 잘랐다. 그리고 화려한 손동작으로 띠를 흔들고 나서 짠! 하고 보여 주자 띠는 다시 하나가 되어 있었다.

"어떻게 생각하니?" 펜이 아이자야에게 물었다. "기적일까, 마술일까?"

아이자야는 망설일 것도 없이 자신 있게 대답했다. "마술이에요."

신기한 사건이 어떻게 일어났는지 잘 이해가 안 갈 때, 기적이 아니고도 얼마든지 합리적 설명이 있다는 것을 삼척동자도 알 것이다.

불가지론자 찰스 템플턴 역시 이미 오래 전에 기적에 대한 믿음을 버렸다. 그는 이렇게 썼다. "우리의 옛 조상들은 인생의 불가해한 일들을 자신의 제한된 경험의 테두리 안에서 해석하려 했다. 그들은 설명 못할 일들을 신, 반신반인, 악령 등을 동원해 설명했다. 그러나 당연히 이제는 원시적인 추측과 미신일랑 접어두고 인생을 합리적 관점에서 보아야 한다."[3]

일부 과학자들도 같은 생각이다. 그들은 지식의 진보가 결국 초자연적 사건에 대한 믿음을 짓밟을 것이라고 예견했다. 1937년 독일의 물리학자 막스 플랑크(Max Planck)는 이렇게 말했다. "확고하고 안정된 과학의 힘찬 진보 앞에서 기적은 점점 자리를 내놓게 되어 있다. 문제는 그것이 언제냐는 것이다."[4]

「이기적 유전자」(*The Selfish Gene*, 을유문화사 역간)를 쓴 리처드 도킨스(Richard Dawkins)는 그 시간이 빠른 속도로 다가오고 있다고 믿고 있다. 그는 무신론자로 옥스퍼드 대학교 과학 교수이다. 한 텔레비전 인터뷰에서 그는 이렇게 말했다. "우리는 우주와 그 안에 있는 모든 것에 대한 완전한 이해를 바탕으로

3 *Farewell to God*, p. 21.

4 Nicky Gumble, *Searching Issues*(이슈 찾기), Kingsway Publications, 1994, p. 99.

5 http://www.pbs.org/faithandreason "Interviews"

… 일하고 있습니다."[5]

그것은 펜과 텔러의 띠가 마술로 복구된 것처럼, 이제껏 신비에 가려 있던 일들을 설명하기 위해 더는 기적에 호소할 필요가 없다는 뜻이다.

과연 과학적으로 해박한 사람이 기적이 일어날 가능성을 믿을 수 있을까? 핵물리학자 휴 시프켄(Hugh Siefken)은 말했다. '내 믿음을 요약하면 이런 역설이다. '나는 과학을 믿는다. 그래서 하나님을 믿는다.' 나는 앞으로도 계속 두 가지 모두 증명할 것이다."[6]

6 Dale & Sandy Larson, *Seven Myths about Christianity*(기독교에 관한 7가지 신화), InterVarsity Press, 1996, p. 86.

그를 비롯한 많은 크리스천 과학자들의 주장은 기적의 하나님이 우주를 창조하고 유지한다는 믿음과 과학자라는 직업 사이에 아무런 모순이 없다는 것이다.

요정과 선녀를 허상으로 일축하는 인간이 하늘에서 내려온 만나, 동정녀 출산, 예수 부활을 신빙성 있는 역사적 사건으로 받아들일 수 있을까? 기적은 자연 법칙을 위반하는 것인데 합리적인 인간으로서 그런 기적을 어떻게 믿을 수 있을까?

나는 윌리엄 레인 크레그(William Lane Craig)가 합리적인 사람이라고 알고 있다. 자신의 상당한 지적 기술을 사용해 하나님이 기적적 행동을 통해 세상 속에 개입해 오셨고 지금도 개입하고 있다는 개념을 옹호해 온 사람이다. 나는 그에게 전화를 걸어 이 주제로 인터뷰에 응할 마음이 있는지 물었다.

"물론입니다. 오십시오." 그는 말했다.

나는 도전적 질문으로 가득 찬 목록을 작성하여 애틀랜타 행 비행기에 올랐다. 비행기 안에서 생각해 보니 원시인은 필시 제트기를 기적으로 보았을 것이다. 50톤에 달하는 금속 물체가 어떻게 중력의 법칙을 어기고 하늘로 떠오를 수 있단 말인가? 당연히 하나님의 보이지 않는 손이 밑을 떠받치고 있을 것 아닌가.

현대인은 그렇지 않다. 우리는 공기 역학과 제트 추진의 원리를 알고 있다. 그렇다면 과학 지식과 기술이 기적에 대한 믿음을 송두리째 폐물로 만들 수 있을까? 과연 크레그는 인간이 판단력과 분별력을 가지고도 기적을 믿을 수 있다는 주장을 설득력 있게 증명할 수 있을까?

http://www.leaderu.com/offices/billcraig

| 두 번째 인터뷰 |

윌리엄 레인 크레그 박사

크레그를 만난 내 소감은 믿기지 않는다는 것이다. 23년간 그에게 진지한 학자적 인상을 허락해 준 턱수염이 깨끗이 사라지고 없었다. 그 충격이 내 얼굴에 나타났던 모양이다.

"내 나이 쉰이에요. 그래서 면도로 축하했지요." 그가 설명했다.

크레그는 나를 아래층에 있는 서재로 안내했다. 잘 정돈된 방에는 짙은 색깔의 목재 책상이 버티고 있었고 바닥부터 천장까지 이어진 책장에는 책이며 전문 잡지가 칸마다 가지런히 꽂혀 있었다. 나는 편안한 의자에 앉았다. 크레그가 책상 뒤에 놓인 사무실용 가죽 의자에 앉아 몸을 뒤로 젖히자 의자에서 요란하게 삐걱거리는 소리가 났다.

크레그는 기적에 대해, 특히 예수의 부활에 대해 방대한 책을 저술한 바 있다. 그의 책으로는 *Reasonable Faith*(합리적인 믿음), *Knowing the Truth about the Resurrection*(부활에 관해 알아야 할 사실), *The Historical Argument for the Resurrection of Jesus*(예수의 부활에 대한 역사적 논증), *Assessing the New Testament Evidence for the Historicity of the Resurrection of Jesus*(예수 부활의 역사성에 대한 신약 증거 평가) 등이 있고 공저로 *In Defense of Miracles*(기적의 변호), *Does God Exist?*(하나님은 존재하는가?), *Jesus Under Fire*(포화 속의 예수), *The Intellectuals Speak Out about God*(하나님에 대한 지성인들의 고백) 등이 있다.

그는 영국 버밍엄 대학교에서 철학 박사, 독일 뮌헨 대학교에서 신학 박사 학위를 받고 현재 탈봇(Talbot) 신학대학원 철학 연구 교수로 재직 중이다. 미국 종교 아카데미, 성경 문학회, 미국 철학 협회 등을 비롯해 9개의 전문가 협회 멤버이며, 「*New Testament Studies*(신약 연구)」, 「*Journal for the Study of the New Testament*(신약 연구 저널)」, 「*Journal of the American Scientific Affiliation*(미국 과학 협회 저널)」, 「*Gospel Perspectives*(복음 시각)」, 「*Philosophy*(철학)」 및 기타 학술 간행물에 기고해 왔다.

청바지를 입은 턱수염 없는 크레그는 10년은 더 젊어 보였다. 푸른 눈동자는 사물을 꿰뚫어 보는 듯했고 갈색 머리칼은 살짝 흩어져 있었다. 그는 빠르고 화끈하게 웃곤 했는데 내 질문을 들으며 무의식중에 턱수염이 그립다는 듯 턱을 쓰다듬었다. 내 질문은 분명 도전적인 면이 있었다.

"좋습니다, 크레그 박사님. 박사님은 지성인이고 교육받은 분입니다." 나는 그렇게 말문을 열었다. "말씀해 주십시오. 현대 지성인이 처녀의 몸에서 아기가 태어나고 사람이 물위를 걷고 무덤에서 시체가 살아 나온다는 것을 어떻게 믿을 수 있습니까?"

크레그는 웃으며 대답했다. "처음부터 동정녀에 대해 물어보시니 참 재미있군요. 내가 그리스도인이 되는 데 가장 큰 걸림돌이 바로 그 문제였거든요. 그때만 해도 완전히 말도 안된다고 생각했지요."

"그렇습니까? 그 뒤로 어떻게 됐습니까?" 나는 물었다.

"기독교의 메시지를 처음 들은 십대 시절 나는 이미 생물학을 공부하고 있었습니다. 동정녀의 출산이 사실이 되려면 마리아의 난자 속에 Y 염색체가 저절로 생겨야 한다는 것을 알고 있었지요. 마리아의 몸에는 남자 아이를 만들어 낼 유전자가 없었습니다. 나한테 그것은 분명한 환상이었지요. 말이 안 됐어요."

"박사님뿐만이 아니지요. 많은 회의론자들도 그것을 지적합니다. 그래서 어떻게 하셨습니까?"

크레그는 잠시 기억을 더듬었다. "글쎄요, 그 문제는 그냥 젖혀두고 일단 그리스도인이 됐습니다. 동정녀 출산을 정말 믿지 않았지만요. 하지만 그리스도인이 된 후 깨달은 것이 있어요. 내가 믿게 된 우주의 창조자께서 Y 염색체를 만드는 것은 식은 죽 먹기라는 사실이지요!"

내가 동정녀 출산 같은 중요한 교리를 의심하면서 그리스도인이 될 수 있었느냐고 묻자 그는 이렇게 대답했다.

"예수의 인격에 있는 진실성과 예수가 말하는 메시지의 진리가 너무 강력해서, 조금 남아 있던 회의들을 쉽게 압도했다고 봅니다."

나는 좀 더 붙들고 늘어졌다. "전적으로 받아들이지도 않으면서 무리하게 서두른 것은 아닙니까?"

"아닙니다. 나는 그것도 좋은 절차가 될 수 있다고 봅니다. 반드시 모든 질문에 해답을 얻어야 믿음에 이르는 것은 아니지요. 이렇게 고백할 수만 있으면 됩니다. '증거의 무게가 이것이 사실임을 보여 주는 것 같다. 그래서 내 모든 질문에 답을 얻지 못했지만 지금 믿고 장기적으로 답을 기대할 것이다.' 이것이 바로 내 경우입니다."

"기적 같은 개연성 없는 것을 믿으려면 비판적 판단을 유보해야 합니까?"

크레그는 요점을 강조하듯 검지를 들어 보이며 힘주어 말했다. "하나님의 존재를 믿지 않는다면, 나도 기적이 터무니없다는 말에 동의하겠습니다. 그러나 우주를 설계하여 존재하게 하고 지금도 매순간 그 존재를 지탱하고 있으며 물리적 세계를 지배하는 자연 법칙 자체의 원천인 창조주가 있다면, 기적의 가능성을 믿는 것은 지극히 합리적인 일입니다."

기적 대 과학

인터뷰가 더 진행되기 전에 용어를 정의할 필요가 있었다. 나는 '기적'의 의미를 짚고 넘어가고 싶었다.

"사람마다 용어 사용이 다르지요." 나는 그렇게 말한 뒤 그날 있었던 일을 떠올리며 덧붙였다. "예를 들어 '내가 비행기를 타고 애틀랜타에 온 것은 기적이다, 박사님의 집을 찾은 것은 기적이다'고 말하면 기적이라는 말을 너무 막연하게 사용하는 것입니까?"

"그렇습니다. 그런 일들을 기적이라고 하면 오용이겠지요. 그런 일들은 분명 자연적 결과를 내는 자연적 사건이지요."

"그렇다면 박사님은 기적이라는 말을 어떻게 정의하십니까?"

크레그는 이렇게 정의했다. "기적이란 사건이 발생한 시간과 공간 속에서 자연적 원인에 의해 산출될 수 없는 사건을 말합니다."

그 정의를 마음에 새기기 위해 속으로 반복해 보았다. 한동안 뜻을 생각해 본 후 나는 다음 질문으로 넘어갔다. 논리적으로 이어질 수밖에 없는 질문이었다.

"그렇다면 과학과 기적 사이에 모순이 있지 않습니까? 무신론 철학자 마이클 루즈(Michael Ruse)는 '창조론자들은 세상이 기적으로 시작됐다고 믿지만 기적은 과학 바깥에 있다. 법칙에 지배받는 자연적이고 반복 가능한 현상을 다루는 것이 과학의 정의이다'[7]라고 말했습니다."

"루즈는 기적이 과학과 상충된다고 하지는 않았습니다." 크레그는 지적했다. "기적이 과학 바깥에 있다고 말했지요. 엄연히 다른 뜻입니다. 기적을 믿는 그리스도인도 그 점에서는 동의할 수 있다고 생각합니다. 기적이란 자연 과학의 영역 바깥에 있다고 할 수 있지요. 하지만 그것이 기적과 과학이 상충된다는 뜻은 아닙니다."

나는 그런 구분을 소화하려 애쓰며 물었다. "비슷한 예를 하나 더 들어 주시겠습니까?"

7 마이클 루즈, *Darwinism Defended*(변호받는 다윈주의), Addison-Wesley, 1982, p. 322.

크레그는 잠시 생각에 잠겼다가 대답했다. "예를 들면 윤리학도 과학 영역의 바깥에 있습니다. 과학은 윤리적 판단을 내리지 않으니까요. 이와 마찬가지로 기적은 자연적 설명을 추구하는 과학의 영역 바깥에 있습니다. 그래서 나는 루즈의 말에 꼭 이의를 제기하고 싶지 않습니다."

내가 다른 질문을 던지기 전에 크레그가 다시 입을 열었다. "하지만 덧붙여야 할 말이 있습니다. 유신론적 형태의 과학이 얼마든지 가능하다는 것인데요. 한 예로 수학자 윌리엄 뎀스키(William Dembski)와 생화학자 마이클 베히(Michael Behe) 같은 사람을 들 수 있습니다. 그들은 우주와 생물학 세계에 이성적인 설계자(Intelligent Designer)가 있다고 추론합니다.[8] 독단적인 맹신이 아니라 합리적이고 과학적인 관점에서, 이성적인 창조주가 있어야 한다는 증거를 바탕으로 그런 결론을 내리고 있는 것입니다."

8 참고 : 윌리엄 뎀스키, *The Design Inference*(계획 추론), Cambridge University Press, 1998; 마이클 베히, 「다윈의 블랙박스」, 풀빛; 윌리엄 뎀스키 · 마이클 베히, *Intelligent Design*(이성적인 설계), InterVarsity Press, 1999.

"그렇다면 박사님은 유명한 회의론자 데이비드 흄의 말에 동의하지 않겠군요. 기적을 자연 법칙의 위반이라고 했으니 말입니다."

"동의하지 않다마다요. 그것은 기적을 잘못 이해한 것입니다. 자연 법칙에는 소위 케테리스 파리부스(Ceteris Paribus), '다른 모든 것이 동일하다'라는 조건이 내재되어 있습니다. 자연 법칙을 기술하는 데 다른 자연적 혹은 초자연적 요인이 전혀 간섭하지 않는다는 가정을 가지고 있는 것이지요."

"예를 들어 주시겠습니까?"

크레그는 예를 찾느라 방 안을 휘 훑어보았다. 그가 찾아낸 것은 몸보다 더 가까이 있는 것이었다.

"산소와 칼륨이 만나면 연소하는 것이 자연 법칙입니다. 우리 몸 안에도 산소와 칼륨이 있지만 확 타오르지는 않습니다. 그러면 이것이 기적입니까? 자연 법칙을 위반한 것입니까? 아닙니다. 법칙은 이상적 조건하에서 일어나는 일들만 기술하고 다른 요인의 개입이 전무하다고 가정하는 것이지요. 우리 몸의 경우에는 연소에 개입하는 다른 요인들 때문에 연소가 일어나지 않습니다. 법칙 위반이 아닙니다.

펜실베니아 리하이 대학교 생명과학부 교수 마이클 베히가 기독교적 관점에서 창조론을 펼쳐 진화론 진영의 논쟁을 몰고 온 화제작 「다윈의 블랙박스」(*Darwin's Black Box*, 풀빛 역간)는, 서울대학교와 KAIST, 포항공대에서 연구하는 젊은 연구자들의 토론과 윤독을 통해 번역되었다.

마찬가지로 자연 세계에 초자연적 행위자가 있다면, 법칙에 기술된 이상적 조건과는 별개입니다. 그렇다고 법칙을 위반하는 것은 아니지요. 법칙 자체에 조건을 교란시키는 요인이 없다는 규정이 들어 있으니까요."

설명을 듣노라니 철학자 모어랜드(J. P. Moreland)가 떠올랐다. 나는 말했다.

"모어랜드는 *Christianity and the Nature of Science*(기독교와 과학의 본질)에서 물건을 놓으면 땅으로 떨어진다는 중력의 법칙을 예로 들었습니다. 나무에서 사과가 떨어져 땅에 닿기 전에 손을 내밀어 잡는다고 해서 중력의 법칙을 위반하거나 부정하는 것이 아니라고요. 그것은 단순히 개입이라고 했습니다."

6번째 반론에 모어랜드와의 인터뷰가 들어 있다.

크레그는 말했다. "맞습니다. 내가 케테리스 파리부스 조건을 이야기한 것도 바로 그 때문입니다. 중력의 법칙은 자연적, 초자연적 요인의 개입이 전혀 없는 이상적 조건 하에서 일어날 일을 기술하고 있습니다. 손으로 사과를 받는 것은 중력의 법칙을 전복하는 것도 아니고 새로운 법칙을 만들어 내는 것도 아닙니다. 단순히 자유 의지를 가진 한 인격이 개입하는 것뿐이지요. 그 인격이 특정 상황에서 작용하는 자연적 원인을 앞지르는 것입니다. 하나님이 행하시는 기적이 본질상 바로 이와 같습니다."

막스 플랑크
(1858-1947)
양자 물리학의 창시자. 베를린 대학교의 교수. 오늘날 '플랑크 상수'라 불리는 에너지의 최소 단위 발견. 그 공로로 1918년 노벨 물리학상 수상.

매우 의미 있는 지적이었다. 그러나 일부 과학자들은 여전히 기적을 단순한 미신으로 일축할 것이다. 질문을 좀 더 끌어가 보기로 했다.

기적 : 하나님의 행동

나는 크레그에게 과학의 진보 앞에서 기적에 대한 믿음이 설 곳을 잃을 것이라는 물리학자 막스 플랑크의 예견과, 언젠가 과학자가 우주적 작용을 이해하면 기적을 빙자한 가설은 무용지물이 되리라는 리처드 도킨스의 발언에 대해 물었다. 그 반응은 놀랄 만했다.

"그 사람들 말이 맞다고 생각하지요." 그는 잘라 말했다.

나는 그가 내 질문을 잘못 이해한 줄 알고 공책에서 눈을 떼 똑바로 쳐다보며 물었다. "지금 뭐라고 하셨습니까?"

리처드 도킨스
아프리카에서 나고 자란 옥스퍼드 대학교 교수. 유전자와 DNA의 근원을 파헤친 문학성을 가미한 도서들로 유명하다. 특히 *River out of Eden*은 아내인 랄라 워드(Lalla Ward)가 그림책으로도 선보였다.

"그 사람들 말이 맞다니까요." 그는 확신있게 말했다. "일부 미신적인 사람들은 설명 못할 일을 당할 때마다 자신의 무지에 대해 그럴듯한 변명을 하거나 하나님께 떠넘기는 식으로 기적을 들먹입니다. 과학이 그런 단순 논리를 몰아내는 것을 다행이라고 생각합니다.

하지만 그런 일들은 내가 지금 말하는 기적이 아닙니다. 내가 말하는 기적이란 초자연적 행위자가 그 과정에 개입하고 있음을 논리적으로 타당하게 추론할 수 있는 사건을 가리키는 것입니다. 그런 기적, 즉 하나님의 진짜 행동은 과학의 진보로 몰아낼 성질이 아닙니다. 무지에 기반을 둔 것이 아니니까요. 그런 기적은 과학적, 역사적 증거의 무게에 맞게 실증됩니다.

마이클 베히
1985년 이래 펜실베니아 리하이 대학교 생명과학부 교수로 재직 중. 가톨릭 신자.

마이클 베히가 「다윈의 블랙박스」에서 밝혀낸 일이 바로 그것입니다. 베히는 자연 안에 있는 '축약 불능의 복잡성'에 관해 탐구했는데 다윈이 말한 자연 도태와 유전적 돌연변이라는 점진적 과정을 통해 단계적으로 진화했을 리 없는 유기체들을 탐구한 것이죠. 단순히 그것이 과학적으로 설명 불가능하다고 말하는 것이 아닙니다. 증거를 기초로 원리에 근거해 이성적인 설계자에 대한 추론을 제시합니다. 그가 내린 결론은 합리적이고 확고한 과학적 분석을 기초로 한 것입니다."

데이비드 흄
(1711-1776)
영국 경험론 철학자. 모든 지식은 오직 경험에서 오며 인간의 경험은 인간의 마음에 존재하는 것으로, 인간의 의식 밖에 있는 세상은 증명될 수 없다고 보았다.

기적의 증거라는 크레그의 말을 들으니 18세기 스코틀랜드 출신의 회의론자 데이비드 흄(David Hume)이 생각났다. 역사상 가장 유명한 회의론자인 흄은 기적 또한 의심했는데 그에 관해 크레그가 어떻게 생각하는지 궁금했다. "흄은 자연의 일률성이라는 증거야말로 극히 최종적이어서 기적에 대한 어떤 증거도 그것을 능가할 수 없다고 했습니다." 나는 지적했다. "예컨대 예수의 부활을 보십시오. 우리 앞에는 수천 년에 걸쳐 일률적으로 내려온 증거가 있습니다. 죽은 자들은 다시 살아나지 않는다는 것이죠. 그래서 흄은 아무리 증거가 있어도 이 어마어마한 추정의 근거를 이겨낼 수는 없다고 말한 것이지요."

크레그는 고개를 저었다. "일반적으로 인간은 무덤 속에 남는다고 믿는 것과 나사렛 예수가 죽은 자 가운데서 살아났다고 믿는 것 사이에는 모순이 없습니다. 사실 그리스도인들은 두 가지를 다 믿습니다. 예수가 죽은 자 가운데서 살아났다는 것의 반대말은 다른 모든 사람이 무덤 속에 남아 있다는 말이 아닙니다. 반대말은 나사렛 예수가 자신의 무덤 속에 남아 있다는 것이지요.

예수의 부활의 증거를 반박하려면 나머지 모든 사람이 자기의 무덤에 남아 있다는 증거를 제시할 것이 아니라 그분의 부활 자체를 반증하는 것을 제시해야 합니다. 그러므로 나는 흄의 주장을 단순 오류라고 봅니다.

만일 흄이 하나님의 개입 없이 예수가 죽은 자 가운데서 자연적으로 부활했다는 가설이 개연성 없는 일이라고 했다면 나도 동의할 것입니다. 그러나 가설은 그것이 아닙니다. 하나님이 예수를 죽은 자 가운데서 살리셨다는 것이 가설입니다. 따라서 죽은 자들이 자연적으로 다시 살아나지 않는다는 자연 법칙을 위반하지는 않은 것이지요."

아주 특별한 증거

크레그의 요지는 알 만했지만 나는 이 부분을 좀 더 깊이 파고들고 싶었다. “일부 비판자들은 예수의 부활이 특이한 사건인 만큼 특이한 증거가 필요하다고 말합니다. 어느 정도 일리가 있는 주장 아닙니까?”

“상식적으로 들리겠지만 잘못된 것입니다.”

“왜 그렇습니까?”

“그런 주장 때문에 그럴 듯하게 여기는 사건을 믿지 않을 수 없기 때문입니다. 예를 들어, 복권에 뽑힌 숫자가 4, 2, 9, 7, 8, 3이라는 뉴스 보도는 어떻게 믿습니까? 특이하게 확률이 낮은 사건을 말입니다. 그 숫자들이 뽑혔을 확률은 수백만, 수천만 대 일입니다. 그러니 뉴스에서 그렇게 보도해도 믿어서는 안되지요. 하지만 우리는 분명 그것을 사실로 알고 합리적인 것으로 믿습니다. 어떻게 그럴 수 있을까요?

확률 이론가에 따르면, 사건이 일어나지 않을 확률은 사건이 일어나지 않았다 해도 결과가 동일하게 나타날 확률에 비추어 살펴봐야 합니다.”

크레그가 너무 빨리 말했기 때문에 내 머리는 그 말을 소화하는 데 애를 먹고 있었다. 나는 손을 들고 말했다. “잠깐만요. 좀 천천히 예를 들어 말씀해 주셔야겠습니다.”

“좋습니다. 이렇게 생각해 보십시오. 뉴스가 정확할 확률이 높다면 당첨된 복권 번호를 잘못 보도할 확률은 아주 낮습니다. 특정 숫자가 선택될 확률이 낮아도 그 뉴스의 정확성이 가진 확률로 상쇄됩니다. 그래서 확률이 아주 낮은 사건이지만 믿을 수 있는 것입니다.

마찬가지로 예수의 부활도 확률이 낮다고는 하지만, 예수가 부활하지 않았을 때 빈 무덤, 부활 후 예수의 출현, 첫 제자들의 갑작스런 변화 등이 일어날 확률 또한 낮습니다. 그래서 전자의 낮은 확률이 후자의 낮은 확률로 상쇄되는 것이지요. 무슨 말인지 아시겠습니까?”

알 것 같았다. 과연 예화는 그의 요지를 밝혀 주었다. 회의론자들이 보기에 예수의 부활은 확률이 낮아 보일 것이다. 그러나 부활이 실제로 일어나지 않았을 경우, 부활의 다양한 역사적 증거들이 나타날 확률 또한 아주 낮다. 그러니까 앞의 낮은 확률은 뒤의 낮은 확률에 비추어 살펴보아야 한다.

크레그가 결론을 내렸다. “따라서 예수의 기적적 부활 같은 사건을 믿는 것도 합리적인 일이 됩니다. 아울러 나는 이렇게도 생각합니다. 하나님이 정말 존재하는데 그분이 예수를 죽은 자 가운데서 살리신다는 것이 도대체 어떻게 확률적으로 낮냐는 것입니다. 나는 동의할 수 없습니다."

"부활 증거의 양과 질을 따져 보고 기독교를 믿게 된 사람들이 있습니까?" 나는 물었다.

크레그는 눈을 번쩍 뜨며 말했다. "그럼요. 물론입니다! 최근에도 소위 '자유 사고' 운동을 하다가 그리스도인이 된 동료를 만났습니다. 그는 예수의 부활을 깊이 살펴본 뒤 그 증거를 토대로, 하나님이 예수를 죽은 자 가운데서 살리셨다고 결론 내렸습니다. 물론 '자유 사고' 동료들은 그를 맹렬히 비난했습니다. 그가 말하더군요. '그 사람들 왜 그렇게 적대적입니까? 나는 그저 자유 사고의 원리를 따랐을 뿐입니다. 증거와 이성이 나를 여기로 데려다 놓은 겁니다!'"

'자유 사고' 운동
('free thought' movement)
어떤 것도 믿지 않는 반종교적 무신론의 한 경향.

웃음이 나왔다. "그러니까 '자유 사고'를 한다는 사람들 중에도 정말 자유롭게 사고하지 않는 사람들이 있다는 뜻인가요?"

"솔직히 나는 회의론자들이 편협한 자세로 행동한다고 봅니다."

나 역시 회의론자 출신이라 그 의미를 잘 안다. "기적이 일어날 가능성 자체를 처음부터 배제한다는 뜻입니까?" 나는 물었다.

"바로 그겁니다." 크레그는 말했다. "논리학자들에게는 소위 '최상의 설명으로 추론한다'는 지론이 있습니다. 이런 뜻입니다. 설명해야 할 데이터 뭉치가 있을 때 우리는 그 데이터에 대한 다양한 설명과 가능성 있는 대안을 모두 모아야 합니다. 그리고 그 모은 것 중에서 어떤 설명이 관찰된 데이터를 가장 잘 설명할지 결정하는 것입니다.

하지만 일부 회의론자들은 초자연적 설명은 대안이 될 만한 목록에 아예 넣지도 않으려 합니다. 따라서 어떤 사건이 자연적으로 설명되지 않으면 무지 상태를 그대로 답보하게 됩니다.

그것은 편견입니다. 무신론이 입증되지 않는 한, 초자연적 설명들을 대안이 될 만한 목록에서 제외시키는 데 정당한 근거는 없습니다. 초자연적 설명을 목록에 포함시키고 나서, 개방적이고 정직한 탐구자의 자세로 어느 것이 주어진 사건에 대한 최상의 설명인지 살펴보아야 합니다."

예수의 기적

"박사님이 정직한 탐구자라고 합시다." 나는 그의 마지막 말을 되받아 질문으로 삼았다. "기적이 일어났다는 확신을 위해 박사님은 무엇을 찾겠습니까?"

"여러 기준이 있습니다. 우선 그 사건이 시공 속에 작용하는 자연적 힘의 관점에서는 설명될 수 없는지 따져봐야 합니다. 그리고 종교적 역사적 맥락도 살펴봐야 합니다."

나는 맥락이라는 개념을 좀 더 깊이 알고 싶었다. 흄은 설사 영국 여왕이 죽었다가 한 달 만에 다시 살아나고 모든 역사가가 한목소리로 말한다 해도 하나님이 그렇게 했다는 설명은 받아들일 수 없다고 했다. 나는 크레그에게 이에 대해 어떻게 생각하는지 물었다.

"맥락이 없는 기적은 본질상 모호하다는 데 나도 동의합니다. 맥락은 그 기적이 어디에서 기인한 것인지 판별하는 데 도움이 됩니다. 예를 들어, 영국 여왕의 환생은 종교적 맥락이 없는 것이며 기본적으로 허공에 떠 있는 변칙이 될 것입니다.

하지만 예수의 경우는 다릅니다. 그분의 초자연적 기적은 종교적 맥락 속에서 일어났습니다. 그분은 인간의 역사 속에 간섭해 들어온 하나님 나라의 표징으로서 이미 기적과 축사(逐邪)를 행했으며, 그것들은 예수가 전한 메시지의 진실성을 입증한 것입니다. 예수의 독특한 삶과 사역, 마침내는 십자가에 달려 죽게 한 신적 권위 배후에 부활이 있습니다. 그 때문에 여왕의 환생은 우리를 어리둥절하게 할 뿐이지만 예수의 부활은 우리를 숙연하게 합니다. 이렇듯 종교적 역사적 맥락은 기적을 이해하는 데 필수 요소입니다."

나는 좀 더 캐물었다. "예수는 정말 기적을 행했습니까? 박사님은 그것을 어떻게 확신하십니까?"

"오늘날 대부분의 신약 성경 비평가들은 예수가 기적을 행했다는 것을 인정합니다. 그것은 분명한 사실입니다. 물론 모든 비평가가 그것을 진짜 기적으로 믿는 것은 아니겠지만 나사렛 예수가 기적을 행하는 자요 귀신을 쫓아내는 자라는 개념 자체는 역사적 예수의 한 부분으로서 현대 비평가들 사이에 받아들여집니다."

이렇게 말하면서 크레그는 책상 뒤쪽 선반에서 파일을 하나 꺼냈다. 그는 문서를 쭉 넘기다가 페이지를 찾아냈다. "금세기 신약 비평가를 통틀어 가장 강한 회의론자라는 루돌프 불트만(Rudolf Bultmann)의 글을 조금 읽어 드리겠습니다.

루돌프 불트만

독일의 프로테스탄트 신학자. 마르부르크 대학 교수 역임. 신약학자로서 신약 성경의 양식사적 연구 개척, 변증법적 신학운동 추진. 불트만 학파의 비신화화론(非神話化論)은 해석학과 함께 전후 신학의 한 주제가 되었다.

기독교 교회는 예수가 기적을 행했다고 확신하며 그가 행한 많은 기적을 이야기해 왔다. 복음서에 담긴 그 이야기들은 대부분 전설이거나 적어도 전설의 옷을 입고 있다. 그러나 예수가 실제로 그런 일을 행한 데는 의심의 여지가 없다. 예수 자신이나 그의 동시대인들이 이해한 바로 볼 때 그것은 기적이다. 다시 말해 그것은 초자연적인 신적 원인에서 비롯된 사건이었다. 의심할 나위 없이 예수는 병자를 고쳐 주었고 귀신을 쫓아냈다.[9]"

9 루돌프 불트만, *Jesus*(예수), Berlin, 1926, p. 159.

크레그는 문서를 덮었다. "심지어 불트만도 기적과 축사가 역사적 예수의 일부라고 말합니다. 불트만 시대에 기적의 이야기들이 전설로 여겨졌던 것은 그리스와 로마 신화가 복음서에 영향을 미쳤다고 생각했기 때문입니다. 하지만 오늘날 학자들은 그런 영향이 사실상 전무했다고 말합니다. 기적을 행한 예수는 1세기 팔레스타인의 유대교를 배경으로 이해해야 한다는 것이지요. 예수의 기적은 그런 배경에 딱 들어맞습니다."

크레그는 이렇게 말을 맺었다. "예수의 기적들이 심신을 달래는 의학적 치료인지 진짜 기적인지 의심할 만한 유일한 이유는 철학적인 것입니다. 즉 그런 사건이 일어날 수 있는지 믿느냐 믿지 않느냐는 것이지요. 사건의 사실성(史實性) 자체에는 의심의 여지가 없습니다."

기적과 전설

학자들이 내린 결론이 도움이 되기는 했지만 내가 원한 것은 그 이상이다. "예수가 기적을 행했다는 구체적 증거는 무엇입니까?"

"그 사건들이 모든 복음서 원전에 고루 나타난다는 사실입니다. 예를 들어 오천 명을 먹인 기적은 네 복음서에 모두 나오지요. 그러니까 한 가지 사건에 대해 다수의 증거가 있는 셈입니다. 어떤 원전에도 기적을 행하지 않는 나사렛 예수를 찾아볼 수 없습니다. 따라서 그것이 역사적 예수의 한 부분일 확률이 아주 높습니다. 뿐만 아니라 그것은 유대인의 정황에도 아주 잘 맞아떨어집니다. 예수가 있기 전에도 귀신을 쫓아내고 기적을 행하는 유대인들이 있었으니까요."

나는 그것으로 충분치 않아 이렇게 말했다. "단순히 뭔가 특별한 일, 예컨대 오천 명을 먹인 사건을 여러 사람이 두루 말한다 해서 사실로 인정할 수는 없지 않습니까?"

"무엇이 내게 확신을 주는가는 어떤 면에서 지극히 개인적인 문제입니다. 내 생각에, 철학적 이유를 제외하고는 예수의 기적을 다룬 이야기들에 의심을 품어야 할 이유가 없다고 확신합니다. 하나님의 존재를 믿는다면 이 사건들을 회의해야 할 타당한 이유가 없는 것이지요.

한 가지 덧붙이자면, 신약의 중심적 기적인 부활을 '정말 역사적 사건이다' 라고 확신 있게 결론지을 만한 타당한 증거들이 많이 있습니다. 보세요. 예수 부활의 증거는 요한복음 9장에 나오는 소경의 기적보다 훨씬 강합니다. 빈 무덤, 부활 후 출현, 부활에 대한 제자들의 믿음 등 데이터가 얼마든지 있지 않습니까?"

"혹시 예수의 기적들은 그의 사후에 생겨난 전설일 확률이 높지 않을까요?" 내 조심스러운 질문에 그는 이렇게 대답했다. "무신론자 조지 스미스는 '나중에 쓰여진 복음서로 옮겨 갈수록 일부 기적들이 처음보다 더 과장되고 있다' [10]고 했습니다.

그가 예로 든 전설의 심화는 이런 것입니다. 마가복음 1장은 '모든 사람이 예수께 나아와 많은 사람이 나음을 얻었다' 이고, 마태복음 8장은 '많은 사람이 예수께 나아와 모든 사람이 나음을 얻었다', 누가복음 4장은 '모든 사람이 나아와 모든 사람이 나음을 입었다' 로 되어 있습니다. 역사학자 아처볼드 로버트슨(Archibald Robertson)도 '전설의 점진적 발달' [11]이라고 말했습니다."

크레그는 얼굴에 떨떠름한 표정을 지으며 말했다. "하지만 그 주장은 정말 억측입니다. 복음서 기자들이 쓴 '모든' 이나 '많은' 같은 단어를 경찰이 사용하는 식으로 해석해서는 안됩니다."

그는 불트만 파일을 책상 한쪽으로 밀쳐두고 성경을 가져다 신약 페이지를 넘겼다. 그는 마가복음 1장 5절을 찾아 큰소리로 읽었다. "온 유대 지방과 예루살렘 사람이 다 나아가 자기 죄를 자복하고 요단 강에서 그에게 세례를 받더라.

자, 한번 생각해 보십시오. 여기 세례 요한이 유대와 예루살렘 사람 모두에게 세례를 주고 있다고 되어 있습니다. 정말 유대 사람 전부일까요? 예루살렘 사람 전부일까요?" 얼토당토않다는 듯 크레그는 목소리를 높였다. "사람들이 요단 강에 가느라 온 유대 지방은 텅텅 비고, 아기에서 노인까지 다 세례를 받은 것입니까? 분명 아닙니다. 경찰이 꾸미는 사건 조서처럼 융통성 없이 읽어야 할 표현이 아닙니다.

아까 언급한 본문들로 다시 돌아가 봅시다. 그 기사들이 말하려는 핵심 요지는 분명 많은 무리가 예수의 치유와 축사를 받았다는 것입니다. 이 사실은 충분히 입

10 *The Case Against God*, p. 215.

11 아처볼드 로버트슨, *The Origins of Christianity*(기독교의 기원), International Publishers, 1954, p. 82. *Atheism : The Case Against God*, p. 216에서 인용.

증할 만한 것입니다. 이 모든 기사는 예수가 행한 기적들이 엄연히 존재하고 거기에 많은 무리가 개입돼 있다는 것을 알려주는 것입니다."

이어서 그는 덧붙였다. "꼭 잊지 말아야 할 것이 있습니다. 역사 연구를 통해 예수의 부활은 최대의 기적으로 밝혀졌습니다. 전설이 생성되어 사실(史實)의 엄연한 핵을 제거하려면 상당한 시간이 걸리지만 예수 부활의 경우에는 당치 않기 때문입니다."

마호메트의 '기적'

코란은 회교에서 신적 영감으로 기록되었다고 주장하는 유일한 책이지만, 마호메트가 행했다고 주장되는 기적은 대부분 나와 있지 않다. 그런 기적의 대부분은 회교도들 사이에 진실한 전통이 많이 담겨 있다고 간주되는 「하디스」에 보고되어 있다. 「하디스」에는 기적 기사가 수백 개 나온다.

목격자들도 기적으로 인정하는 놀라운 일을 예수가 과연 행했고 그 역사적 증거가 있다고 하자. 그렇다면 다른 종교들의 기적은 어떻게 되는가? 흄에 따르면, 종교들이 제각각 기적을 주장하기 때문에 어떤 것도 진리의 증거가 되지 못한다.

예를 들어 회교 전통에 따르면 마호메트는 노새를 타고 승천하고, 친구의 부러진 다리를 고쳐 주고, 적은 음식으로 많은 사람을 먹이고, 나뭇가지를 강철 검으로 만드는 등 초자연적 위업을 행했다.

나는 크레그에게 말했다. "마호메트와 예수가 둘 다 비슷한 기적을 행했다면 예수의 독특성은 희석되는 것 아닙니까? 기적이 예수를 증거하는 근거가 되지 않을 테니까요."

크레그는 미간에 주름을 지어 보이며 약간 조심스레 말했다. "내 생각에는 회교를 잘못 알고 있는 것 같은데요. 내 말이 틀리면 지적해 주십시오. 코란에는 소위 코란 자체의 기적을 빼고는 전혀 기적이 없습니다."

"좋습니다." 나는 대답했다. "몇 군데 논란이 되는 부분을 빼고는 학자들이 일반적으로 그렇게 해석한다고 알고 있습니다. 그래서 그런 기적들은 회교 전통으로 전해지고 있다고 하던데요. 전통이야말로 기적이 양산되는 장(場)이지요."[12]

크레그는 생각을 정리한 뒤 답변에 들어갔다. "예, 맞습니다. 회교의 기적은 「하디스(Hadith)」라는 책에 언급되어 있습니다. 중요한 것은 이 회교 전통이 마호메트의 생애로부터 수백 년 이후에 나왔다는 것입니다. 따라서 목격자들이 생존해 있는 첫 세대에 기록된 복음서와는 비교할 수 없지요.

예를 들어 고린도전서 15장의 부활한 예수 출현은 부활 사건이 있은 지 5년 이내에 기록된 것입니다. 전설이 양산한 결과가 아닌 생생한 데이터인 셈이지요. 오랜 세월이 지나 회교 전통 속에 생성된 마호메트에 관한 전설과는 비교할 수 없습

12 참고 : 노먼 가이슬러, *Baker Encyclopedia of Christian Apologetics*(베이커 기독교 변증론 백과사전), Baker Books, 1999, p. 512.

니다."

"코란이 마호메트의 기적을 강조하지 않은 것과 관련이 있습니까?"

"그렇습니다. 「하디스」는 마호메트를 위해 기적을 만들어 낼 필요가 있어 나중에 나온 책으로 보입니다. 마호메트 자신은 한 번도 그런 것을 주장한 적이 없습니다. 비역사적 보고가 수세기를 걸치며 전설의 영향을 통해 새롭게 각색되는 과정을 보여 주는 좋은 사례입니다. 기적 사건이 최초의 원전에 거의 모두 등장하는 복음서와는 대조적입니다."

아직도 나는 혼돈을 느꼈다. 기적을 즉시 보고한 것은 몰몬교 경전도 마찬가지이다. "몰몬교인들이 주장하는 기적도 발생 직후에 보고된 것입니다. 박사님은 그것을 사실로 받아들이지 않겠지요?"

내가 지적하자 크레그는 이렇게 답했다. "우리가 확인하는 것은 몰몬교를 창시한 요셉 스미스의 명백한 허풍입니다. 스미스는 아버지와 뉴욕에 살면서 키드 선장이 묻어 놓은 금을 찾는 데 온통 정신을 팔고 있었습니다. 그러다 후에 스미스가 무엇을 찾았다고 주장했는지 아십니까? 모로나이 천사가 금판을 주었다고 했습니다. 곧 사라져 하늘에서 취한 듯 다시는 보인 적이 없다면서요.

명백한 증거를 가지고 사건을 보고한 복음서에 비하면 몰몬경은 속임수에 지나지 않습니다. 요셉 스미스를 신뢰할 수 없는 데다 증거도 전혀 없습니다. 고고학을 통해 신빙성이 입증돼 온 복음서와는 달리 지금까지도 몰몬교 경전의 사실성을 입증하는 고고학 발굴은 계속 실패하고 있습니다."

하디스(Hadith)
선지자 마호메트가 이슬람을 선교하는 동안(610-634) 행동과 사례들을 수록 편찬한 언행록. 코란은 말씀의 원전이지만, 하디스는 그 해설서로 볼 수 있다. 3만 장에 달하는 방대한 자료이다. 사진은 영어로 번역된 「하디스」 표지.

요셉 스미스에 따르면 1823년 9월 21일 기도하는 중에 지극히 흰 성의를 걸친 천사 모로나이가 나타나 구세주가 친히 전한 온전한 복음이 적혀 있는 책을 알려 주었다 한다. 그는 뉴욕 주 온타리오 맨체스터 마을 근방 가장 높은 언덕 바위 밑 돌 상자 속에 담긴 금판과 우림, 둠밈, 가슴판을 발견했고 빼앗으려는 사람들을 피해 천사에게 돌려주었다고 한다.

'육체의 가시'를 보는 자세

지금까지 크레그와 나눈 대화는 활기찬 것이었지만 전적으로 지적인 영역에 머물러 있었다. 나는 좀 더 인격적 측면으로 들어가고 싶었다. 크레그의 학자다운 모습 이면으로 파고들어 기적에 관한 문제를 그의 개인적 삶과 연결시키고 싶었던 것이다. 하지만 망설여졌다.

크레그와 함께 시간을 보내면서 나는 그가 신체적으로 몇 가지 어려움을 겪고 있다는 것을 알았다. 악수할 때 그의 오른손이 약간 뒤틀렸던 것이다. 예의상 그런 얘기를 꺼내지는 않았지만 기적이라는 주제를 심화하려니 그의 명백한 질환이 더는 외면할 수 없는 어려운 질문으로 나를 몰아갔다. 하나님이 기적을 행할 수 있다면 크레그처럼 온전히 헌신되어 있는 사람을 왜 고쳐 주시지 않는가?

나는 천천히 입을 열었다. "박사님은 아직도 하나님이 기적을 행하신다고 믿으십니까?"

"오늘도 기적이 일어날 수 있다는 것을 부인하지 않습니다. 그러나 덧붙이자면, 기적이 빈번하거나 확연하기를 기대할 이유는 없습니다. 기적이란 이집트 탈출이나 예수의 사역처럼 구원 역사의 위대한 순간들에 집중적으로 나타난 경향이 있습니다. 예수는 자신의 기적을 다가올 하나님 나라의 표징으로 보았고, 축사도 어둠의 권세를 멸하는 자기 능력의 표징으로 보았습니다."

나는 부드럽게 말했다. "그렇다면 말씀해 주십시오. 하나님이 박사님을 사랑하시고 병을 고칠 능력이 있다면 왜 박사님의 신체 질환을 고쳐 주시지 않는 겁니까?"

그 질문에 크레그의 기분이 상한 것 같지는 않았다. 그는 자세를 고쳐 앉은 뒤 몸을 앞으로 기울였다. 전문가의 말투에서 좀 더 개인적이고 다감한 말투로 바뀌었다.

고린도후서 12 : 7-10 내용이다.

"사도 바울에게는 그의 표현으로 '육체의 가시'가 있었습니다. 그는 하나님께 그것을 없애 달라고 세 번이나 기도했지요. 하나님의 응답은 은혜가 족하다는 것과 약한 데서 그분의 능력이 오히려 온전해진다는 것이었습니다. 나 자신의 삶에 이 말씀이 늘 위로가 됩니다."

그는 어디까지 말해야 할지 가늠하는 듯 시선을 옆으로 돌렸다. 다시 나를 보았을 때는 날카롭고 매섭던 파란 눈동자가 자신의 연약한 모습까지 솔직히 털어놓을 듯 부드러워져 있었다.

"공적으로 이런 얘기를 자주 하는 편은 아닙니다. 내 몸에는 선천적 신경근육 질환이 있지요. 사지가 차차 쇠약해지는 병인데 내 경우는 그다지 심한 편은 아닙니다. 많은 사람들이 다리에 금속 부목을 달아야 하는 완전 불구인 데 비하면요. 다행이지요."

"기적을 구하셨습니까?" 나는 물었다.

그는 고개를 끄덕였다. "신앙이 어렸을 때는 하나님께 고쳐 달라고 기도했습니다. 하지만 하나님은 고쳐 주시지 않았습니다."

담담한 어조로 보아 그가 동정을 구하는 것이 아님을 잘 알면서도 나는 안타까운 마음이 들었다. "실망하셨겠군요." 질문이라기보다는 내 느낌 그대로였다.

그의 얼굴에 엷은 미소가 번졌다. "나를 놀라게 한 일이 뭔지 아십니까?" 그의 질문에는 정말 놀란 감정이 고스란히 묻어났다. "내 인생을 돌아볼 때, 하나님은 이 질병을 다양한 방법으로 사용하셔서 나와 내 성품을 빚으셨습니다. 나는 운동을 할 수 없기 때문에 뭔가에 성공하려면 공부에 파고들 수밖에 없었습니다. 학자로서 내 존재는 정말 이 병 덕분입니다. 내가 지성인의 길을 걷는 강력한 동기가 되었지요.

심리적으로도 영향을 주었습니다. 성공하고야 말겠다는 의지가 불타올랐으니까요. 이 병을 통해 성취와 목표를 갖게 되었고 그에 힘입어 지금껏 많은 일을 할 수 있었습니다. 그러니까 나는 그분의 능력이 약한 데서 오히려 온전해진다는 바울의 말을 삶 속에서 직접 경험한 것입니다."

"그래도 나을 수 있다면 그것을 원하시겠지요?"

그는 웃음을 터뜨리며 말했다. "글쎄요, 이미 교훈을 배웠으니까 이제 그렇게 된다면 정말 좋겠지요!"

이어 그가 들려준 보다 진지한 답은 피터 크리프트가 고난에 대해 한 말을 그대로 닮아 있었다. "어떻게 보면 나는 여기에 아주 익숙해졌습니다. 하나님이 내 삶을 이렇게 인도해 오셔서 다행이라고 진심으로 고백할 수 있습니다. 그분은 당신의 궁극적 뜻을 이루시기 위해 삶의 부정적인 것까지도 사용하실 수 있는 분입니다.

이런 병이 나쁘지 않다는 말은 아닙니다. 정말 지독합니다. 그러나 그것도 다 하나님의 주권 안에 있습니다. 악에서도 선이 나올 수 있습니다."

믿음에 이르는 이유

크레그는 상아탑의 독단주의자가 아니라 자신의 기독교 철학을 날마다 삶으로 옮기는 사람이다. 자신의 질병이라는 지극히 현실적인 이슈와의 씨름에서도 그는 자신의 믿음이 올바르다고 확신하고 있다. 기적이 핵심 축이다시피 한 기독교가 합리적이라는 확신을 갖고 있다.

"가장 널리 읽히는 박사님의 책 중에 *Reasonable Faith*(합리적인 믿음)라는 제목의 책이 있습니다. 그 말 자체가 모순이라고 하는 회의론자들도 있습니다."

나는 가방에 손을 넣어 *Critiques of God*(하나님 비판)이라는 제목의 책을 꺼내 '종교와 이성' 장을 폈다. 옥스퍼드 대학교와 코넬 대학교에서 공부한 무신론 철학자 리처드 로빈슨(Richard Robinson)이 쓴 글이었다. 나는 미리 표시해 두었던

Critiques of God
당대 최고의 지성인 16명이 하나님을 믿을 수 없는 이유로 제기한 반론 모음집. 존 듀이, 에리히 프롬, 버트런드 러셀, 리처드 로빈슨 등 집필.

부분을 크레그에게 읽어 주었다.

"기독교 신앙은 단지 신의 존재를 믿는 것이 아니다. 그것은 증거가 어떻든 무조건 신의 존재를 믿는 것이다. 기독교적 의미에서 믿음을 갖는다는 것은 '증거와 상관없이 억지로 신의 존재를 믿는다' 는 뜻이다.[13]"

13 *Critiques of God*, p. 121.

나는 책을 덮은 뒤 크레그를 올려다보며 물었다. "박사님은 믿음과 이성 사이의 상호 작용을 어떻게 보십니까? 비평가들의 주장처럼 정말 상충되는 것입니까?"

크레그는 우선 정의를 내렸다. "믿음이란 자신이 사실로 생각하는 것에 대해 신뢰하고 헌신하는 것을 말합니다. 기독교를 진실이라고 생각하는 이유는 사람마다 각기 다를 수 있습니다. 어떤 사람은, 하나님이 자신의 심령에 말씀하시고 자기 안에 그것이 사실이라는 확신을 심어 주시기 때문일 수 있습니다. 그것도 분명히 유효합니다.

하지만 어떤 사람의 경우에는, 증거에 대해 지적으로 집요하게 탐구함으로써 같은 결론에 도달할 수 있습니다. 어쨌든 두 경우 모두, 자신이 사실로 생각하는 것에 대해 신뢰하거나 헌신하지 않고는 믿음에 이르지 못합니다. 이런 범주에서 믿음을 이해하면 그것이 전적으로 이성과 조우하는 것임을 알 수 있습니다."

내가 자세한 설명을 부탁하자 크레그는 잠시 생각한 뒤 자신이 경험한 예를 하나 들어 주었다. "얼마 전 각막 이식 수술을 받았습니다." 그 말을 하면서 그는 웃음을 터뜨렸다. 그의 건강에 대해 이미 했던 얘기를 생각할 때, 또 다른 건강상의 문제는 내게도 과연 '산 너머 산' 으로 들렸다. 크레그는 어깨를 으쓱하더니 웃으며 말했다. "내 아내는 걸어 다니는 종합 병원인 나를 제일 건강한 사람으로 알고 있답니다!

어쨌든 누군가에게 안심하고 눈 수술을 맡기기 위해 나는 아내와 함께 국내 최고의 각막 전문의를 수소문해 보았습니다. 조사하여 증거를 살핀 뒤 연락을 취해 대화해 보았습니다. 그리고 마침내 최고라는 증거를 바탕으로 확신을 얻은 뒤에 믿고 눈 수술을 맡겼습니다. 내가 그를 신뢰할 수 있었던 것은 그의 자격과 신빙성에 대해 내가 확보한 좋은 증거들이 바탕이 되었기 때문입니다.

마찬가지로, 하나님이나 기적에 대한 믿음에 있어서도 많은 사람들은 기독교가 사실이라는 증거를 바탕으로 확신을 얻은 후에야 신뢰하고 헌신합니다. 모든 사람이 다 그렇지는 않지만 분명 그렇게 하는 사람들이 있습니다. 그리고 그것은 이성을 부정하는 것이 아니라 이성을 활용하는 것이며, 논리적이고 합리적인 접근입니다."

증거라는 주제는 반드시 짚고 넘어가야 할 또 하나의 근본적 이슈다. 크레그는 만일 하나님이 존재한다면 기적이 일어날 가능성을 믿는 것은 합리적이라고 거듭 말했다. 맞는 말이지만 역시 만만치않은 '가정'을 기초로 한 말이다.

"박사님은 어떤 증거를 토대로 기적을 행하는 실체가 존재한다고 믿게 되었습니까? 창조주와 기독교를 신뢰하게 된 확고한 이유를 몇 가지 제시해 주시겠습니까?" 나는 물었다.

내가 질문하는 동안 내내 크레그는 고개를 끄덕거렸다. "1986년 앨빈 플란틴가(Alvin Plantinga)가 하나님을 믿는 이유를 24가지로 소개한 강연을 들은 일이 있습니다. 오늘날 최고의 기독교 철학자답게 유신론적 주장을 눈부시게 피력했지요." 크레그는 대답했다.[14]

나는 시계를 흘긋 본 뒤 이렇게 제의했다. "제일 중요하다고 생각되는 이유 다섯 가지만 중점적으로 말씀해 주시면 어떻겠습니까?"

"좋습니다. 서로 공모하듯 연관을 가지고 피차의 기반을 강화해 주고 있는 이유들을 말씀 드리지요."[15]

크레그는 옷소매를 걷어올리며 자세를 고쳐 앉았다. 옥스퍼드 대학교에서 간행된 *The Existence of God and the Beginning of the Universe*(하나님의 존재와 우주의 시작)의 저자이자 *Theism, Atheism, and Big Bang Cosmology*(유신론, 무신론, 빅뱅 우주론)의 공동 저자가 주장하는 기적의 실체에 대한 증거는 누구나 기대할 만할 것이다.

14 참고 : 앨빈 플란틴가, "Two Dozens (or so) Theistic Arguments(24가지 유신론적 주장)," 1986년 10월 23-25일, 일리노이 주 휘튼 대학에서 열린 33회 연례 철학 회의에서 강연한 내용. www.faithquest.com

15 참고 : 윌리엄 크레그, *God, Are You There?*(하나님, 거기 계십니까?)- 하나님의 존재를 믿는 5가지 이유가 요약된 소책자.

이유 1 : 하나님, 우주의 기원

"철학적으로나 과학적으로나, 나는 우주와 시간 자체는 유한한 과거의 어느 한 지점에 시작의 순간이 있었다고 믿습니다. 그러나 무에서 유가 나올 수는 없기 때문에 우주를 존재하게 만든, 시공을 뛰어넘는 초월적 원인이 반드시 있어야 합니다."

"그런데 우주는 소위 빅뱅이라는 것을 통해 존재하게 되었다고 하던데요?" 나는 물었다.

"맞습니다. 스티븐 호킹(Stephen Hawking)의 말처럼 '현재 거의 모든 사람이 우주와 시간 자체가 빅뱅 때 시작되었다고 믿는'[16] 상황입니다. 압도적인 과학적 증거로 대략 140억 년 전에 일어났다는 빅뱅을 들곤 합니다. 하지만 회의론자들은 여기서 중대한 문제에 맞닥뜨립니다. 옥스퍼드 대학교의 앤소니 케니(Anthony Kenny)의 말처럼 '빅뱅 이론 지지자는 적어도 무신론자라면… 무에 의해 무에서 우주가 나왔다고 믿어야만'[17] 합니다."

크레그는 웃었다. "물론 무에서 유가 나온다는 것은 말도 안되는 일이지요! 당신은 인터뷰 도중 유명한 회의론자 데이비드 흄의 말을 여러 차례 인용했지요? 그조차 '나는 어떤 사건이 원인 없이 발생할 수 있다는 식의 터무니없는 명제를 내세운 적은 없음을 밝히고 싶다'[18]고 말했습니다.

무신론자들도 이것을 인정합니다. 예를 들어, 현대 철학계의 유명한 무신론자인 케이 닐슨(Kai Nielsen)은 이렇게 말했습니다. '당신의 귀에 갑자기 시끄럽게 쾅 하는 소리가 들렸다고 하자. 저 소리가 어떻게 난 것이냐고 당신이 내게 묻는다. 내가 아무 이유 없이 저절로 난 소리라고 답한다면 물론 당신은 수긍하지 않을 것이다.'[19]

지극히 당연한 말입니다. 조그만 쾅 소리에도 원인이 있어야 한다면 큰 쾅 소리(Big Bang)에 원인이 있는 것은 당연하지 않습니까?"

대답이 필요 없는 질문이었다. "그렇다면 박사님의 주장은 무엇입니까?" 나는 물었다.

크레그는 요점을 말할 때마다 손가락으로 하나씩 세었다. "첫째, 존재하게 되는 모든 것에는 원인이 있습니다. 둘째, 우주는 어느 시점에 존재하기 시작했습니다. 셋째, 따라서 우주는 원인이 있습니다. 저명한 과학자 아서 에딩턴(Arthur Eddington) 경은 이렇게 썼습니다. '우리가 시작을 초자연적인 것으로 솔직히 동의하지 않는 한 시작은 극복하기 힘든 난제이다.'"[20]

거기서 나는 말을 잘랐다. "좋습니다. 그런 요점이 창조주의 필요성을 가리키는 것은 알겠습니다만 그렇다고 창조주를 직접 증거하는 것입니까?"

"실은 그렇습니다. 맞습니다. 이 초자연적 원인은 원인 없이 존재하는 존재, 변함 없는 존재, 시간을 초월하는 존재, 비물질적 존재여야 한다는 것입니다."

"그런 결론의 근거는 무엇입니까?"

"우리가 알다시피 거슬러 올라가서 끝도 없는 것은 원인이 될 수 없습니다. 시간을 초월하는 것, 변함이 없는 것, 적어도 우주가 없는 상태에서 그럴 수 있는 것

16 스티븐 호킹, *The Nature of Space and Time*(공간과 시간의 본질), Princeton University Press, 1996, p. 20.

17 앤소니 케니, *The Five Ways : St. Thomas Aquinas' Proofs of God's Existence*(5가지 방법 : 하나님의 존재에 관해 토마스 아퀴나스가 제시하는 증거들), Schocken Books, 1969, p. 66.

18 1754년 2월, 데이비드 흄이 존 스튜어트에게 보낸 편지.

19 케이 닐슨, *Reason and Practice* (이성과 경험), Harper & Row, 1971, p. 48.

20 아서 에딩턴, *The Expanding Universe*(팽창하는 우주), Macmillan,1933, p. 124.

은 시간의 창조자이기에 가능합니다. 아울러 공간을 창조했기 때문에 공간을 초월해야 하며, 따라서 본질상 물리적이지 않고 비물질적인 존재라야 합니다."

분명 던져야 할 질문이 있었다. "모든 것에 원인이 있다면 하나님을 존재하게 한 원인은 무엇입니까?"

"잠깐만요. 나는 모든 것에 원인이 있어야 한다고 말하지 않았습니다. 전제는, 존재하기 시작하는 모든 것에는 원인이 있어야 한다는 것입니다. 다시 말해서 '비존재'에서 '존재'가 나올 수는 없습니다. 반면 하나님은 존재하기 시작한 적이 없기 때문에 원인이 필요 없습니다. 그분은 존재가 없다가 어느 시점에 있게 된 분이 아닙니다."

나는 그 말이 하나님을 특별한 예외로 취급하는 듯한 미심쩍은 인상을 준다고 말했다.

그러자 그는 대답했다. "무신론자들은 우주가 영원히 원인 없이 존재한다는 입장을 아주 편하게 고수해 왔습니다. 문제는, 우주가 빅뱅으로 시작됐다는 증거 때문에 그 입장을 더는 고수할 수 없게 된 것입니다. 만약 하나님에 대해서 똑같이, 하나님은 영원하며 원인 없이 존재한다고 주장해도 그들은 정당한 반론을 펼 수 없습니다."

이유 2 : 우주의 정밀함

크레그는 말했다. "지난 35년간 과학자들은 빅뱅이 무질서한 원시적 사건이 아니라 거대한 양의 정보를 요하는 고도의 질서 정연한 사건임을 깨닫고 크게 놀랐습니다. 사실, 지금 우리의 생명 같은 것이 존재하려면 우주는 시작되는 그 순간부터 불가해할 정도의 정확한 수준으로 미세하게 조정되어야 합니다. 그 사실이 이성적인 설계자의 존재를 설득력 있게 뒷받침합니다."

그 말에 대해 나는 지적했다. "'미세한 조정'이란 주관적인 표현입니다. 의미가 여러 가지겠는데요. 박사님이 말하는 의미는 무엇입니까?"

"이렇게 말하면 어떨까요. 과학적으로 말해, 생명을 지탱하는 우주보다 생명을 방해하는 우주가 존재할 확률이 훨씬 높습니다. 생명이란 아슬아슬한 상태로 겨우 균형을 지키고 있는 셈이지요."

그는 스티븐 호킹의 글을 인용하며 말했다. "그의 계산에 따르면 빅뱅이 있은 지 1초 후 우주의 팽창 속도가 10^{19} 분의 1만 늦었어도 우주는 불덩어리로 붕괴되고 말았을 것이라고 합니다."[21]

이어 크레그는 자신의 결론을 뒷받침할 만한 몇몇 통계 목록을 재빨리 소개했다.[22] 상상을 초월하는 것들이었는데, 그중 일부를 보면 다음과 같다.

- 영국의 물리학자 P.C.W. 데이비스는 별들의 생성에 적합한 맨 처음 조건, 즉 행성들의 필수 조건이자 생명의 필수 조건이 갖춰질 확률이 최소한 10^{23}분의 1이라고 결론지었다.[23]
- 데이비스는 중력의 힘이나 약력(弱力)의 힘이 10^{101} 분의 1만 바뀌어도 생명체가 발육할 수 없다고 추정했다.[24]
- 생명의 존재가 조금이라도 가능하려면 대략 50가지의 상수와 수량이 수학적으로 무한대에 가까운 정도로 균형을 유지해야 한다. 예를 들어, 우주의 가용 에너지량, 양자와 중성자의 질량 차이, 자연의 근본 힘의 비율, 물질 대 반(反)물질의 비율 등이다.[25]

"이 모든 것이 창조 이면에 하나의 지적 존재가 있다는 결론을 충분히 뒷받침합니다. 사실, 다른 대안을 제시하는 설명들은 말이 안됩니다.

예를 들어, '자연적 필연성'이라는 이론이 있습니다. 미지의 '만물 이론'이 우주의 현상을 설명한다는 뜻이지요. 다시 말해, 자연에 있는 뭔가가 사물을 필연적으로 그런 식으로 돌아가도록 만들었다는 것입니다.

하지만 깊이 살펴보면 이 개념은 근거가 없습니다. 첫째, 우주가 생명을 허용하는 곳이라는 것은 다른 강력한 증거가 필요한 근본적 주장에 지나지 않습니다. 둘째, 우리의 우주와는 다른 우주 모델들이 있으며 따라서 우주가 지금과 달라졌을 가능성이 존재해야 합니다. 셋째, 자연 법칙에 있어서도 그 법칙들이 작용할 수 있는 맨 처음 조건, 이미 갖춰져 있는 조건이 여전히 있어야 합니다."

나는 다시 표면상 가능성 있게 들리는 또 다른 시나리오를 제기했다. "우주의 미세한 조정이 단순히 우연의 결과일 가능성은 없습니까? 모든 것이 그저 우주의 거대한 우발적 사건일 수 있지 않습니까? 커다란 주사위가 한 번 굴렀다고 할까요."

크레그는 한숨을 내쉬며 말했다. "이렇게 말하겠습니다. 그 정확도는 그야말로 환상적이고 수학적으로 너무나 정밀한 것이어서 그것이 우연일 수 있다는 생각

21 스티븐 호킹, *A Brief History of Time*(시간의 역사). Bantam Books, 1988, p. 123

22 참고 : 존 레슬리, *Universes*(우주들), Routledge, 1989.

23 P.C.W. 데이비스, *Other Worlds*(다른 세상들), Dent, 1980, pp. 160-161.

24 위의 책, pp. 168-169.

25 참고:P.C.W. 데이비스, "Anthropic Principle(인류 발생의 원리)." *Particle and Nuclear Physics 10*(분자와 원자 물리학 10), 1983, p. 28; *God: The Evidence*, pp. 29-31.

자체가 한마디로 어리석은 것입니다. 특히 지금 우리가 얘기하는 것은 단순한 확률이 아니라 이론가들이 말하는 '구체화된 확률'이기 때문에 우연의 개념은 합리적 논의에 끼어들 여지가 없습니다."

나는 아직 우연의 가능성을 접어 둘 생각이 없어 이렇게 물었다. "우리의 우주와는 별도로 다른 우주들이 무수히 많이 존재한다면 어떻게 됩니까? 그렇다면 많은 우주들 중 한 곳이 생명의 지탱에 알맞은 조건을 갖추고 있을 확률도 있는 것 아닙니까? 그곳이 어쩌다 지금 우리가 살고 있는 이 우주가 되었고요."

그것은 크레그도 익히 알고 있는 이론이었다. "'복수 우주의 가설'을 말씀하시는군요. 호킹도 그 개념에 대해 얘기한 바 있지요. 문제는 이것입니다. 우리로서는 다른 우주들은 접근할 수 없고, 따라서 그것이 사실일 수 있다는 증거를 제시할 길이 전무합니다. 과학적 증거가 없는 순전히 하나의 생각이자 개념이지요. 영국의 유명한 과학자이며 신학자인 존 폴킹혼(John Polkinghorne)은 그것을 '거짓 과학'이요 '형이상학적 억측'[26]이라고 불렀습니다.

생각해 보십시오. 이것이 맞다면 삶을 합리적으로 수행하는 것이 불가능합니다. 지극히 확률이 낮은 일일지라도 무수히 많은 다른 우주들을 가정하면 모든 것을 그럴 듯하게 설명할 수 있기 때문입니다."

나는 그 논리가 얼른 와 닿지 않아 무슨 뜻인지 물었다.

"예를 들어, 포커 게임에서 당신이 패를 돌리는데 매번 돌릴 때마다 당신한테만 에이스 네 장이 다 온다고 합시다. 그래도 당신은 속임수를 썼다고 비난 받을 필요는 없습니다. 그런 상황이 벌어질 확률이 아무리 낮아도 상관없습니다. 다른 많은 우주 가운데 당신이 존재하는 우주는 당신이 카드를 돌릴 때마다 에이스가 몽땅 당신에게 오게 되어 있는, 그런 운 좋은 우주일 뿐이라고 생각하면 되니까요!

우연이라니, 지극히 관념적인 논리입니다. 그런 평행의 세계들이 존재한다고 믿을 만한 이유가 전혀 없습니다. 회의론자들이 이런 희한한 이론을 들고 나오는 이유는 우주의 미세한 조정이 이성적인 설계자를 강력히 입증하고 있기 때문입니다. 그 결론을 피하기 위해 되는 대로 가설을 만들어 낸 것입니다."

나는 놀랍도록 정확한 이 우주의 균형 때문에, 하버드에서 공부하고 조지 워싱턴 대학교의 공산사회 정책 연구소 차장 겸 상임 연구원인 패트릭 글린(Patrick Glynn)이 무신론을 버리고 그리스도인이 되었음을 알고 있다. 그는 *God : The*

존 폴킹혼
영국 국교회 성직자, 물리학자. 영국 황실로부터 기사 작위를 받았다.
www.polkinghorne.org

26 존 폴킹혼, *Serious Talk : Science and Religion in Dialogue*(진지한 이야기 : 대화 속의 과학과 종교), Trinity Press International, 1995, p. 6.

Evidence(하나님 : 궁극적 증거)라는 책에서 '양자 역학' 이니 '유아 우주들' 이니 하는 다른 대안 이론들의 허점을 지적하며 이런 결론을 내리고 있다.

오늘날 구체적인 데이터는 '하나님 가설' 쪽을 강하게 지지하고 있다. … 거기에 반대하고 싶어도 내세울 만하거나 시험 가능한 이론이 전혀 없다. 난무하는 과학적 상상 속에서 만들어 낸, 보이지 않는 우주들에 대한 억측만이 있을 뿐이다. … 한 가지 아이러니는 이것이다. 가장 진보된 20세기 과학이 우리에게 제시하는 우주 상은, 코페르니쿠스 이래로 과학이 제시한 그 어떤 것보다 창세기에 나타난 모습과 본질상 더 가깝다는 것이다.[27]

27 패트릭 글린, *God: The Evidence*(하나님 : 궁극적 증거), pp. 53-54,26.

이유 3 : 절대 기준의 도덕 가치관

크레그의 세 번째 요점은 처음부터 간결했다. "우주에는 절대 기준이 되는 도덕 가치관이 존재합니다. 하나님이 존재하지 않으면 그런 가치관도 존재하지 않습니다."

'절대적인' 가치관의 의미에 대해 의문을 불러일으킬 만하다. 크레그는 예를 들어 설명했다.

"절대적인 도덕 가치관이란 그것을 믿든 믿지 않든 유효한 구속력이 있습니다. 예를 들어, 유대인 대학살은 나치가 그것을 옳게 여겼음에도 불구하고 여전히 잘못입니다. 설사 나치가 2차 대전의 승자가 되어 자기들에게 반대하는 모든 사람을 세뇌하거나 없애 버렸다 해도 그것은 여전히 잘못입니다. 하나님이 존재하지 않는다면 이런 식의 절대적인 도덕 가치관이 있을 수 없습니다."

"잠깐만요." 나는 고개를 흔들며 말을 끊었다. "무신론자는 도덕 가치관을 지닐 수 없다거나 기본적으로 윤리적인 삶을 살 수 없다는 뜻이라면 문제가 있다고 봅니다. 내게는 하나님을 믿지 않는 친구가 있는데 그리스도인들 못지 않게 마음씨 좋고 남을 배려하는 사람입니다."

"아니지요. 도덕적 삶을 살려면 반드시 하나님을 믿어야 한다고 말하는 것이 아닙니다. 문제는 '하나님이 존재하지 않는다면 절대적인 도덕적 가치관이 존재할 수 있는가?' 입니다. 그리고 거기에 대한 답은 '그럴 수 없다' 는 것입니다."

"어째서 그렇습니까?"

"하나님이 없다면 도덕적 가치관은 단지 사회적 생물학적 진화의 부산물에 지나지 않기 때문입니다. 사실 많은 무신론자들이 그렇게 생각합니다. 철학자 마이클 루즈(Michael Ruse)는 '도덕이란 손발과 치아만큼이나 생물학적 적응의 산물' 이라고 말했습니다. 그에게 도덕이란 '생존과 번식의 보조물일 뿐, 더 깊은 의미는 환각' 입니다.[28]

28 마이클 루즈, "Evolutionary Theory and Christian Ethics(진화론과 기독교 윤리)," *The Darwinian Paradigm*(다윈주의 패러다임), Routledge, 1989, pp. 262, 269.

하나님이 없다면 도덕은 개인적 취향의 문제에 지나지 않을 수도 있습니다. '브로콜리는 입맛에 맞다' 하고 말하는 것과 같지요. 글쎄요, 입맛에 맞는 사람들도 있겠지만 싫어하는 사람들도 있습니다. 거기에는 객관적 사실이 전혀 없습니다. 주관적 취향의 문제일 뿐입니다. 무죄한 아이들을 죽이는 것이 잘못인지 아닌지도 취향에 달려 있게 됩니다. '나는 무죄한 아이들을 죽이는 것이 싫다' 는 말과 같지요.

마이클 루즈나 버트런드 러셀(Butrand Russell)처럼 하나님이 부재한 가운데 호모 사피엔스에 의해 발전된 도덕이 절대적이라고 생각할 만한 이유를 나는 찾을 수 없습니다. 하나님이 없다면 인간이 특별할 것이 어디 있습니까? 인간이란 그저 지성 없는 우주의 어딘가에 버려진 조그만 먼지 덩어리에서 근래에야 진화된 자연의 우연한 부산물에 지나지 않으며, 비교적 짧은 시간 내에 영원히 멸망할 운명에 처해 있는 존재밖에 되지 않습니다.

무신론자들의 견해에서 볼 때 예컨대 강간 같은 행동은, 사회에 이롭지 않기 때문에 인간 발달 과정 중 차차 금기 사항이 되었을 수도 있습니다. 그러나 그것은 강간이 정말 잘못이라는 사실을 입증하지는 못합니다. 어쩌면 강간이 종(種)의 생존에 이로운 것이 되었을 수도 있습니다. 하나님이 없다면 우리 양심의 기준이 되는 옳고 그름도 없습니다.

호모 사피엔스 (Homo Sapiens)
현생인류, 크로마뇽인, '지혜있는 사람', 생각하는 능력을 지닌 인간을 표현할 때 쓰이는 학명.

그러나 우리 모두는 절대적인 도덕 가치관이 정말 존재한다는 것을 가슴 깊이 알고 있습니다. '어린아이를 재미 삼아 괴롭히는 것이 도덕적으로 정당한 행동인가?' 하는 질문만 던져 봐도 분명히 알 수 있습니다. 확신컨대 당신은 이렇게 말할 것입니다. '아니다. 도덕적으로 정당한 일이 아니다. 그렇게 하는 것은 정말 나쁜 일이다.' 다윈의 진화론과 그 외 모든 지식을 충분히 익혀도 그렇게밖에 말할 수 없을 것입니다.

1991년 국제사면위원회 사무총장 존 헤일리(John Healey)의 모금 편지가 좋은 예입니다. 그는 편지에 이렇게 썼습니다. '제가 오늘 여러분에게 편지를 쓰는 것은, 도덕적 절대 기준이 존재한다는 제 깊은 신념을 여러분도 공유하고 계시리라 믿기 때문입니다. 정부가 묵인하는 고문과 살인, 실종 등은… 우리 모두를 향한 불법 행위입니다.'[29]

29 존 헤일리, 1991년 모금 편지.

강간과 아동 학대 같은 행위는 단순히 어쩌다 사회적으로 용인할 수 없게 된 행동이 아닙니다. 그것은 명백히 도덕적으로 가증한 일입니다. 절대적으로 잘못된 일입니다. 반면 사랑, 평등, 자기 희생 같은 것들은 객관적인 의미에서 진정 선한 것입니다. 우리 모두가 가슴 깊이 그것을 알고 있습니다.

이런 절대적인 도덕 가치관은 하나님 없이는 있을 수 없습니다. 그런 가치관은 분명히 존재합니다. 따라서 하나님이 존재한다는 논리적 결론을 내릴 수밖에요."

국제사면위원회 (Amnesty International) 영국인 변호사 피터 베넨슨이 창설한 국제 인권 단체. 세계평화와 인권보호에 대한 공로로 1977년 노벨평화상, 1978년 유엔인권상 수상. 2001년 8월, 7번째 사무총장으로 방글라데시 출신의 회교도 아이린 주바이다 칸(Irene Zubaida Khan) 선출.

이유 4 : 예수의 부활

크레그는 네 번째 요점에서 이야기의 방향을 약간 바꾸겠다고 말했다. "하나님을 믿을 만한 타당한 이유들이 있다면 기적도 믿을 수 있기 때문에 이제까지 하나님의 존재를 뒷받침하는 이유들을 제시했습니다. 그런데 기적 자체에도 하나님을 지지하는 증거가 일부 있습니다. 예컨대 예수의 부활이 그렇습니다. 나사렛 예수가 정말 죽은 자 가운데서 살아났다면 우리는 우리 손에 하나님의 기적을 가지고 있는 것이고, 따라서 하나님의 존재 증거를 확보하는 셈입니다."

나는 신약 성경이 하나님의 영감으로 기록된 말씀이라는 가정을 차치하고 그 근거를 설명해 달라고 했다. 그는 신약 성경을 다른 고대 기록과 마찬가지로 해석상 그 뜻이 좌우될 수 있는 1세기 그리스어 문서 모음 정도로 간주하겠다고 했다.

"예수의 죽음에 대해 다양한 입장을 취하고 있는 신약 성경 역사가들이 공통으로 받아들이고 있는 사실은 네 가지 정도입니다. 첫째 사실은 예수가 십자가에 못 박혀 죽은 뒤 아리마대 요셉에 의해 무덤에 장사되었다는 것입니다. 이것이 중요한 이유는 무덤의 위치가 유대인과 그리스도인과 로마인에게 공히 알려졌음을 의미하기 때문입니다."

"그 점에 관해 어떤 증거라도 있습니까?" 나는 물었다.

"예수의 장례는 극히 오래된 자료, 예컨대 바울이 고린도 교회에 보낸 첫 번째 편지 같은 곳에 포함돼 있습니다.[30] 이 자료는 예수의 죽음 이후 5년 이내의 것이라 전설로 볼 수 없습니다. 뿐만 아니라 장례 기사는 마가가 복음서에 기록한 아주 오래된 자료의 일부입니다. 마가가 쓴 기사도 전설에서 발전한 징후는 없습니

30 참고 : 고린도전서 15:4.

다. 이 기사를 공박할 만한 다른 장례 기사의 흔적도 없습니다. 게다가 요셉은 예수를 정죄한 산헤드린 공의회 멤버였기 때문에 요셉의 개입을 꾸며낸다는 것은 설명하기 어려운 일입니다.

둘째 사실은 십자가 처형 후 안식일에 몇몇 여자들이 빈 무덤을 발견했다는 것입니다. 빈 무덤은 고린도 교인들에게 보낸 바울의 편지와 마가의 자료에서 실증되고 있습니다. 이 사실에도 초창기 독자적인 증거가 있는 셈입니다.

그밖에도 빈 무덤의 기사에는 전설을 통해 살이 붙여졌을 가능성이 없습니다. 예수의 부활 선포에 대해 유대인들의 최초 반응 역시 예수의 무덤이 비어 있음을 전제로 한 것인데 그들에게도 여자들이 빈 무덤을 발견한 것으로 보고되었습니다. 여자의 증언은 신빙성이 없는 것으로 취급해서 법정에서조차 여자는 증언할 수 없었던 당시에 여자들이 빈 무덤을 발견했다는 아주 곤란한 세부 기사를 포함시킨 이유가 무엇이겠습니까? 복음서 기자들은 실제로 일어난 사건을 충실하게 기록하고 있다는 것입니다.

세 번째 사실은 각기 다양한 처지와 상황에서 각양의 개인과 집단이 죽음에서 살아난 예수를 만났다는 것입니다. 이것은 몇 가지 이유 때문에 신약 학자들이 거의 대부분 인정하고 있습니다.

예를 들어, 바울은 고린도 교인들에게 예수의 부활을 목격한 사람들의 목록을 보냈는데, 그것이 실제로 일어났었다는 증거지요. 그 정보가 빠른 시기에 알려졌다는 것과 바울이 그에 관련된 사람들을 잘 안다는 점에서 이것을 전설로 일축하기 어렵습니다.

또 복음서에 기록된 예수의 출현 기사들은 여러 가지 정황 증거를 제시하고 있습니다. 회의론자인 신약 비평가 게르트 뤼드만(Gerd Lüdemann)마저 '베드로와 제자들이 예수의 죽음 이후, 부활한 그리스도로 자기들 앞에 나타난 예수를 만났다는 것은 역사적 기정 사실로 받아들일 수 있다'[31]라고 했습니다.

네 번째 사실은 예수의 제자들이 이전까지 믿지 않던 사실, 예수가 죽은 자 가운데서 살아났다는 것을 갑자기, 또 진심으로 믿게 되었다는 것입니다. 유대교 신앙은 말세에 있을 전체적 부활 전에 인간이 죽은 자 가운데서 살아난다는 개념을 인정하지 않습니다. 그럼에도 불구하고 예수의 제자들은 죽음까지 불사하고 하나님이 예수를 살리셨다는 것을 갑자기 확고히 믿게 되었습니다. 신약 학자 루크 존슨(Luke Johnson)은 '초기 기독교 같은 운동이 생겨날 수 있으려면 사람을 송두

31 게르트 뤼드만, *What Really Happened to Jesus?*(예수에게 실제로 무슨 일이 일어났는가?), Westminster John Knox Press, 1995, p. 8.

32 루크 존슨, *The Real Jesus*(진짜 예수), p. 136.

33 참고 : C. Behan McCullagh, *Justifying Historical Descriptions*(역사적 사실에 대한 증명), Cambridge University Press, 1984, p. 19. *God, Are You There?*, pp. 46-47.

리째 바꿔 놓는 모종의 강력한 체험이 반드시 필요하다'[32]고 말합니다."

"좋습니다. 말씀하신 네 가지 사실에 대해 결론을 지어 주시겠습니까?"

"'제자들이 시체를 훔쳐 갔다' 든지 '예수가 사실은 죽지 않았다' 식의 구식 이론들은 현대 학자들이 대부분 거부해 왔습니다. 나 개인적으로는 이 네 가지 사실에 들어맞는 설명은 목격자들의 증언 그대로라고 생각합니다. 즉 하나님이 예수를 죽은 자 가운데서 살리신 것입니다. 이것이야말로 일련의 역사적 사실들에 대해 역사가들이 최상의 결론을 도출하는 데 필요한 검증 과정을 쉽게 통과할 수 있습니다."[33]

이유 5 : 하나님의 체험

크레그는 다섯 번째 요지가 하나님의 존재에 대한 논증과 조금 다른 어떤 것이라고 했다. "다른 논증들과는 전혀 별도로 하나님을 직접 체험함으로써 그분의 존재를 알 수 있다는 주장입니다. 철학자들은 이것을 '정당한 기본 신념' 이라 부릅니다."

크레그는 나를 똑바로 쳐다보며 말했다. "이 개념을 설명하기 전에 한 가지 질문해 보겠습니다. 당신은 존재한다고 믿는 외부 세계를 증명할 수 있습니까?"

뜻밖의 질문이었다. 잠시 생각해 보았지만, 외부 세계를 입증할 논리적 흐름이 떠오르지 않았다. "글쎄요, 뭐라고 해야 할지 잘 모르겠습니다." 나는 그렇게 시인했다.

"맞아요. 외부 세계의 존재에 대한 당신의 믿음은 '정당한 기본 신념' 입니다. 당신은 외부 세계가 존재한다는 것을 증명할 수 없습니다. 어쩌면 제정신이 아닌 과학자가 당신의 머리를 큰 통에 넣고 전기 자극을 주어, 외부 세계가 보인다고 생각하게 만들 수는 있겠지요. 하지만 미치지 않고서 그렇게 생각할 수 있겠습니까? 외부 세계에 대한 '정당한 기본 신념' 은 철저히 이성적으로 우리의 체험에 적절한 기반을 두고 있습니다.

마찬가지로 하나님을 직접 체험하기 때문에 정당한 방식으로 하나님을 믿는 것도 이성적입니다. 나는 그런 체험을 해 왔습니다. 열여섯 살 때 하나님이 내 삶에 들어오신 이래, 나는 30년이 넘도록 그분과 동행해 왔습니다. 내 체험 속에서 그분은 살아 있는 실체입니다.

무신론에 대한 절대적 논증이 부재한 상태에서 내게는 이 체험의 실체를 믿는 것이 철저히 합리적인 일로 보입니다. 이것은 성경 시대에 살던 사람들이 하나님을 알았던 방식이기도 합니다. 존 히크(John Hick)는 이렇게 썼습니다. '그들에게 하나님은 삼단 논법을 완성하는 명제도 아니었고 생각 속에 수용된 개념도 아니었다. 하나님은 그들의 삶에 의미를 주는 체험적 실체였다.'"[34]

"하지만 무신론자도 그렇게 말할 수 있지 않습니까?" 나는 말을 끊고 물었다. "자기들도 하나님의 부재라는 '정당한 기본 신념'이 있다고 말한다면 말입니다. 별수 없어 보이는데요."

"철학자 윌리엄 앨스턴(William Alston)은, 그리스도인은 논리나 경험적 사실 등 가능한 공통분모를 모두 찾아 누구의 견해가 정확한지 다양한 방식으로 보아야 한다고 말합니다.[35]

내가 앞에서 네 가지 주장을 든 것도 바로 이 때문입니다. 나는 하나님이 존재하신다는 것을 정당한 기본 방식으로 압니다. 그리고 그분의 존재를 과학, 윤리, 역사, 철학의 공통된 사실들에 의지하여 입증하려 했습니다. 둘을 종합하면 하나님과 기독교를 지지하는 강력한 증거가 됩니다."

34 존 히크, *The Existence of God*(하나님의 실재), Problem of Philosophy Series(철학 문제 시리즈), Macmillan, 1964, pp. 13-14.

35 참고 : 윌리엄 앨스턴, "Religious Diversity and Perceptual Knowledge of God(종교적 다양성과 하나님을 아는 지각적 지식)," *Faith and Philosophy 5*(신앙과 철학 5), 1988, pp. 433-448.

하나님을 체험하는 법

하나님을 믿는 이유를 일사천리로 풀어내는 크레그에게서 잔잔한 확신이 풍겨나고 있었다. 대화를 마치기 전 나는 그런 확신이 어디서 나오는지 핵심을 들추고 싶었다.

"지금 이 순간 여기 앉은 이대로 기독교가 진리임을 영혼 깊숙히 받아들이십니까?"

"예, 그렇습니다." 그는 망설이지 않고 대답했다.

"어떻게 그것을 확신하십니까?"

"기독교가 진리임을 아는 것은, 당신 스스로를 입증하시는 하나님의 성령 때문입니다. 성령은 우리 영혼을 향해 우리가 하나님께 속한 자라고 속삭여 주십니다.[36] 그것이 성령의 역할 중 하나이지요. 다른 증거들도 더불어 유효하기는 하지만 기본적으로 확인의 역할에 그칩니다."

36 참고 : 로마서 8:16.

크레그는 잠시 생각에 잠겼다가 물었다. "피터 그랜트(Peter Grant)를 아시지요?" 나는 그렇다고 대답했다. 애틀랜타에서 교회를 섬기고 있는 내 친구 목사였다. 크레그는 말했다. "방금 말한 원리에 대해 그가 아주 멋진 예화를 소개한 적이 있습니다.

당신의 상사가 사무실 안에 있는지 알고 싶습니다. 주차장에 상사의 차가 보입니다. 비서한테 그가 안에 있느냐고 물으니 비서는 '예, 방금 그분과 이야기하고 나왔습니다' 합니다. 사무실에 불이 켜져 있는 것도 보입니다. 통화중인 그의 목소리도 들립니다. 이 모든 증거는 상사가 사무실에 있다고 결론지을 만한 근거로 충분합니다.

그런데 그와 전혀 다르게 접근할 수도 있습니다. 방에 가서 문을 두드리고 상사와 직접 대면하는 것입니다. 그때는 주차장의 차, 비서의 증언, 불빛, 통화중인 음성 따위는 여전히 유효하긴 해도 부차적 역할에 지나지 않습니다. 상사를 직접 보고 있으니 말입니다.

이와 같은 방식으로, 다시 말해 하나님을 대면하여 만나면 그분의 존재에 대한 모든 의문과 논증은, 여전히 유효하기는 해도 이차적 역할로 물러나게 됩니다. 하나님이 성령의 증거를 통해 우리 심령에 초자연적 방법으로 직접 보여 주신 것을 확인해 주는 정도에 그치는 것이지요."

"물론 하나님을 직접 체험하는 일은 구하는 자라면 누구에게나 가능하다고 하시겠지요?"

"지당한 말씀입니다. 성경은 하나님이 우리 삶의 문을 두드리고 계신다고 말합니다. 우리가 문을 열면 그분을 만나 그분을 인격적으로 체험하게 됩니다. 요한계시록 3장 20절에서 그분은 이렇게 말씀하십니다. '볼지어다! 내가 문 밖에 서서 두드리노니 누구든지 내 음성을 듣고 문을 열면 내가 그에게로 들어가 그로 더불어 먹고 그는 나로 더불어 먹으리라.'"

크레그는 우리의 대화를 녹음하고 있던 녹음기를 가리키며 이렇게 마무리 지었다. "오늘 우리는 기적에 대해 많은 이야기를 나누었습니다. 하나님을 인격적으로 알고 그분 때문에 인생이 변화되는 것을 보는 것이야말로 모든 기적 중에 가장 큰 기적이라 해도 과언이 아닙니다."

나는 손을 뻗어 녹음기를 껐다. 나 자신도 무신론자로서 부도덕의 미로 속에서 오랜 세월을 보낸 후 하나님을 직접 체험했기 때문에 그의 말이 옳다는 것을 안다.

내 삶 속에 찾아오셔서 지극히 현실적이며 지속적인 당신의 임재를 통해 내 생활 태도와 인간관계, 동기와 결혼 생활, 우선 순위를 바꾸신 것을 볼 때 깨닫지 않을 수 없는 것이 있다. 그 하나님께는 하늘의 만나, 동정녀 출산, 예수 부활 같은 기적은 식은 죽 먹기에 지나지 않는다는 것이다.

최종 진술

1. 예수 부활 같은 기적이 실제 일어났다고 믿기 위해서 어떤 증거가 필요한가?

2. 크레그의 논증대로, 기적을 일으키는 하나님의 존재를 믿는 것이 합리적이라고 생각하는가?

3. 크레그는 자신의 병을 기적적으로 고쳐 달라고 기도했지만 하나님은 그렇게 하시지 않았다. 당신도 그렇게 기도한 적이 있는가? 그 기도는 이루어졌는가?

증거 자료

- William Lane Craig, *Reasonable Faith*, Crossway, 1994.
- R. Douglas Geivett & Gary R. Habermas 편집, *Defense of Miracles*, InterVarsity Press, 1997.
- C. S. Lewis, *Miracles : A Preliminary Study*, Macmillan, 1947.
- J.A.Cover, *Reason for the Hope Within*, Eerdmans, 1999.
- Norman L. Geisler, *Miracles and the Modern Mind*, Baker, 1992.

생명 기원, 진화론이면 충분하지 않은가?

찰스 다윈은 언젠가 본인이 말했듯이 하나님을 살해할 생각이 없었다. 그러나 그는 그렇게 했다.

—「타임」지[1]

진화론은 다윈 시대에 그러했듯 지금도 고도의 추론적인 가설이다. 직접적인 사실이 전혀 뒷받침되지 않을 뿐 아니라 진화론을 보다 과격하게 주창하는 일부 사람들이 우리가 믿을 수 있도록 제시하는 소위 자명한 원리와도 거리가 아주 멀다.

—마이클 덴턴(Michael Denton), 분자 생물학자[2]

1 Iconoclast of the Century, Charles Darwin(1809-1882)(금세기 이단아 찰스 다윈)" 「타임」지, 1999년 12월 31일자.

2 *Evolution : A Theory in Crisis*(진화론 : 위기 속의 이론), p. 77.

몇 년 전 오클라호마 주 아다(Ada)라는 조용한 마을을 충격으로 몰아넣은 잔인한 살해 사건이 있었다. 피해자는 스무 살 데브라 수 카터였다. 수사관들은 그 사건의 용의자 로널드 키스 윌리엄슨에 대한 물증을 찾으려고 안간힘이었다.

윌리엄슨의 유죄를 입증하는 것은 상당히 어려웠다. 윌리엄슨은 카터를 목 졸라 죽인 혐의를 강력히 부인했다. 수사관들이 확보한 증거는, 카터가 살해되던 날 저녁 윌리엄슨이 그녀와 얘기하는 것을 보았다는 사람, 그녀를 죽이는 꿈을 꾼 적이 있다는 윌리엄슨의 자백, 윌리엄슨이 범죄에 대해 얘기하는 것을 엿들었다고 주장하는 교도소 측 인물 등이 고작이었다. 그에게 유죄를 선고하려면 더 많은 증거가 필요했다.

드디어 수사관들은 결정타를 내놓았다. 신문 보도에 따르면, 한 전문가가 피해자의 시신과 사건 현장 여기저기서 발견된 머리카락 네 개를 가져다 현미경 검사를 실시한 결과 윌리엄슨의 것과 '일치한다' 고 결론지은 것이다. 수사관들은 유죄 사실이 과학적 증거로 지지를 얻자, 윌리엄슨을 체포해 재판에 회부했다.

얼마 지나지 않아 배심원단은 이 마이너리그 야구 선수 출신의 용의자에게 유죄 판결을 내려 사형수 감방으로 보냈다. 끔찍한 범죄가 마침내 해결되고 아다의 주민들은 모두 안도의 한숨을 내쉬었다. 정의가 시행되었다. 살인자는 자기 생명으로 대가를 치를 것이다.

그러나 한 가지 큰 문제가 생겼다. 윌리엄슨의 무죄 주장은 진실이었다. 그가 사형 집행을 기다리며 보낸 9년을 포함하여 12년간 옥중에서 고생한 후 이루어진 DNA 분석을 통해 살인범이 아니라고 확인되었던 것이다. 1999년 4월 15일 윌리엄슨은 마침내 자유의 몸이 되었다.[3]

잠시 따지고 넘어가자. 윌리엄슨의 유죄를 입증해 준 머리카락 현미경 검사는 어떻게 된 것인가? 범행 현장에서 그의 머리카락이 발견됐다면 살해에 연루되었다는 뜻이 아닌가? 불행히도 머리카락 검사는 실체 이상으로 악용될 때가 많다.

당시 신문 보도는 몇 가지 중요한 차이를 간과했다. 현장에서 발견된 머리카락은 사실 윌리엄슨의 머리카락과 '일치하지' 않았다. 범죄학자는 양자가 서로 '일관성' 있다고 결론지었던 것뿐이다. 다시 말해 머리카락의 색깔과 형태와 조직이 비슷해 보였던 것이다. 따라서 범행 현장에서 나온 머리카락은 윌리엄슨의 것일 수도 있고 다른 사람의 것일 수도 있었다.

지문은 유죄를 입증하지만 머리카락 분석은 아니다. 그래서 법률 분석가들은 이를 '의사(疑似) 과학' 이라 부른다. 배심원단은 과학적으로 유효해 보이는 그럴듯한 증언을 듣고, 그것이 피고의 유죄를 확증한다고 결론 내리지만 결론이 잘못됐을 수도 있다. 심지어 법정에서 뜨거운 공방전이 벌어질 때면 최종 논고에서 머리카락 분석을 오도하거나 미묘하게 과대 평가하는 검사들도 있다.[4]

한 연방 판사는 머리카락 증거를 '과학적으로 신빙성 없는 것' 으로 규정하면서 그것이 피고에게 불리하게 사용되는 일이 절대 없어야 한다고 말했다. 하지만 유감스럽게도 지난 25년간 머리카락 대조로 억울하게 사형수 감방에 들어갔다가 무죄 선고를 받은 사람은 18명이나 된다.[5]

3 참고 : Charles T. Jones, "DNA Tests Clear Two Men in Prison(DNA 검사로 풀려난 두 명의 복역수)," 「오클라호마」지, 1999년 4월 16일자.

4 참고 : Steven Mills & Ken Armstrong, " Convicted by a Hair(머리카락 하나로 유죄를 선고받다)," 「시카고 트리뷴」지, 1999년 11월 18일자.

5 참고 : 위의 기사.

윌리엄슨 사건은 정의가 실패할 수도 있다는 데 눈뜨게 해 준다. 애매한 과학적 사실을 근거로 제대로 입증되지도 않은 결론으로 얼마나 쉽게 사람을 매도할 수 있는지 잘 보여 준다. 어떤 의미에서 윌리엄슨 사건은 내가 진화론을 탐색하는 과정과 일맥상통한다. 진화론은 하나님의 존재를 반박하는 데 사용되는 가장 유력하면서도 애매한 과학적 증거 중 하나이기 때문이다.

다윈의 진화론

물론 다양한 요인이 있지만, 하나님에 대해 그나마 남아 있던 내 마지막 믿음을 앗아간 것은 고등학교 생물 시간에 경험한 것들이라 해도 과언이 아니다. 그 경험이 어찌나 깊었던지 그때 내가 앉았던 자리를 지금도 찾아갈 수 있을 정도다. 거기서 나는 진화가 생명의 기원과 발달을 설명할 수 있다고 처음 배웠다. 그 의미는 분명했다. 찰스 다윈의 이론은 생명체의 점증하는 복잡성과 다양성을 자연주의적 과정으로 설명함으로써 초자연적 창조주의 필요성을 일소해 버렸다.

그것은 비단 나만의 경험은 아니다. 앞에서 언급한 패트릭 글린은 나와 비슷한 경로를 통해 무신론에 이르게 된 과정을 이렇게 기술했다.

"하고많은 곳 중 가톨릭 초등학교에서 다윈의 진화론을 배우면서 나는 일찍부터 회의론을 받아들였다. 다윈의 이론이 옳든지 창세기의 창조 기사가 옳든지 둘 중 하나여야 한다는 생각이 들었다. 둘 다 옳을 수는 없었다. 나는 수업 시간에 자리에서 일어나 가여운 수녀 선생님에게 그렇게 대놓고 말했다. 유년기 독실한 종교적 신앙과 삶에서 멀어져 점점 더 세속적이고 냉철한 모습으로 변해 간 내 기나긴 방랑은 그렇게 시작되었다.[6]"

대중 문화에서 진화론 사건은 이미 종료된 것으로 여겨진다. 「타임」지는 두 번째 밀레니엄을 요약하는 기사에서 "다윈의 진화론은 지금까지 발표된 이론들 중에서 가장 성공적인 과학 이론 중 하나로 남아 있다"[7]고 말했다. 찰스 템플턴은 "모든 생명은 시간을 초월한 진화적 힘의 산물"[8]이라는 개념에 의문의 여지가 없다고 말했다.

생물학자 프란시스코 아얄라(Francisco Ayala)는 "다윈이 남긴 가장 위대한 업적은 생명의 발달이 창조주를 전혀 의지할 필요가 없는 자연 과정과 자연 도태의 산물"[9]임을 보여 준 것이라고 말했다. 호주의 분자 생물학자 겸 의사인 마이클 덴턴(Michael Denton)은 "다윈의 이론이 인간과 하나님의 연결 고리를 끊었으며

6 *God : The Evidence*, pp. 2-3.

7 각주 1과 같음.

8 *Farewell to God*, p. 232.

9 프란시스코 아얄라, *Creative Evolution*(창조적 진화), James and Bartlett, 1994, pp. 4-5.

그 결과 인간을 목적 없는 우주의 방랑자로 만들었다"[10]고 말했다. 그는 덧붙여 이렇게 말했다.

"기독교에 관한 한 진화론의 도래는… 비극이었다. …신앙의 쇠퇴는 어떤 요인보다, 다윈의 진화론으로 무장한 지성인과 과학자들이 내세운 선전과 주장에 가장 큰 원인이 있다고 할 수 있다."[11]

Evolutionary Biology(진화 생물학)라는 책은 이렇게 단언한다. "외부의 지도(指導) 없는 무의미한 변이와 맹목적이고 비인격적인 자연 도태를 맞물림으로써 다윈은 생명 과정에 대한 신학적 혹은 영적 설명을 불필요한 것으로 만들었다."[12]

다윈이 "무신론자들을 지적으로 만족시켰다"[13]는 영국의 생물학자 리처드 도킨스의 말은 많은 사람들의 의견을 대변한다.

사실 코넬 대학교의 저명한 진화론자 윌리엄 프로빈(William Provine)은 다윈의 이론이 옳다면 다음의 5가지 의미가 불가피하다고 솔직히 시인했다. 하나님을 옹호할 증거가 전혀 없고, 사후 생명이 존재하지 않으며, 옳고 그름에 대한 절대적 기반이 없고, 삶에 궁극적 의미가 없으며, 인간에게 진정한 자유 의지가 없다는 것이다.[14]

그러면 진화론은 사실인가? 나는 그렇다는 확신 속에서 학교 교육을 마쳤다. 그러나 내 신앙 여정이 과학의 영역으로 들어서자 갈수록 불편한 심기가 느껴졌다. 윌리엄슨 사건의 머리카락 검사처럼 진화에 대한 증거도, 실체 이상으로 이용되는 것은 아닐까?

이 문제를 조사할수록 내가 중요한 차이들을 간과한 채 조급한 판단을 내렸다는 사실이 분명해졌다. 윌리엄슨 사건과 비슷했다. 나는 다윈주의자들의 속전속결식 결론이 과연 정확한 과학적 사실에 의해 확증되는 것인지 의문을 품게 되었다(패트릭 글린도 이와 비슷한 여정을 통해 다시 믿음으로 돌아오게 되었다).

이것은 종교 대 과학의 문제가 아니었다. 오히려 과학 대 과학의 문제였다. 최근에 생물학자, 생화학자 등 연구가 중에 그리스도인뿐 아니라 비그리스도인까지 많은 사람들이 진화론에 심각한 반론을 제기해 왔다. 그들은 진화론이 제시하는 광범위한 추론이 때로 빈약하고 불충분하며 잘못된 데이터에 기초한 것이라고 주장한다. 언뜻 보기에 진화론을 옹호하기에 빈틈없는 과학적 증거로 보이는 것들이 보다 면밀한 검사를 통해 점차 무너지고 있다. 지난 30년간 등장한 새로운 발견들 덕분에 더 많은 과학자들이 다윈을 반박하게 되었다. 생명의 기원과 발달에

10 *Evolution : A Theory in Crisis*, p. 67.

11 위의 책, p. 66.

12 Douglas Futuyma, *Evolutionary Biology*(진화 생물학), Sinauer, 1986, p. 3.

13 리처드 도킨스, *The Blind Watchmaker*(눈먼 시계 제조인), Norton, 1987, p. 6.

14 필립 존슨, *Darwin on Trial*(시험대에 선 다윈), InterVarsity Press, 1993, pp. 126-127.

이성적인 설계자가 있다는 결론에 이르는 것이다.

리하이 대학교에 재직하는 생화학자 마이클 베히는 다윈주의의 기반을 뒤흔들어 놓는 비평에서 이렇게 말했다. "지금까지 세포를 탐구하면서, 즉 생명을 분자 수준에서 탐구하는 축적된 노력을 통해 밝혀진 것은 '설계'가 있을 수밖에 없다는 분명하고 날카로운 결론에 다름 아니다!"[15] 그는 계속해서 이렇게 말했다.

15 「다윈의 블랙박스」 풀빛.

"이성적인 설계자가 있다는 결론은 거룩한 경전이나 종파의 신념에서가 아니라, 데이터 자체에서 당연히 나오게 되어 있다. …과학은 이성적인 설계의 결론을 좀처럼 받아들이려 하지 않지만… 그런 태도에는 정당한 근거가 없다. …존경받는 다수의 과학자를 비롯한 많은 사람들이 그저 자연 이외 어떤 존재도 원하지 않는다."[16]

16 위의 책.

마지막 문장은 나를 두고 하는 말이었다. 나는 하나님이라는 개념을 버리기 위한 구실로 얼마든지 다윈주의를 붙들 수 있었다. 그래야 도덕적 구속이나 부끄러움 없이 내 삶을 마음대로 살 수 있었던 것이다.

그러나 나를 잘 아는 사람이 나를 '진실을 파헤치는 사람'[17]으로 표현한 적이 있다. 언론과 법률을 공부한 나는 확고한 사실의 밑바닥에 이를 때까지 의견과 추론과 이론의 이면을 속속들이 파헤치지 않고는 견딜 수 없다. 그런데 파헤칠수록 다윈의 이론적 기초를 흔들어 놓는 집요한 모순들을 발견할 수밖에 없었다.

17 리 스트로벨, *Inside the Mind of Unchurched Harry and Mary*(불신자의 마음) 서문에서 빌 하이벨스가 쓴 표현.

진화론 뒤집어 보기

진화가 어느 정도 사실이라는 것은 누구나 인정한다. 동물과 식물의 종(種) 안에는 틀림없이 변이가 있다. 개의 종이 200가지가 넘고, 소의 품종 개량을 통해 우유의 품질을 향상시킬 수 있고, 박테리아가 항생제에 적응해 면역성을 만들어 낼 수 있는 이유는 그것으로 설명된다. 이것을 '소진화(micro-evolution)'라 한다.

다윈의 이론은 거기서 더 나아가, 생명이 수백만 년 전 간단한 단세포 생물에서 시작돼 돌연변이와 자연 도태를 거쳐 지금 지구상에 서식하는 거대한 동식물 군으로 발달했다고 주장한다. 인간은 원숭이와 같은 조상을 통해 지구상에 출현했다. 과학자들은 보다 쟁점이 되는 이 이론을 '대진화(macro-evolution)'라 부른다.

➡ 시카고 자연사 박물관 과학, 역사, 인류학의 유산을 보전하고 지식을 확대할 목적으로 1893년 7월 16일 건립되었다. 2천만 종의 유물과 화석이 전시되어 있다.

처음부터 내 마음에 걸린 것은 동물에게 나타나는 다양한 종간(種間)의 전이를 증거하는 화석이 부족하다는 것이다. 다윈 자신도 이런 화석의 부족이 자기 이론에서 "가장 명확하고 심각한 난점"이라고 시인했다. 그러면서도 그는 미래에 이루어질 발견을 통해 자기 이론의 진실성이 입증될 것이라고 예견했다.

1979년으로 거슬러 가 보자. 시카고 자연사 현장 박물관 관리인 데이비드 M. 라우프(David M. Raup)는 이렇게 말했다.

"이제 다윈 이후 어언 120여 년이라는 시간이 흘렀고 화석 증거에 대한 지식도 크게 늘었다. 현재까지 25만여 종의 화석 생물이 보고되었지만 상황은 별로 달라지지 않았다. …진화를 통한 종간(種間)의 전이에 관한 한, 현재 사례는 다윈 시대보다 오히려 적어졌다."[18]

화석 증거가 실제로 보여 주는 것은, 5억 7천만 년 전 화석까지 거슬러 올라가 거의 모든 동물 종족이 갑자기 출현한다는 것과, 그 종족들이 "다윈주의자들이 요구하는 진화의 조상일 만한 흔적은 전혀 없이"[19] 완전히 발달된 형태로 등장한다는 것이다. 다윈주의보다 창조주의 존재를 더 자연스레 뒷받침하는 현상이다.

진화의 반대 논증은 그것만이 아니다. 다윈은 「종의 기원」이라는 책에서 이렇게 시인했다. "복잡한 기관, 즉 여러 번에 걸친 미세한 연속 변형을 통해 형성됐을 가능성이 없는 기관이 하나라도 존재하고 그것이 입증된다면 내 이론은 무너지고 말 것이다."[20] 마이클 베히는 이 도전을 받아들여 「다윈의 블랙박스」라는 책에서, 최근에 드러난 생화학적 발견들이 바로 그 '축약 불능의 복잡성'의 사례를 수없이 많이 찾아냈음을 보여 주었다.

그러나 나는 보다 근본적인 이슈에 관심이 있다. 생물학적 진화란 모종의 생물체가 자신을 복제하여 돌연변이와 적자생존을 거쳐 복잡한 형태로 자란 후에만 일어날 수 있는 일이다. 나는 그보다 이전으로 거슬러 올라가 인간 존재에 대한 기본 질문을 던지고 싶었다. 생명이란 맨 처음 어디서 시작된 것인가?

생명의 기원은 수세기 동안 신학자와 과학자들의 호기심을 자극해 왔다. 우주학자 앨런 샌디지(Allan Sandage)는 말했다. "내게 가장 놀라운 일은 존재 자체이다. 어떻게 생명 없는 물질이 스스로 유기적 형태를 취하고 스스로 사고할 수 있단 말인가?"[21]

정말 어떻게 그럴 수 있단 말인가? 다윈의 이론은, 충분한 시간과 환경만 주어진다면 생명 없는 화학 물질이 저절로 생물체로 발달될 수 있음을 전제로 한다.

18 데이비드 라우프, "Conflicts Between Darwin and Paleontology(다윈과 화석학 사이의 대립)," *Bulletin, Field Museum of Natural History*, 1979년 1월호.
Paul Taylor, *The Illustrated Origins Answer Book*에서 인용.

19 *Darwin on Trial*, p. 54.

20 「종의 기원」 을유문화사.

21 George Johnson, "Science and Religion : Bridging the Great Divide(과학과 종교의 거대한 간격을 잇는다)," 「뉴욕 타임스」지, 1998년 6월 30일자.

물론 그 견해는 오랜 세월 대중에게 폭넓게 통용되어 왔다. 그러면 그 신념을 뒷받침할 과학적 데이터는 과연 존재하는가? 아니면, '오클라호마 살인 사건'의 머리카락 검사처럼 억측만 무성할 뿐 확고한 사실은 부족한 것인가?

생명이 순전히 자연적인 화학 작용을 통해 출현할 수 있다고 설득력 있게 입증할 수만 있다면, 그때는 하나님이 전혀 필요치 않다는 것을 나는 안다. 그러나 오히려 정반대로 증거가 이성적인 설계자를 뒷받침한다면, 그때는 진화론이라는 탁상공론은 송두리째 무너지고 말 것이다.

진실을 추적하는 탐정 이야기는 텍사스 휴스턴으로 이어진다. 나는 차를 빌려 타고 시골길과 소 목장을 지나 텍사스 A&M 대학교가 자리한 칼리지 스테이션으로 향했다. 내가 도착한 곳은 학교에서 한 블록 떨어진 곳에 있는 수수한 2층 목조 가옥, 바로 원시 지구에 생명이 출현한 경위에 관한 한 대단한 영향력을 가진 전문가가 있는 곳이었다.

http://www.leaderu.com/offices/bradley

| 세 번째 인터뷰 |

월터 L. 브래들리 박사

월터 L. 브래들리(Walter L. Bradley)는 1984년 *The Mystery of Life's Origin*(생명 기원의 신비)이라는 책을 공저해 유명해졌다. 생명체 생성 경위에 대한 여러 이론들을 통쾌하게 분석한 이 책이 특히 사람들을 놀라게 한 것은 샌프란시스코 주립대학교 생물학자 딘 케넌(Dean Kenyon)이 서문을 썼기 때문이다. 케넌은 과거에 *Biological Predestination*(생물학적 예정설)이라는 책을 통해, 화학 물질도 충분한 조건만 주어지면 살아 있는 세포로 진화할 내재적 능력을 갖추고 있다고 주장한 사람이다. 그 사람이 브래들리의 책을 "강력하고 독창적이며 설득력 있다"고 평한 뒤 이렇게 결론을 맺었다. "이 책의 세 저자는 생명이 화학 물질에서 비롯되었다는 현행의 모든 이론이 근본적 결함을 안고 있다고 믿고 있으며, 지금은 나도 거기에 동의한다."[22]

22 월터 브래들리 외, *The Mystery of Life's Origin*(생명 기원의 신비), Lewis and Stanley, 1984, 뒤표지.

그 후 브래들리는 생명 기원의 주제에 대해 폭넓은 저술과 강연 활동을 해 왔다. 그의 글은 *Mere Creation*(순전한 창조), 「창조와 진화에 대한 세 가지 견해」(*Three Views of Creation and Evolution*, IVP 역간)에 실렸고, *The Creation Hypothesis*(창조 가설)에는 화학자 찰스 B. 택스턴(Charles B. Thaxton)과 함께 쓴 "Information and the Origin of Life(정보와 생명의 기원)"가 실리기도 했다. 좀 더 전문적인 기사로는 *Origins of Life and Evolution of the Biosphere*(생명의 기원과 생물권의 진화)에 실린 "A Statistical Examination of Self-Ordering of Amino Acids in Proteins(단백질 내 아미노산의 자기 배열에 관한 통계적 고찰)"이 있다. 역시 공저인 이 기사에는 생명의 기원 분야에 대한 브래들리의 개인 연구가 잘 소개되어 있다.

브래들리는 텍사스 대학교 오스틴 캠퍼스에서 재료 과학으로 박사 학위를 받은 후 텍사스 A&M 대학교에서 24년간 기계 공학 교수로 재직하며, 그 중 4년은 학과장으로 지냈다. 생명의 기원 논쟁에 절대적으로 중요한 중합체와 열역학 분야 전문가인 브래들리는, 텍사스 A&M 대학교 중합체 기술 센터 소장을 역임했고 총 4백만 달러에 달하는 연구 기금을 받았다.

다우케미컬, 3M, B.F. 굿리치, 제너럴 다이내믹스, 보잉, 쉘 석유 등 기업체에 자문을 제공했고, 75건의 법률 사건에 전문가 증언을 맡기도 했다. 아울러 과학과 문화 갱생을 위한 디스커버리 연구 센터의 회원이며, 미국 재료학회와 미국 과학 협회 회원이기도 하다.

느긋한 텍사스 사투리를 쓰는 브래들리는 말씨가 부드럽고 좀처럼 자신을 내세울 줄 모른다. 가정을 대단히 중시하는 사람으로, 두 자녀와 다섯 명의 손자 손녀 모두 가까이 살면서 자주 모이곤 한다. 사실 그날도 인터뷰가 끝난 후 인근 식당에서 그의 아내 앤과 딸 샤론, 손주 레이첼, 대니얼, 엘리자베스와 함께 점심을 먹었다.

브래들리는 정확성을 중시하는 과학자답게 신중하고도 완결된 문장으로 답하며, 미묘한 어감의 차이를 인정하고 자신의 결론을 과장하지 않으려 애썼다. 그는 지난 세월 자신의 논쟁 상대였던 진화론자들에 대해서도 예의를 잃지 않았다. 뉴욕 대학교의 유명한 화학 교수 로버트 샤피로(Robert Shapiro)도 그중 한 사람인데 그는 브래들리의 공저 *The Mystery of Life's Origin*(생명 기원의 신비)을 "현행 이론의 불충분한 점을 지적하는 주요 과학적 주장들을 하나로 종합함으로써 크게 기여한 책"[23]이라 평한 바 있다.

23 위의 책.

56세의 브래들리는 텍사스 A&M 대학교에서 은퇴한 지 석 달밖에 안 되었다. 편안하고 친절한 그와 함께 그의 집 식탁에 마주앉았다. 하늘색 셔츠에 청바지를 입고 흰 양말에 신발도 신지 않은 편안한 옷차림이었지만 옆자리에 연구 논문들을 차곡차곡 쌓아 놓은 것으로 보아 단단히 준비하고 대화에 임하고 있음을 알 수 있었다. 평생을 과학자로 살아온 사람답게 자신의 모든 말을 자료로 뒷받침하기 바랐던 것이다.

우선 기초적인 질문을 위해 나는 다윈의 이야기로 입을 열었다. "다윈은 진화론에서 단순한 생명 형태가 장구한 시간을 거쳐 점점 복잡한 생명체로 발달되는 과정을 설명했습니다. 하지만 그것이 생명이 맨 처음 어떻게 생겼는가에 대한 대답은 아니지요. 다윈의 이론은 그에 대해 어떻게 말하고 있습니까?"

브래들리는 대답하기에 앞서 책을 한 권 집어들고 독서용 금테 안경을 끼며 말했다. "사실 생명이 생겨난 경위에 대해서는 다윈 자신도 뾰족한 의견이 없었습니다. 1871년에 다윈이 쓴 편지가 있는데 그 안에 약간의 추측이 나와 있습니다만, 가설은 아니고 그저 아이디어를 짜낸 브레인스토밍 정도입니다." 브래들리는 다윈의 편지를 읽어 주었다.

"전에 존재했을 조건들, 즉 살아 있는 유기체가 처음 생성하는 데 필요한 조건들이 모두 존재한다고 흔히들 말합니다. 하지만 만약, 정말 중대한 가정입니다만, 온갖 종류의 암모니아와 인이 함유된 염분과 빛과 열과 전기 등이 있는 작고 따뜻한 연못에서 단백질 화합물-다시 더 복잡한 변화들을 거칠 준비가 되어 있는-하나가 화학적으로 형성된다고 상상해 봅시다. 생명체가 형성되기 전인 옛날 같으면 몰라도 지금이라면 그런 문제는 즉각 관심의 대상이 될 것입니다."[24]

브래들리는 책을 덮으며 말했다. "그러니까 다윈은 생명이 모종의 '작고 따뜻한 연못' 안에서 반응하는 화학 물질들로부터 생성되었다는 이론을 처음 제시한 사람입니다."

"다윈이 한 말은 아주 쉽게 들리는군요." 나는 말했다.

"다윈이 과소 평가했을 수 있습니다. 그때만 해도 생명이 아무데서나 저절로 생긴다는 생각이 널리 퍼져 있었거든요. 사람들은 부패한 고기에서 구더기가 저절로 생긴다고 생각했습니다. 그러나 다윈의 「종의 기원」이 발간됨과 동시에 프란체스코 레디(Francesco Redi)는 고기에 파리가 접근하는 것을 막으면 구더기가 절대 생기지 않는다는 사실을 입증했습니다. 이어 루이 파스퇴르(Louis Pasteur)는 공기 중에는 수분과 함께 번식할 수 있는 미생물이 함유되어 있다는 사실을 밝힘으로써 생명이 저절로 생긴다는 것은 착각임을 알려주었습니다. 그는

24 Francis Darwin, *The Life and Letters of Charles Darwin*(찰스 다윈의 생애와 편지), Appleton, 1887, p. 202.

파리의 소르본느 대학에서 '생명이 저절로 생긴다는 이론은 이 간단한 실험에 맞은 치명타에서 결코 회복되지 못할 것'[25]이라고 말했습니다."

25 R. Vallery Radot, *The Life of Pasteur*(파스퇴르의 생애), Doubleday, 1920, p. 109.

브래들리는 충분히 이해할 시간을 준 뒤 다시 말을 이었다. "1920년대에 들어 일부 과학자들이 파스퇴르의 말에 동의, 생명의 자연 발생은 단기간 내에 일어나지 않는다고 했습니다. 하지만 그들은 천문학자 칼 세이건(Carl Sagan)이 즐겨 사용한 표현대로 '수십 억 년의 시간이 주어진다면' 그런 일이 일어날 수도 있다는 이론을 내놓았습니다."

"생명 없는 화학 물질이 살아 있는 세포가 될 수도 있다는 이론의 근거가 '충분한 시간' 인 셈이군요."

"바로 그겁니다." 그는 말했다.

생명의 빌딩 블록

나는 학교에서 배운 것을 정리해 보았다. 원시 지구는 갖가지 화학 물질로 덮여 생명이 생성되는 데 도움이 되는 환경을 갖추고 있었다. 번개를 통해 에너지가 공급되자 이 '원생액(原生液)' 속에 있는 화학 물질들이, 수십 억 년의 시간을 걸쳐 서로 연결되면서 단순한 생명 형태가 출현했다. 그리고 거기서부터 진화가 이루어졌다.

"이런 시나리오를 개념화한 것이 누구입니까?" 나는 물었다.

"1924년 러시아의 생화학자 알렉산더 오파린(Alexander Oparin)은 복잡한 분자 배열 및 생명체의 기능이 원시 지구에 존재했던 보다 단순한 분자들로부터 진화되었다는 개념을 발표했습니다. 이어 1928년 영국의 생물학자 J. B. S. 홀데인(Haldane)은 지구의 원시 환경 속에서 활동하던 자외선이 당(糖)과 아미노산을 바다에 집중시켜 그 원생액으로부터 생명이 출현했다는 이론을 내놓았습니다.

후에 노벨상 수상자 해럴드 유리(Harold Urey)는 지구의 원시 환경이 유기 화합물 생성에 유리하게 작용했을 것이라고 했습니다. 유리는 시카고 대학교에서 스탠리 밀러(Stanley Miller)의 박사 학위 지도 교수였는데, 바로 이 밀러가 유리의 이론을 실험에 옮겨 보았지요."

밀러라는 이름에 기억이 되살아났다. 그가 했던 기념비적 실험은 학교에서 곧잘 인용되었던 것이다. 밀러는 실험실 안에 원시 지구 환경을 재생한 뒤 번개 효과를 내기 위해 전기를 통하게 했다. 얼마 지나지 않아 생명의 빌딩 블록인 아미노산이 생성되었다. 생물 교사가 흥분하며 그 실험을 소개하던 모습이 지금도 생생하다. 교사는 그 실험이야말로 생명체가 생명 없는 화학 물질에서 생성될 수 있다는 결정적 증거인 듯 말했고 그런 생각은 학생들에게 금방 전염되어 퍼졌다.

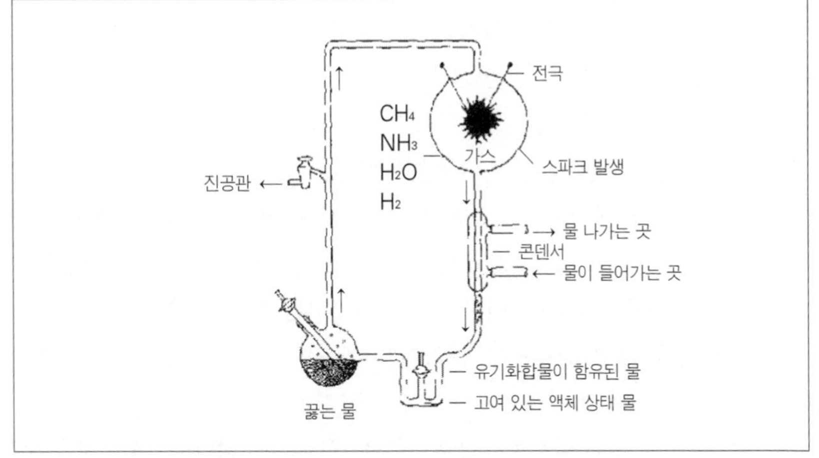

➡ 스탠리 밀러의 실험
1953년 시카고 대학교 대학원생이던 스탠리 밀러가 메탄(CH_4), 암모니아(NH_3), 물(H_2O), 수소(H_2)를 섞고 전기 자극을 준 뒤 생명의 빌딩 블록을 만들어 낸 실험 구조도.

"당시 이 실험은 중대한 돌파구로 각광받지 않았습니까?" 나는 물었다.

"그야 두말할 필요도 없지요!" 브래들리는 말했다. "칼 세이건은 이 실험이야말로 과학자들을 설득해 우주에 생명이 풍성하다고 믿게 하는 가장 중요한 단계라고 평했습니다.[26] 화학자 윌리엄 데이(William Day)는 이 실험으로 생명이 생성한 첫 단계가 우연한 사건이 아니라 필연적 사건임을 알게 되었다고 했고,[27] 천문학자 할로우 섀플리(Harlow Shapley)는 '본질상 생명이 출현하는 것은 물리적 조건만 맞으면 자연히 따라나오는 생화학적 자연 발달'[28]임을 밀러가 입증했다고 말했습니다."

분명 인상적인 반응들이었다. 나는 물었다. "그래서 그것으로 이슈가 종결됐습니까?"

"천만에요. 한동안 진화론자들은 도취감에 젖을 수 있었지만 그 실험에는 중대한 허점이 있었습니다."

나는 밀러의 실험에 치명적 오류가 있다는 점은 학교에서 한 번도 배운 적이 없었다. 나는 물었다. "무슨 허점입니까?"

"지구의 초기 환경이 암모니아와 메탄과 수소로 이루어져 있다는 것을 입증할 수 없었습니다. 밀러가 실험에 사용했던 기체들이지요. 물리 화학에 기초한 이론

26 로버트 샤피로, *Origins*(기원들), Summit Books, 1986, p. 99.

27 윌리엄 데이, *Genesis on Planet Earth*(지구의 발생), House of Talos, 1979, p. 7.

28 *Evolution After Darwin*(다윈 이후의 진화론), University of Chicago Press, 1960에서 인용.

에 유리한 화학 반응을 얻고 싶었기에, 그런 기체들이 풍부한 환경을 제안한 것입니다. 오파린은 질소, 이산화탄소 같은 불활성 기체로 실험하면 그런 반응이 나오지 않는다는 것을 알만큼 똑똑했으니까요."

나는 눈이 휘둥그래졌다. 그것은 밀러의 실험을 근본부터 흔들어 놓는 비평이었다. "자기들이 원하는 결과를 얻기 위해 미리 부당한 근거를 만들었다는 뜻입니까?" 나는 믿을 수 없다는 투로 물었다.

"그렇습니다." 그는 대답했다.

"그럼 원시 지구의 진짜 환경은 어땠습니까?"

"1980년 이후로 미 항공우주국(NASA) 과학자들은 원시 지구에 메탄이나 암모니아나 수소가 조금도 없었음을 밝혀냈습니다. 오히려 원시 지구는 물, 이산화탄소, 질소로 이루어져 있었는데, 이 화합물을 가지고는 밀러와 동일한 실험 결과를 얻을 수 없습니다. 하고 싶어도 할 수 없지요. 최근의 실험들은 그 점을 확증해 주고 있습니다."

나는 브래들리의 말이 너무 어이없어 의자에 털썩 주저앉았다. 내 생각은 당시 생물 교사에게 줄달음쳤다. 그는 밀러의 실험이야말로 생명이 화학 물질에서 생겨났음을 확증하는 것이라며 어지간히 흥분했었다. 물론 그것은 당시에 만연한 생각이었다. 지금은 새로운 발견들을 통해 모든 것이 달라졌다. 그런데도 여러 세대에 걸쳐 학생들은 생명 기원의 문제가 이미 종결됐다고 배운다.

"그럼 밀러의 실험에 담긴 과학적 의미는 현재…" 나는 브래들리가 뒷말을 마무리해 주기를 바라며 그렇게 운을 뗐다.

"…전무합니다. 밀러의 실험을 소개하는 교과서들은 그것이 역사적으로 흥미롭기는 해도 실제 생명이 생성된 경위와는 무관하다는 사실을 정직하게 지적해야 합니다."[29]

가볍게 휘파람이 새어 나왔다. 이 안건은 내가 생각한 것보다 더 오클라호마 살인 사건과 비슷할 모양이었다.

세포 조립

이야기가 더 진행되기 전에, 생명체에 관한 몇 가지 근본 개념을 이해해 둘 필요가 있었다. 생명체가 외부에서 유도하지 않은 화학 반응의 산물이라고 믿는 것이 합리적인지 여부를 가리기 위해서였다 .

29 참고 : 월터 브래들리 외, "Origin of Life and Evolution in Biology Textbooks-A Critique(생명의 기원과 생물 교과서에 나타난 진화론-비판)," 「미국 생물학 교사」지, 1993년 2월호.

"생명체와 생명체가 아닌 것의 차이부터 정의해 주십시오." 내가 말했다.

"생명체는 최소한 세 가지 일을 해야 합니다. 에너지를 처리하고, 정보를 저장하고, 번식하는 것입니다. 모든 생명체는 이 세 가지 일을 합니다. 인간도 이 세 가지 기능을 가지고 있습니다. 신속함과 효율성 면에서 박테리아가 훨씬 인간을 앞서기는 하지만 말입니다. 살아 있지 않은 물체는 이 일을 하지 않습니다."

나는 다시 다윈 시대를 떠올리며 물었다. "다윈은 기본 생명체, 예컨대 단세포 유기체 같은 것은 꽤 간단한 것으로 여겼지요?"

"틀림없이 그랬습니다. 아마 다윈은 생명체가 아닌 것에서 생명체를 만드는 것을 그다지 어렵게 생각하지 않았나 봅니다. 그에게는 양자간의 간극이 별로 커 보이지 않았던 것이지요. 1905년 에른스트 헤켈(Ernst Haeckel)은 살아 있는 세포를 단순히 '균등질인 작은 원형질 구체(球體)'로 묘사했습니다.[30] 당시만 해도 사람들은 세포막 안에 존재하는 복잡한 세계를 들여다볼 길이 전혀 없었지요. 그러나 사실은 이렇습니다. 단세포 유기체는 우리가 슈퍼컴퓨터를 동원해 재생할 수 있는 것보다도 복잡하다는 것입니다.

어떤 사람은 단세포 유기체를 첨단 공장에 비유했습니다. 아주 창의적이면서 정확한 비유죠. 인공 언어와 암호 해독 시스템, 엄청난 양의 정보를 저장하고 검색하는 중앙 기억 장치, 구성 부품의 자동 조립을 관할하는 정밀 통제 시스템, 오류를 막아 주는 교정 및 품질 관리 메커니즘, 사전 조립 원리와 모듈 방식을 사용하는 조립 시스템, 상상을 초월하는 속도로 유기체가 자체 복제할 수 있는 복제 시스템 등을 완비하고 있다는 것입니다."

내가 말했다. "정말 굉장하군요. 하지만 영겁의 세월에 걸친 발달과 진화를 통해 지금의 단세포 유기체가 그렇게 복잡해졌다고 볼 수도 있지요. 원시 지구에 처음 생성된 세포들은 훨씬 더 단순하고 만들기 쉬웠고 말입니다."

"설사 그렇다 해도 단세포가 어떻게 구성됐는지는 간단한 문제가 아닙니다."

내가 물었다. "그럼 살아 있는 유기체를 만드는 데 무엇이 필요합니까?" 그리고는 브래들리가 입을 떼기 전에 재빨리 덧붙였다. "발달되지 않은 단순한 상태에서 말입니다."

그는 목청을 가다듬으며 말했다. "좋습니다. 본질상 세포는 아미노산으로 시작됩니다. 아미노산에는 각기 다른 80가지 종류가 있는데 살아 있는 유기체에서 발견되는 것은 그중 20가지입니다. 그렇다면 꼭 필요한 아미노산만 분리해 내는 기

30 에른스트 헤켈, *The Wonders of Life*(생명의 경이), Watts, 1905, p. 111. Stephen C. Meyer, "The Explanatory Power of Design(설계 가설의 위력)," *Mere Creation*(단순한 창조), InterVarsity Press, 1998, p. 114에서 인용.

술이 필요합니다. 또 단백질 분자가 생성되려면 올바른 아미노산이 올바른 순서로 결합해야 합니다. 아이들 장난감 중에 플라스틱 고리가 있지요? 그런 식으로 올바른 아미노산을 올바른 방식으로 끼워 맞춰야 합니다."

아이들이 플라스틱 장난감을 가지고 노는 모습을 생각해 보니 그 과정이 식은 죽 먹기처럼 보여서, "그렇게 어려워 보이지 않군요" 하고 나는 말했다.

"지성을 적용하여 한 번에 하나씩 의도적으로 아미노산을 선택하여 조립한다면 어렵지 않겠지요. 하지만 순전히 화학 물질의 진화 과정임을 잊지 마십시오. 외부의 유도나 도움이 전혀 없습니다. 염두해야 할 복잡한 요인들도 아주 많습니다."

"어떤 것들입니까?"

"예를 들어, 아미노산끼리 반응하는 것보다 다른 분자와 아미노산이 더 쉽게 반응하는 경향이 있습니다. 그렇다면 그런 이질적 분자들을 어떻게 제거할 것인가 하는 문제에 봉착하게 되지요. 밀러의 실험에서 그가 만들어 낸 재료 중 아미노산이 함유된 것은 불과 2%에 지나지 않았습니다. 조합을 망쳐 놓는 다른 화학 재료들이 많이 있는 셈이지요.

복잡한 문제는 또 있습니다. 아미노산에는 오른편으로 기운 것과 왼쪽으로 기운 것이 똑같은 수로 존재하는데 그중 생명체 내에서 작용할 수 있는 것은 왼쪽으로 기운 것뿐입니다. 정확히 필요한 것만 골라 올바른 순서로 연결해야 하지요. 단백질이 3차원 방식으로 포개질 수 있으려면 화학적 연결도 정확한 지점에서 정확한 방식, 즉 펩티드 결합으로 연결되어야 합니다. 그렇지 않으면 기능할 수 없습니다."

펩티드 결합 (Peptide Bond)
카르복실기 -COOH와 아미노기 $-NH_2$에서 수소 -H가 떨어지면서 생기는 -CO-NH- 결합. 따라서 이 결합을 하는 데는 에너지가 필요하다.

브래들리는 계속해서 말했다. "식자공이 수동으로 식자판에서 활자를 집어내 글자를 심는 것과 같다고 할 수 있습니다. 지적인 유도에 따르면 문제될 것이 없습니다. 그러나 그냥 무작위로 글자를 골라 상하좌우 아무렇게나 늘어놓는다면, 의미가 통하는 단어와 문장과 문단이 나올 확률이 얼마나 되겠습니까? 가능성이 아주 희박하지요.

단백질 분자 하나를 만들려면 100여 개의 아미노산이 정확한 방식으로 결합되어야 합니다. 게다가 이것은 첫 단계에 불과합니다. 단백질 분자 하나를 만들었다고 해서 생명체를 만들어 낸 것이 아닙니다. 살아 있는 세포 하나를 만들려면 다수의 단백질 분자, 대략 200여 개 정도를 각기 올바른 기능에 따라 올바로 결합해야 합니다."

휴! 이제야 이것이 얼마나 엄청난 도전인지 느낄 수 있었다. 원시 지구의 환경에서 아미노산이 쉽게 생성될 수 있다는 밀러의 말이 맞다고 치더라도, 그 아미노산들을 결합해 단백질 분자를 만들고 다시 그 분자들을 조립해 기능성 세포 하나를 만드는 과정은 믿기 어려울 만큼 복잡하고 놀라운 일인 것이다.

"생명체 내에서 조립을 유도하는 것은 DNA입니다." 브래들리는 말을 이었다. "모든 동식물의 각 세포에는 DNA 분자가 반드시 들어 있습니다. 모든 것을 관할하는 마이크로프로세서라 생각하면 됩니다. DNA는 RNA와 함께 작용하여 아미노산이 연결되는 순서를 지정해 줍니다. DNA에 암호로 들어 있는 생화학적 지침, 즉 정보를 통해 그 일이 이루어지지요"

그 지점에서 마땅히 제기할 문제가 있다. "DNA는 어디서 생겨납니까?"

"DNA와 RNA를 만드는 일은 단백질을 만드는 일보다 더 큰 문제입니다. 이것들은 단백질보다 훨씬 더 복잡하고 문제가 많습니다. 예를 들어, DNA와 RNA의 핵심 빌딩 블록을 합성하는 일은, 원시 지구 조건과 아주 판이한, 지극히 현실성 없는 조건에서 이루어진 경우를 제외하고는 한 번도 성공한 적이 없습니다. 독일 마인츠 생화학 연구소의 클라우스 도즈(Klaus Dose)는 DNA와 RNA를 합성하는 일이 '현재 우리의 상상을 초월할 정도'[31]로 힘들다고 시인했습니다.

솔직히, 정보도 풍부하고 자체 복제도 가능한 정교한 시스템의 기원 문제는 생명 기원을 연구하는 과학자들을 완전히 곤경에 빠뜨렸습니다. 노벨상 수상자 프랜시스 크릭(Francis Crick)은 '생명의 기원은 거의 기적처럼 보인다. 생명이 생성되려면 반드시 충족되어야 할 조건이 너무 많다'[32]고 말했습니다."

하지만 오늘날까지도 과학자들은, 단백질 같은 생물 고분자 물질이 오직 올바른 빌딩 블록(아미노산)과 조립, 올바른 이성체(異性體, 왼쪽으로 기운 아미노산)가 되어 오직 올바른 순서를 따라 올바른 연결로 결합되는 방식에 대해 갖가지 독창적 이론들을 만들어 내고 있다. 나는 브래들리에게 최근 과학자들이 제창한 아주 흔한 가설들을 분석해 달라고 부탁했다.

31 클라우스 도즈, "The Origin of Life : More Questions Than Answers(생명의 기원 : 대답보다 많은 질문)," *Interdisciplinary Science Reviews*(학문으로서의 과학 논평) 13, 1988, p. 348.

32 프랜시스 크릭, *Life Itself*(생명 그 자체), Simon & Schuster, 1981.

프랜시스 크릭(1916-) 영국의 분자 생물학자. 1953년 미국의 워트슨과 함께 유전자 DNA의 분자구조를 처음으로 밝혀냈다. 1962년 워트슨과 함께 노벨생리의학상 수상.

생명 기원 가설 1 : 우연 발생

내가 학교에서 배운 바에 따르면, 화학 물질이 원시 지구의 '작고 따뜻한 연못' 속에서 반응할 수 있는 충분한 시간만 주어지면 언젠가는 생명체가 생겨난다. 하지만 거기에 필요한 까다로운 조건을 자세히 듣고 나니 이 이론이 근년 들어 시들해진 이유를 알 것 같다.

브래들리는 말했다. "과학자들은 한때 우연과 시간이 만나 생명을 낳는다는 개념을 믿었습니다. 정상(定常) 우주론 또한 믿었지요. 우주의 나이가 무한하다는 뜻입니다. 시간이 무한대로 주어지면 무슨 일이 일어날지 누가 알겠습니까? 그러나 1965년 배경 방사(background radiation)가 발견되면서 빅뱅 이론이 우주론을 지배하기 시작했습니다. 이것은 우주 나이가 140억 년밖에 되지 않는다는 뜻이므로 진화론에 악재가 되었습니다. 보다 최근의 연구에서도 지구 나이가 50억 년이 안된다는 것을 확인했습니다."

"그래도 긴 시간인데요. 50억 년이면 많은 일이 일어날 수 있지 않습니까." 내가 끼어들었다.

"생각만큼 그리 길지 않습니다. 지구는 생명을 지탱할 수 있는 온도로 식는 데 오랜 시간이 걸렸습니다. 현재 과학자들은 미(微)화석을 토대로, 지구가 적정 온도에 도달한 시점에서 생명이 처음 출현한 시점까지 간격이 불과 4억 년 정도라고 추산합니다. 화학 물질의 진화가 일어나기에는 그다지 긴 시간이 아니지요. 메릴랜드 대학교의 시릴 포남페루마(Cyril Ponnamperuma)와 일리노이 대학교의 칼 워즈(Carl Woese)처럼, 생명의 나이는 지구의 나이와 동일하며 생명이 존재하기 시작한 시기는 사실상 지구 출현 시기와 일치할 수 있다고 말하는 사람들도 있습니다.[33]

시간만 짧았던 것이 아닙니다. 살아 있는 유기체 하나를 조립할 수 있는 수학적 확률이 그야말로 천문학적으로 낮기 때문에 생명의 기원이 우연 발생적이라고 믿는 사람은 거의 없습니다. 최적 조건을 갖춰 준다 해도 그런 일은 일어나지 않습니다. 우주에 있는 모든 탄소를 모아 지구 표면에 놓고 가능한 한 최고 속도로 화학 작용을 일으키게 해 10억 년쯤 놓아 두어도 거기서 기능성 단백질 분자 하나가 생겨날 확률은 10^{61} 분의 1입니다."

숫자를 셈하기에도 버거운 확률이었다. "거기에 비하면 복권 당첨이 차라리 확실하겠군요." 나는 기가 차서 말했다.

"그렇고 말고요. 마이클 베히는 100개의 아미노산이 우연히 연결돼 단백질 분자 하나를 만들어 낼 수 있는 확률을 이렇게 비유했습니다. 어떤 사람이 거대한 사하라 사막 한복판에서 눈가리개를 쓰고 특별한 표시를 해 놓은 모래 알갱이 하

배경 방사
1965년 미국의 펜디어스와 윌슨이 발견했다. 우주흑체방사라 한다. 모든 파장의 방사(전자기파)를 완전히 흡수하는 물체.

빅뱅이론 (Big Bang Theory)
대폭발 이론. 우주는 고온, 고밀도 상태에서 팽창을 개시했을 것으로 추정되는데 마치 폭탄이 대폭발을 일으켰을 때의 상태와 비슷하다. 1929년 허블의 법칙에 토대를 두고 가모프가 제창, 1965년의 우주흑체방사의 발견으로 확실한 근거가 주어졌다.

33 "How Did Life Begin?(생명은 어떻게 시작되었는가?)," 「뉴스위크」지, 1979년 8월 6일자.

나를 찾는데, 한 번이 아니라 세 번 찾아내는 확률과 같다고 말입니다.[34] 프레드릭 호일(Frederick Hoyle) 경의 표현은 좀 더 생생합니다. 마치 쓰레기 하치장에 돌풍이 불어와 완벽한 기능을 갖춘 보잉 747을 우연히 조립해 낼 확률과 맞먹는다고 말입니다.

모두 확률적으로 제로라는 뜻입니다. 이 분야를 공부하지 않은 사람들은 몰라도 과학자라면 생명의 우연 발생설을 믿지 않는 이유가 여기 있습니다."

34 J. Buell 외, *Darwinism : Science or Philosophy?*(다윈주의: 과학인가, 철학인가?), Foundation for Thought and Ethics, 1994, pp. 68-69. Stephen C. Meyer, "The Explanatory Power of Design(설계 가설의 위력)," *Mere Creation*(단순한 창조), p. 126에서 인용.

생명 기원 가설 2 : 화학적 친화

우연 발생설이 생명 기원의 설명으로 확실히 거부되자 과학자들은 다른 이론으로 눈을 돌렸다. 아미노산이 올바른 순서로 저절로 연결되게 하는 모종의 내재적 인력(引力)이 반드시 있으며, 바로 그것을 통해 단백질 분자가 만들어지고 다시 거기서 살아 있는 세포가 생겨났다는 것이다. 이 개념은 딘 케년을 포함한 여러 사람이 공동 집필해 1969년에 출간한 책 한 권을 통해 대중화되었다. 이 책의 저자들은 생명의 출현은 화학 물질의 선택적 결합으로 말미암아 사실상 '생화학적으로 예정된' 것일 수도 있다고 주장했다.[35]

35 참고 : 딘 케년 외, *Biological Predestination*(생물학의 운명), McGraw Hill, 1969.

연구가들은 특정 아미노산이 과연 선택적으로 다른 특정 아미노산 옆에 나란히 자리를 잡는지 여부를 판별하기 위해 *Atlas of Protein Sequence and Structure*(단백질 순서 및 구조 도해서)를 연구했다. 그들은 열 개의 단백질을 가지고 이 가설의 가치를 밝혀 줄 만한 실험을 실시했다.

"가능성 있는 설명으로 들리는데 이 이론은 어디가 잘못된 것입니까?" 나는 브래들리에게 물었다.

당시에는 몰랐지만 내가 질문을 던진 과학자 브래들리가 바로 1986년 이 가설을 논박한 팀의 일원이었다.

브래들리는 대답했다. "우리는 단백질 열 개뿐 아니라 *Atlas*에 나오는 단백질 250개 모두 일일이 분석하기 위해 컴퓨터 프로그램을 하나 만들었습니다. 그 결과 아미노산의 순서는 화학적 친화와 전혀 무관한 것임이 입증됐습니다. 자연히 이 가설은 무너지고 말았지요.[36] 결국 이 가설의 최대 지지자 중 한 사람인 케년 자신도 부인하게 되었습니다."

36 참고 : "A Statistical Examination of Self-Ordering of Amino Acids in Proteins(단백질 내 아미노산의 자기 배열에 관한 통계적 고찰)," *Origins of Life and Evolution of the Biosphere 18*, 1988.

생명 기원 가설 3 : 자기 배열 성향

이 가설은 '비평형 열역학(non-equilibrium thermodynamics)' 이라는 거창한 제목으로 소개되었다. 기본적으로 이런 내용이다. 특정 상황하에서 에너지가 상당한 고속으로 시스템을 통과하게 되면 시스템이 불안정 상태가 되면서 좀 더 복잡해진 대체 형태로 재배열을 이룬다는 것이다.

평형/비평형 열역학
관측자가 연구하려는 대상이 평형 상태라고 가정하고 연구하는 학문이 평형 열역학. 그러나 실제 자연 상태는 평형 상태가 아니다. 이를 다루는 학문이 비평형 열역학.

욕조에서 물이 빠지는 것을 예로 들 수 있다. 처음에는 물분자가 그저 무작위로 하수구로 떨어진다. 그러나 점차 분자들이 자체적으로 소용돌이를 형성하면서 출구가 훨씬 질서 정연해진다.

나는 브래들리에게 말했다. "일부 과학자들은 분자가 점점 질서를 갖추게 되는 성향에 근거, 특정 상황하에서 자연이 저절로 조직을 찾는 현상을 설명할 수 있다고 하더군요."

그는 이 가설을 훤히 알고 있었다. "문제는 조직의 수준이 아주 낮다는 것입니다. 심지어 열역학 학자 일리아 프리고진(Ilya Prigogine)마저 최근에 '화학적으로 불균형 상황에서 만들어 낼 수 있는 가장 복잡한 구조와 생물학에서 발견되는 복잡성 사이에는 여전히 차이가 있다'[37]고 인정했습니다.

그는 계속해서 말했다. "당연하지요. 욕조에 생기는 물의 소용돌이와 어마어마하게 복잡한 생명체 생성 과정을 비교해 보십시오. 믿을 수 없을 만큼 차이가 크지 않습니까?"

한편 어떤 과학자들은 '평형 열역학(equilibrium thermodynamics)' 을 내놓기도 했다. 물이 차가워지면 얼음으로 바뀐다. 얼음 속의 분자는 아무렇게나 분포된 물분자보다 질서가 잡혀 있다. 이것을 자연이 스스로 배열하는 방식이라고 지적하는 사람들이 있다.

그러나 브래들리는 이 이론도 비슷한 이유로 제쳐놓았다. "다시 말하지만 얼음 결정체를 생성하는 조직은 아미노산을 배열하여 단백질 분자를 생성하는 고도의 조직에 비하면 수준이 지극히 낮습니다. 역시 지지를 얻지 못합니다."

브래들리 말은 일부 생명 없는 물체에서 발견되는 '질서' 와 살아 있는 세포의 '상세한 복잡성' 사이에는 커다란 차이가 있다는 것이다.

"얼음 결정체에는 일정량의 질서가 있지만 그것은 단순하고 반복적이며 정보량도 아주 낮습니다. 책 한 권을 '사랑해, 사랑해, 사랑해' 라는 말로 다 채우는 것과 같습니다. 반면 생명체에서 볼 수 있는 복잡성은 정보량이 아주 많고 아미노산

37 일리아 프리고진 외, *The End of Certainty : Time, Chaos, and the New Laws of Nature*(확신의 종말 : 시간, 혼돈, 자연의 새로운 법), The Free Press, 1997, p. 71.

을 올바른 순서로 조립하는 법까지 다 규정되어 있습니다. 의미 있는 문장들로 이루어진 풀스토리 책 한 권과 같습니다.

의심할 나위 없이 에너지는 간단한 질서 패턴을 생성할 수 있습니다. 예를 들어, 해변가 모래사장에 잔물결이 이는 것은 파도 때문입니다. 그러나 모래 위에 '존은 메리를 사랑한다' 고 쓰여 있고 하트 모양에 화살이 꽂혀 있는 그림이 있다면, 그것이 에너지만으로 생겨난 것일까요? 유명한 정보 이론가 H.P. 요키(Yockey)는 '질서의 개념을 생물학적 조직과 연결시키려는 시도는, 정밀 검사를 통과할 수 없는 말장난'[38]이라고 했습니다."

38 H. P. 요키, "A Calculation of the Probability of Spontaneous Biogenesis by Information Theory(생물의 자연 발생 확률에 대한 정보 이론의 계산)," *Journal of Theoretical Biology* 67, p. 380.

생명 기원 가설 4 : 우주에서 날아온 씨

지구상의 화학적 진화에 대한 감당 못할 장애물 때문에 시름에 빠진 과학자들(DNA 공동 발견자인 크릭을 포함하여)은 생명의 빌딩 블록이 우주의 다른 곳에서 왔다는 이론을 내놓았다. 호일과 N. C. 위크라마싱(Wickramasinghe)은 세포 크기 만한 살아 있는 분자들이 대기에서 불타지 않은 채 지구에 도달했을 수 있다고 추론했다. 우주의 얇은 흑연 먼지 막이 파괴적인 자외선 광선에서 분자들을 보호해 줄 수 있다는 것이다.

이 이론은 1969년 호주에 떨어진 유명한 머치슨(Murchison) 운석에서 아미노산이 발견되면서 지지를 얻었다. 약 38억 년 전 남극에 떨어진 운석에서도 아미노산이 발견되었다.[39]

39 *The Mystery of Life's Origin*, pp. 191-196.

크릭과 레슬리 오겔(Leslie Orgel)은 한 걸음 더 나아가, 우주에 존재하는 어느 진보된 문명에서 지구를 황야 지대나 동물원, 우주의 쓰레기장으로 만들 목적으로 지구에 생명 인자(因子)를 보냈을 수도 있다고 말했다.[40]

40 위의 책, p. 194.

"모두가 마냥 해괴하게 들리는군요. 그래도 하나님이 이 모두를 창조했다는 것보다는 덜 해괴한 모양이지요?" 나는 브래들리에게 말했다.

브래들리의 얼굴에 이 가설이 못마땅하다는 내색이 그대로 드러났다. "과학자들이 이런 희한한 이론을 내놓는 것은 생명이 지구상에 자연적으로 생길 수 있는 방법을 생각해 낼 수 없다는 뜻입니다. 나는 필립 존슨이 한 말이 마음에 듭니다. '크릭 같은 과학자가, 발견할 수도 없는 우주인들을 끌어들여야 할 정도라면 이제 생명의 기원을 다루는 진화 분야가 막다른 골목에 이른 것이 아닌지 생각해 봐야 할 때다.'"[41]

41 *Darwin on Trial*, p. 111.

브래들리는 설명했다. "이 이론의 최대 결점은 생명 기원의 문제를 풀지 못한다는 것입니다. 생명이 어딘가 다른 곳에서 생겨났다고 하는 것은 단순히 문제를 다른 장소로 옮겨 놓는 것뿐입니다! 똑같은 의문점이 그대로 남아 있는 것이지요."

맞는 말이지만 나는 또 다른 가능성을 생각해 보았다. "혹시 다른 행성에는 암모니아와 메탄과 수소의 환경이 갖춰져 있어 생명의 빌딩 블록이 생성되는 데 더 유리한 것이 아닐까요?"

브래들리가 대답했다. "그렇다 해도 아미노산과 단백질들이 어떻게 생명체로 조립되었단 말입니까? 그것은 정보의 문제, 즉 원자를 올바른 방식으로 나열하는 방식의 문제이고, 환경과는 무관합니다. 설사 운석들이 지구에 아미노산을 가져왔다 하더라도 조립 문제는 여전히 남아 있습니다.

A. 도빌리어(Dauvillier)가 *Photochemical Origin of Life*(생명의 광화학적 기원)에서 말한 것처럼 이 이론은 '손쉬운 가설이요 생명의 기원이라는 근본 문제를 외면하려는 하나의 핑계'[42]입니다. 심지어 스탠리 밀러도 이 이론을 쓸데없는 것으로 보았습니다. 「디스커버」지에 실린 글에서 그는 '외부 우주에서 유기체가 왔다는 생각은 정말 허접 쓰레기'[43]라고 말했습니다."

브래들리는 보고서 하나를 집어들고는 발췌문을 읽어 주었다. 1999년 7월에 열린 생명 기원 과학자들의 국제 회의에 관한 것이었다. "회의 이틀째 날이 끝나기 전 연구가들은, 외계에서 전달된 물질은 생물 발생 이전에 있는 분자에 필요한 것을 모두 공급할 수 없었다는 데 합의해야 했다."[44] 계속해서 보고서에는 진화론자 샤피로가 머치슨 운석을 연구한 결과 "운석에 들어 있는 생물 발생 이전의 어떤 분자도, 여러 부수적 작용의 유력한 방해 때문에 저절로 생명 분자를 형성할 수 없었을 것이라는 점이 밝혀졌다"[45]고 적혀 있다.

브래들리는 이렇게 덧붙였다. "NASA의 행성 과학자 크리스토퍼 카이버(Christopher Chyba)는, 우주선을 통해 우주 밖 혜성들에 일부 유기질 화합물의 존재가 확인되었음에도 불구하고 '최소한 초속 10마일에서 15마일에 달하는 속도에서는 충돌 때문에 온도가 올라가 모든 것이 불에 타고 만다'[46]고 했습니다. 또 설사 그런 물질이 지구에 도달한다 해도 어떻게 생명체로 조립될 것인지의 문제는 여전히 남아 있습니다."

42 A. 도빌리어, *The Photochemical Origin of Life*(생명의 광화학적 기원), Academic Press, 1965, p. 2.

43 Peter Radetsky, "How Did Life Start?(생명은 어떻게 시작되었는가?)," 「디스커버」지, 1992년 11월호.

44 Fazale R. Rana & Hugh Ross, "Life from the Heavens? Not This Way(생명이 천상에서? 그건 아니다)," *Facts for Faith*, 2000년 10월호.

45 위의 책.

46 각주 43과 같음.

생명 기원 가설 5 : 해저 구멍

1977년 '알빈' 호라는 연구용 잠수함을 타고 에콰도르 서안 태평양 수면에서 800미터쯤 물 속으로 내려간 과학자들은 바다 밑바닥에 특이한 열수(熱水) 구멍들이 있는 것을 발견했다. 근처에는 구멍에서 나오는 황 화합물을 일차 에너지원으로 삼는 서관충, 대합조개, 박테리아가 번식하고 있었다. 그 후에도 해저의 여러 지점에서 여남은 개의 구멍들이 재차 발견되었다.

⬆ **알빈(Alvin)**
해저 탐험을 위해 제작된 탐사 잠수함.

NASA의 고다드(Goddard) 우주비행센터에서 일하는 해양 생물학자 잭 콜리스(Jack Corliss)는, 이 발견을 토대로 하여 해저 구멍들이 생명의 생성을 자극하는 환경을 제공했을 수 있다는 이론을 내놓았다.

그는 「디스커버」지에서 이렇게 말했다. "온천의 비밀은 극히 단순한 분자가 살아 있는 세포와 원시 박테리아로 진화할 수 있는 훌륭하고 안전하며 지속적인 과정을 제공한다는 것이다."[47]

47 각주 43과 같음.

구체적 증거 없이 억측만 무성한 일부 대중 잡지들이 이 가설을 부추겼다. 그러나 과학 작가 피터 라데트키(Peter Radetcky)가 밀러에게 이에 대해 묻자, 밀러는 적의를 감추지 않고 격분하며 말했다. "구멍 가설은 완전히 실패작입니다. 왜 그 얘기를 거론해야 하는지 모르겠습니다."[48]

48 각주 43과 같음.

내가 이 이론을 제기하자 브래들리 역시 회의적인 반응을 보였다. "물론 그런 구멍이 일부 화학 물질의 반응을 유발하는 특이한 에너지원을 제공할 수는 있습니다. 하지만 이 이론은 조립 문제는 아예 거론하지도 않습니다. 생명의 빌딩 블록을 올바른 순서대로 올바로 연결하여 결합하는 방식에 대해서는 전혀 해결해 주지 못합니다."

브래들리는 밀러와 샌디에고 캘리포니아 대학교의 제프리 바다(Jeffrey Bada)가 시도한 실험들을 통해서도 제기된 반론이 있다고 말했다. 이 과열된 구멍들은 온도가 높아, 복잡한 유기 화합물을 생성하는 것이 아니라 오히려 파괴한다는 것이다.

브래들리는 이렇게 설명했다. "현재 바닷물 전체는 이 해저 구멍들을 통해 주기적으로 순환을 반복하는 것으로 알려져 있습니다. 점점 확대되고 복잡해지는 몇몇 분자를 얻게 된다 하더라도 그것들은 너무 약해서 재순환 중에 열로 파괴되고 말 것입니다. 그렇다면 화학적 진화가 일어난 시간 규모가 극적으로 짧아야 한다는 뜻인데, 말할 것도 없이 그것은 생명의 발달 과정에 불리한 요건입니다."

생명 기원 가설 6 : 진흙에서 나온 생명

최근에 매스컴을 통해 대중화된 또 하나의 가설은 생명이 흙에서 나왔다는 스코틀랜드 화학자 A. G. 케언스-스미스(Cairns-Smith)의 주장이다. 흙의 결정체 구조가 생명이 발생하기 이전의 화학 물질들을 한데 모이도록 촉진할 만큼 복잡했다는 것이다.[49]

49 참고 : A. G. 케언스-스미스, *Genetic Takeover and the Mineral Origins of Life*(유전자 전수와 생명의 광물 기원), Cambridge University Press, 1982.

"어떻습니까?" 나는 브래들리에게 물었다.

"어떤 의미에서 흙은 단서가 될 수 있습니다. 분자는 수중 반응을 싫어하는데 흙 표면은 수분이 적은 환경이니까요." 브래들리는 대답했다.

"하지만 화학 물질의 순서를 올바로 나열하는 데 필요한 정보를 흙이 줄 수 있겠습니까? 결정체로 된 흙이 할 수 있는 최선은 지극히 낮고 낮은 수준의 순서 정보를 제공하는 것으로, 아주 단순 반복적인 일입니다. 아까 말했듯이 처음부터 끝까지 '사랑해, 사랑해, 사랑해'로 채워진 책과 같습니다. 질서가 있을까요? 있습니다. 많은 정보가 담겨 있을까요? 아닙니다. 결정체란 바로 그런 것입니다. 반복적 정보에 지나지 않지요. 생명체에 필요한 상세한 복잡성과는 거리가 멀어도 한참 멉니다.

케언스-스미스 본인도 이 가설의 문제점을 인식했는지 1991년에 이렇게 시인했습니다. '실험실 안에서 흙을 가지고 어떻게든 진화 비슷한 물질을 만들어 낼 수 있는 사람은 없었다. 자연에서 흙을 바탕으로 한 유기체 비슷한 물질을 찾아낸 사람도 없었다.'"[50]

50 월터 브래들리 외, "Information and the Origin of Life(정보와 생명의 기원)," *The Creation Hypothesis*(창조 가설), InterVarsity Press, 1994, p. 194.

생명 기원 : 초자연적 존재

화학 물질이 생명체로 진화할 수 있다는 과학자들의 가설은 번번이 허탕을 치고 말았다. 최근 일각에서는 원시 지구에 화학 반응이 일어나는 방식을 선보이기 위해 컴퓨터 모델을 사용하기도 한다. 하지만 그런 시나리오는 컴퓨터가 장애물을 제거하도록 사전에 프로그래밍된 상태에서만 통하게 되어 있다. 현실 세계에서는 화학 물질들이 장애물을 만나지 않을 수 없을 것이다.

컴퓨터 모의 실험이 실시된 산타페 연구소에서 한 과학자가 말했다. "다윈의 책상에 컴퓨터가 있었다면 더 많은 것을 발견할 수 있었을지 누가 알겠소?" 그러자 존 호건(John Horgan)이 쓴웃음을 지으며 이렇게 되받았다. "찰스 다윈은 컴퓨터에 대해서는 아주 많은 것을 발견했을지 몰라도 자연에 대해서는 아무것도 발견하지 못했을 것이오."[51]

51 윌리엄 뎀스키, *Mere Creation*, p. 46.

수많은 이론들이 정밀 검사에 밀려나고 있는 시점에서, 브래들리는 생명 기원에 관한 연구의 현주소를 어떻게 평가하는지 궁금했다.

브래들리는 이렇게 대답했다. "지금 이 순간, 과학이 막다른 골목에 이른 것만큼은 분명한 사실입니다. 1950년대에 만연한 낙관론은 사라졌습니다. 1999년 생명 기원에 관한 국제 회의 분위기는 좌절과 비관과 절망이 가득한 암울한 상태로 표현되었습니다.[52] 생명이 어떻게 외부의 유도 없이 단순한 화학 물질에서 단백질이 되고 다시 기본적인 생명 형태가 되었는지 어느 누구도 합리적 대안을 내세울 수 없습니다."

52 "Life from the Heavens? Not This Way, *Facts for Faith*, 2000년 봄호.

브래들리는 책 한 권을 집어 얼른 한 부분을 짚었다. "생화학자 클라우스 도즈는 이 분야에서 아주 앞서가는 전문가로 통하는데, 현재 상황을 아주 명쾌하게 요약했습니다." 브래들리는 그의 말을 읽어 주었다.

"화학적 진화와 분자 진화 분야에서 생명 기원에 관한 실험이 30년 넘게 지속되었지만, 결국 우리가 다다른 곳은 해답이 아니라 지구상의 생명 기원에 관한 문제가 정말 막막하다는 인식의 심화이다. 현재 이 분야에서 원리적 이론과 실험에 대한 논의는 모두 막다른 궁지에 몰렸든지 무지를 고백함으로 종결되고 있다.[53]"

53 각주 31과 같음.

브래들리는 말을 이었다. "샤피로는 현재 제기된 모든 이론이 파산 상태라고 강력히 주장합니다.[54] 크릭은 좌절에 빠져 이렇게 말했습니다. '생명 기원에 관한 논문을 쓸 때마다 다시는 쓰지 않겠다고 다짐한다. 사실은 턱없이 부족하고 억측만 난무하기 때문이다.'[55] 심지어 밀러도 그 유명한 실험을 한 지 40여 년이 지난 후 「사이언티픽 아메리칸(*Scientific American*)」지에 최대한 억제하여 말하기를, '생명 기원 문제는 나를 비롯한 대부분이 사람들이 상상했던 것보다 훨씬 어려운 것으로 밝혀졌다'[56]고 했습니다."

54 로버트 샤피로, *Origins*, p. 99.

55 프랜시스 크릭, *Life Itself*, p. 153.

56 존 호건, "In the Beginning(태초에)," *Scientific American*, 1991년 2월호.

우연히도 내가 브래들리를 인터뷰하던 시점과 거의 같은 시기에 하버드 대학교의 입담 좋은 진화론자 스티븐 제이 굴드(Stephen Jay Gould)는 「타임」지의 원고 청탁을 받았다. 주제는 과학자들이 생명의 경위를 언제쯤 밝혀 낼 수 있을지에 대한 것이었다. 결국 게재된 글은 모호하고 적당히 얼버무리는 식이었을 뿐, 무생물에서 생명이 나오게 된 경위에 대해서는 가설 비슷한 것 하나도 내놓지 못했다.[57]

57 참고 : 스티븐 제이 굴드, "Will We Figure Out How Life Began?(생명이 시작된 경위를 알아낼 수 있을까?)," 「타임」지, 2000년 4월 10일자.

"사람들은 이런 과학적 궁지에 어떻게 대처합니까?" 나는 브래들리에게 물었다.

"그것은 각자의 형이상학에 따라 크게 좌우됩니다. 내가 깊이 존경하는 샤피로는 우리가 발견하지 못한 물리적 법칙들이 반드시 있다고 말합니다. 언젠가는 그 법칙들이 생명의 자연적 생성 경위를 알려 주리라는 것이지요. 하지만 과학에는 생명의 경위를 설명할 만한 것이 아무것도 없습니다. 보장된 결과가 없습니다. 새로운 이론이란 상상하기 어려운데, 기존 이론과 다를 바 없기 때문입니다."

"그렇다면 박사님이 생각하는 최선의 가설은 무엇입니까?"

브래들리는 곧바로 답하지 않았다. 책상에 쌓여 있는 연구 논문들에 눈길을 돌리고 잠시 뜸을 들인 다음에야 다시 나를 쳐다보았다. 나와 시선이 마주치자 이렇게 말했다.

윌리엄 팔리(William Paley, 1743-1805)
18세기 진화론이 강력한 힘을 발휘하던 시기, 영국의 철학자이며 성직자. 생명의 탄생에 이성적인 설계자(Intelligent Designer), 즉 하나님이 개입했다는 개념을 제안했다.

"자연적 설명이 없다면, 또 앞으로도 찾을 가망성이 없다면, 그렇다면 마땅히 초자연적 설명을 살펴봐야 한다고 믿습니다. 지금까지의 가설들을 토대로 그것이 가장 합리적인 이론입니다."

과학의 길을 걸어온 사람한테는 커다란 퇴보라는 생각이 들었다. "최선의 설명은 바로 이성적인 설계자라고 하는 데 주저하지 않는다는 말이군요."

"그렇습니다. 생명이 자연적으로 생성됐다고 믿는 사람들은 이성적인 설계자가 있다고 추론하는 나보다 훨씬 더 불굴의 믿음이 필요할 것입니다."

"더 많은 과학자들이 이같은 결론에 이르지 못하는 것은 무엇 때문일까요?"

"사실 이 결론에 이른 사람들은 많습니다. 다만 일부 과학자에게는 자신이 가지고 있는 철학이 걸림돌이 되지요. 처음부터 하나님이 없다고 믿는다면, 증거가 아무리 불가항력적이어도 차라리 '기다리면 미래에 더 확실한 것이 발견될 것'이라고 할 것입니다. 물론 형이상학적 태도입니다. 과학자라고 남보다 더 객관적이지 않습니다. 그들 역시 이 문제에 선입견을 갖고 접근하지요."

"좋습니다. 하지만 박사님도 하나님이 존재한다는 선입견을 갖고 접근하셨습니다." 나는 재빨리 말했다.

"맞습니다." 브래들리는 고개를 끄덕이며 시인했다. "나는 기꺼이 깜짝 놀라곤 합니다. 증거가 약해도 필시 흡족했을 텐데 내가 발견한 것은 이성적인 설계자를 뒷받침하기에 절대적이고 압도적이거든요."

"여러 사실들이 창조주를 설득력 있게 뒷받침한다는 뜻인가요?"

"설득력 있다는 것으로는 부족합니다. 증거는 불가항력적입니다. '설득력 있다'는 말은 이쪽보다는 저쪽이 조금 더 가능성이 있다는 뜻이지요. '불가항력적'이라는 말은 어지간한 노력으로도 그 결론을 피할 수 없다는 뜻입니다."

"하지만 그것은 너무…" 나는 적당한 단어를 찾느라 약간 더듬거렸다. "비과학적으로 들리나요?" 그는 내 마음을 알아챘다.

"오히려 아주 과학적입니다." 브래들리는 대답했다. "지난 150년 동안 과학자들은 과학 연구의 새로운 영역에서 새로운 가설을 제시할 때마다 이미 알고 있는 사실을 유추해 주장을 펴곤 했습니다. 내 주장도 그 방법을 사용한 것입니다."

이성적인 설계자

19세기 천문학자 존 F.W. 허셜(John F. W. Herschel)은 유추를 이렇게 묘사했다. "두 가지 현상에 있어서 유추가 아주 근접하고 두드러지면서 한쪽의 원인(cause)이 아주 분명하다면, 나머지 한 쪽도 비록 그 자체로는 분명치 않아도 유추적 원인이 작용한다고 인정할 수밖에 없다."[58]

58 존 허셜, *Preliminary Discourse on the Study of Natural Philosophy*(자연 철학 연구에 대한 예비 논문), Longman, Rees, Orme, Brown and Green, 1831, p. 149.

"이것이 생명 기원 문제에 어떻게 적용됩니까?" 나는 브래들리에게 물었다.

"동굴 벽화든 아마존닷컴에서 구입한 소설이든 기록된 모든 정보에는 배후에 이성적인 존재가 있습니다. 자연 그 자체에도 마찬가지 아니겠습니까?

모든 생물체의 각 세포에는 DNA가 있는데 그 안에 부호로 저장된 정보가 있습니다. 영어에 26개의 알파벳이 있듯이 DNA에는 네 가지 화학 알파벳이 있습니다. 이 네 가지 알파벳이 다양한 순서로 조합해서 단어와 문장과 문단을 형성합니다. 거기에 세포의 기능을 지시하는 데 필요한 정보가 다 들어 있습니다. 세포가 단백질을 만드는 과정에 대한 정보가 암호의 형태로 담겨 있는 셈이지요. 영어의 알파벳을 각기 다른 순서로 늘어놓는 것과 똑같은 방식입니다.

기록된 언어를 볼 때 이성적인 원인(intelligent cause)이 있음을 추론할 수 있듯이, DNA 내의 놀라운 정보 순서에도 이성적인 원인이 있다고 결론지을 수 있습니다. 그것은 곧 지구상의 생명이 '물질'이 아니라 '인격'에서 나왔다는 뜻입니다."

강력하고 설득력 있는 주장이었다. 브래들리는 잠시 그것을 되새기는 듯하더니 자신의 요점을 결정적으로 뒷받침해 줄 예를 제시했다.

"영화 '콘택트'를 보셨습니까?"

"예. 칼 세이건의 책을 영화로 만들었지요."

"맞습니다. 영화에서 과학자들은 우주에 이성적인 생명이 존재한 흔적이 있는지 보려고 자세히 하늘을 살핍니다. 그들의 전파 망원경에는 공전(空電)만이 수신됩니다. 우주의 잡음들이지요. 그 배후에는 이성적인 존재가 없다고 합리적으로 가정할 수 있습니다. 그러던 어느 날 소수(숫자 자체와 1로만 나눠지는 수)들이 메시지로 수신되기 시작합니다.

⬆ **영화 콘택트(Contact)** 로버트 저메키스 감독, 조디 포스터 · 매튜 매커너히 출연의 1997년 SF 판타지. 앤 드류엔과 칼 세이건의 동명 소설을 영화화했다.

과학자들은 그런 일련의 숫자들이 저절로 나타날 확률이란 거의 없다고 추론합니다. 그것은 무질서한 공전이 아니라 정보, 즉 내용이 담긴 메시지였던 것입니다. 이를 바탕으로 그들은 그 배후에 이성적인 원인이 있다고 결론짓습니다. 세이건 자신은 이렇게 말했습니다. '우주에서 단 하나의 메시지만 수신돼도 저 밖에 이성적인 존재가 있다는 것을 충분히 알 수 있다.'[59] 이것이 유추입니다. 이성적인 메시지가 있는 곳에는 이성적인 원인이 있다는 것을 알 수 있습니다."

59 칼 세이건, *Broca's Brain*(브로커의 두뇌), Random House, 1979, p. 275.

브래들리는 나를 뚫어져라 쳐다보며 결론을 내렸다. "우주에서 메시지가 단 하나만 와도 그 배후에 이성적인 존재가 있다고 결론짓기에 충분하다면, 모든 살아 있는 동식물의 DNA에 들어 있는 방대한 양의 정보는 어떻겠습니까?" 강조하느라 그의 언성이 높아졌다.

"인체의 각 세포에는 「브리태니커 백과사전」 전30권에 들어 있는 것보다 많은 정보가 들어 있습니다. 이것을 외부의 유도 없는 자연의 우연적 산물이 아니라 이성적인 설계자가 존재하는 분명한 증거라고 추론하는 것은 지극히 합리적인 것입니다."

대답이 필요없는 주장이었다. "생명 기원은 역시 진화론의 아킬레스건이군요." 나는 말했다.

"그렇습니다. 필립 존슨이 잘 말했습니다. '다윈주의자들이 전체 논의에서 계속 창조주를 배제하려면, 생명 기원에 대해 자연주의적 설명을 더 그럴듯하게 제시해야 한다.'[60]

60 *Darwin on Trial*, p. 103.

그들은 아직까지 그 일을 해내지 못했습니다. 많은 노력을 기울이고도 다만 얼마만의 이치에 닿는 가능성 한 가지도 제시하지 못했습니다. 앞으로도 그럴 것입니다. 모든 것이 그들의 반대쪽, 즉 하나님의 착오없는 설계를 증거하고 있습니다.

오늘날 무신론자로서 정직한 과학자가 되려면 불굴의 믿음이 필요할 것입니다."

분자 과학의 항변

우연히도 인근 휴스턴 라이스 대학교 화학과 교수이자, 나노 과학 및 공학 센터에서 일하고 있는 나노과학자 제임스 투어(James Tour)가 최근에 강연을 가졌다.

나노(Nano)
작은 양을 나타내는 접두어로 10억분의 1로 계측된다. 기호는 n. 좀 더 작고 정밀한 것을 추구하는 인류 기술은 이제 '마이크로시대'를 거쳐 '나노테크놀로지시대'로 접어들고 있다.

퍼듀 대학교에서 유기 화학으로 박사 학위를 받고 스탠포드 대학교와 위스콘신 대학교에서 포스트 닥터 과정을 거친 투어는 분자 세계의 연구에서 최선두를 달리고 있다. 그는 전문 연구 논문만 150편 이상 발표했고 미국 특허를 17개나 보유하고 있다.

"분자를 만드는 것이 내 생업입니다. 얼마나 어려운 일인지 감히 서두조차 꺼낼 수 없습니다." 강연에 앞서 그는 그렇게 자신을 소개했다.

최근에 그는 상대적으로 크고 다루기 힘든 실리콘 칩을 대체하는, 엄청난 양의 정보를 저장할 수 있는 초소형 규모에 관한 연구를 끝마쳤다. 그러나 강연은 첨단 연구 발표로 청중을 압도하기 위한 것이 아니었다. 분자 수준의 장엄한 경이 속으로 더 깊이 파고들수록 새삼 깨닫게 되는 사실을 소개하는 것이 목표였다. 그 사실이란 다름 아닌 이성적인 설계자의 지문(指紋)이었다.

그는 말했다. "나는 하나님이 창조를 통해 하신 일 때문에 그분을 경외합니다. 과학이 믿음을 앗아간다는 말은 과학에 대해 아무것도 모르는 풋내기나 하는 말입니다. 과학을 제대로 공부하면 하나님께 더 가까워지게 되어 있습니다."[61]

대단한 아이러니라는 생각이 들었다. 한때 진화론에 대한 어설픈 이해는 나를 무신론으로 몰아갔었다. 지금 분자 과학에 대한 보다 깊은 이해는 하나님을 믿는 내 확신을 더욱 굳혀 주었다. '오클라호마 살인 사건'처럼 내 첫 판결은 엉뚱한 결론으로 이끈 엉뚱한 증거에 기초한 것이었다.

죽어 있는 화학 물질이 외부의 유도 없이 자연 과정을 통해 한없이 복잡한 생명체로 바뀔 수 있다는 것은, 미생물학자 덴턴의 말처럼 우리 시대 '우주 기원에 관한 커다란 신화일 뿐 그 이상도 그 이하도 아니다.'[62]

「타임」지는 틀렸다. 다윈은 하나님을 살해하지 못했다. 많은 위력적 단서들이 엄연한 창조의 증거를 뒷받침하고 있다. 특히 보이지 않는 원자의 놀라운 복잡성과 이중 나선형 구조로 된 DNA에 새겨진 암호 같은 화학 언어가 그 일부이다.

61 참고 : Candace Adams, "Leading Nanoscientist Builds Big Faith(어느 탁월한 나노과학자의 큰 믿음)," *Baptist Standard*, 2000년 3월 15일자.

62 마이클 덴턴, *Evolution : A Theory in Crisis*, p. 358.

최종 진술

1. 진화에 대해 어떻게 배웠는가? 진화론은 하나님에 대한 당신의 관점에 어떤 영향을 미쳤는가?

2. 당신은 원래 지구상에 어떻게 생명이 생겨났다고 믿고 있었는가? 브래들리의 논증을 통해 의견이 달라졌는가? 어떻게 바뀌었는가?

3. 당신은 생명이 자연적으로 생겨났다고 믿는가, 아니면 이성적인 원인(intelligent cause)을 통해 생겨났다고 믿는가? 왜 그렇게 생각하는가?

증거 자료

- Charles B. Thaxton, Walter L. Bradley, and Roger L. Olsen, *The Mystery of Life's Origin*, Lewis and Stanley, 1984.
- Phillip E. Johnson, *Darwin on Trial*, InterVarsity Press, 1993.
- William A. Dembski 편집, *Mere Creation*, InterVarsity Press, 1998.
- J. P. Moreland 편집, *The Creation Hypothesis*, InterVarsity Press, 1994.
- Michael Denton, *Evolution : A Theory in Crisis*, Adler & Adler, 1986.
- Hank Hanegraaf, *The Face that Demonstrates the Farce of Evolution*, Word, 1998.
- 마이클 베히, 「다윈의 블랙박스」, 풀빛
- 모어랜드 편집, 「창조와 진화에 대한 세 가지 견해」, IVP
- 필립 존슨, 「다윈주의 허물기」, IVP

살인을 명하는 하나님, 예배 받을 자격이 있는가?

성경은 우리에게 하나님처럼 되라고 말한다. 그런데 성경의 페이지마다 하나님은 대량 살상자로 묘사되어 있다.

—로버트 A. 윌슨(Robert A. Wilson)[1]

그러나 주여, 주는 긍휼히 여기시며 은혜를 베푸시며 노하기를 더디 하시며 인자와 진실이 풍성하신 하나님이시오니.

—다윗 왕[2]

1 게리 풀 외, 「복음확신 시리즈 4—어째서 하나님은 악과 고난을 허용하시는 걸까?」 두란노.

2 시편 86:15.

금속 탐지기를 통과하고 제복 입은 경호원들을 지나면서 나는 백악관에 흐르는 심상치 않은 기운을 느낄 수 있었다. 평상시처럼 행동하려 애쓰고 있지만 막후에서 뭔가 큰 일이 진행되고 있는 것이 분명했다. 모니카 르윈스키 스캔들이 점차 고조되면서, 특별 검사 케네스 스타가 그간 별러 온 보고서를 폭로하기 전에 클린턴 대통령이 전말을 실토해야 한다는 압력이 커지고 있었다.

조찬에 30분 늦게 도착한 클린턴이 내 맞은편에 앉았다. 얼굴은 일그러진 데다 눈은 잔뜩 부어 있었다. 그의 건강이 걱정되어 몸 상태를 물어 보았다.

"새벽 세 시까지 못 잤습니다." 그는 쉰 목소리로 나지막하게 대답했다.

방 뒤쪽에서는 기자들이 시끄럽게 자리다툼을 하고 있었다. 카메라가 돌아가고 다들 연필과 공책을 꺼내 들었다. 클린턴은 자리에서 일어나 연단 쪽으로 몇 발짝 다가섰다. 방 안이 쥐 죽은 듯 조용해졌다. 평소와 같은 그의 매끄러운 입담은 찾아볼 수 없었다.

클린턴은 그 자리에 모인 종교인들에게 말했다. "지난 몇 년간 많은 말을 했지만 오늘처럼 말하기 어려운 날은 없었습니다. 오늘 무슨 말을 해야 할지 생각하고 기도하느라 지난밤 늦게까지 잠을 이루지 못했습니다."

그는 종이에 적어 온 글을 읽기 위해 안경을 꺼냈다. 이어진 말은 그가 일으킨 사건이 매체에 보도된 이후 가장 격하고 극적인 발언이었다.

"내가 죄 지었다는 것을 멋있게 말할 수 있는 방법은 없다고 생각합니다." 그는 핼쑥한 얼굴과 젖은 눈으로 그렇게 말했다. "이번 일로 상처를 입은 사람들 모두 내가 진정으로 비통해하고 있음을 알 것입니다. 내게는 그것이 중요합니다. 나의 가족들, 나의 친구들, 부하 직원들, 나의 각료들, 모니카 르윈스키와 그 가족들, 미국 국민이 그것을 압니다. 그들 모두에게 용서를 구합니다. 회개합니다. … 내가 바라는 그런 사람이 되는 데 하나님의 도움이 필요합니다."

지상 최고의 권력을 지닌 사람이 전 인턴 직원과 벌인 심히 부도덕한 행동에 대해 그렇게 자신의 '상한 심령'을 고백하고 있었다. 그의 모든 경제적 치적과 외교 정책의 노고, 사회복지 정책은 뒷전으로 밀려나고 말았다. 성품의 문제만이 준엄한 심판대에 올라 있었다.

대중 앞에서 늘 긍정적인 이미지를 유지해야 하는 것이 정치가다. 자화자찬식 기자 회견과 능숙한 대변인 발표를 통해 그야말로 번들번들 빛나는 수준까지 자신의 이미지를 갈고 닦아야 하는 것이다. 그러나 그들의 진짜 성품은 그런 자리와 거리가 먼 사적인 일들을 통해 종종 드러나곤 한다. 부부간의 정절, 인간관계에서의 기본적 정직성 등 정치가의 보이지 않는 도덕적 결정이야말로 국가적 업무를 수행하는 방식과 직접 결부되어 있

⬆ 모니카 르윈스키 스캔들은 직장 내 성희롱으로 당사자는 물론 회사 이미지까지 실추된다는 이른바 '르윈스키 효과'란 신조어를 만들어 냈다.

다. 그런 결정들이 그 사람의 실체를 드러낸다.

무신론자 시절에 나는 그리스도인이야말로 긍정적 대중 이미지 창출에 타의추종을 불허하는 기발한 속임수의 구사자라고 생각했다. 그리스도인은 하나님의 성품 중 조금 매력적인 사랑, 은혜, 용서, 긍휼, 자비에만 한사코 초점을 맞출 뿐, 아주 곤란한 부분이 담겨 있는 성경 본문은 대충 얼버무리거나 무시하곤 했던 것이다.

대량학살이나 광범위한 유혈극 등 평소에 별로 언급되지 않는 구약 성경 기사를 유심히 살펴보면 하나님은 달라 보인다. 신빙성 있는 혼외정사 사연이 일단 문서로 작성되자 그간 신중히 다듬어 온 공적이 와르르 무너져 내린 클린턴처럼, 잔인한 복수 행동으로 보이는 기사는 사랑과 자비의 신이라는 하나님의 이미지에 의문을 던져 주고 있다. 이 잔인한 기사들은 하나님의 진짜 성품을 보여 주는 것인가? 만일 그렇다면, 이런 신이 예배 받기에 합당한가?

찰스 템플턴도 이의를 제기한 바 있다. "구약 성경에 나타난 하나님은 실천적 그리스도인들 대부분이 믿는 하나님과 전혀 다르다. 그의 공의는 현대적 기준으로 볼 때 잔인무도한 것이다. …그는 편견과 불평과 복수심에 사로잡혀 있으며 자신의 특권을 두고 질투심이 많다."[3]

3 *Farewell to God*, p. 71.

무신론자 조지 스미스도 같은 생각이다. "구약의 하나님이 쌓아올린 만행 목록은 정말 대단하다. 여호와는 친히 사람들을 모조리 없애 버리는 일을 즐긴다. 대개 역병이나 기근을 사용하는데, 소소한 잘못에도 그럴 때가 많다."[4] 스미스는 토마스 제퍼슨 전 대통령의 말을 즐겨 인용하곤 한다. 제퍼슨은 구약의 기사들이 하나님을 "잔인하고 복수심 넘치고 변덕스럽고 불공평한"[5] 존재로 드러내고 있다고 말했다.

4 *Atheism : The Case Against God*, p. 77.

5 위의 책, p. 76.

이 자체의 이슈도 곤란한 문제지만 덧붙여 꼭 짚고 넘어가야 할 부수적인 문제가 있다. 비평가나 그리스도인이나, 하나님의 성품을 평가할 때면 정보 출처로 성경을 인용한다. 그런데 성경은 정말 믿을 만한 책인가? 성경은 신빙성을 저해하는 온갖 모순과 불일치로 가득 차 있는 책이 아닌가? 성경에 언급된 역사적 내용은 현대 고고학에서 늘 의문으로 제기되지 않던가? 성경은 우주의 창조자에 관해 정확히 기록해 놓은 책이라기보다 허구적인 전설 모음집에 더 가깝지 않은가?

내가 신앙을 처음 찾아 나설 무렵 큰 장애물이 되었던 두 가지 이슈가 있다. 하나님의 성품과, 우리에게 하나님을 알려 준다는 성경의 신빙성이다. 당시 나는 논리적인 결론을 찾아보려고 많은 책과 기사에 파묻히곤 했다. 지금 내가 하려는 일을 그때 할 수 있었으면 참 좋았을 것이다. 나는 이제 아주 유명하고 유능한 기독교 옹호자 중 한 사람과 마주앉아 인터뷰를 할 참이다.

| 네 번째 인터뷰 |

노먼 L. 가이슬러 박사

기독교를 신뢰하지 않기로 결단한 사람들을 향해 성경 구절, 고고학 발굴 결과, 과학적 사실, 역사적 사건을 총동원하여 논박하는 노먼 가이슬러(Norman Geisler)의 모습은 무엇에도 굴할 줄 모르는 가히 무서운 토론가라 할 만하다. 그의 백과사전 같은 기억력과 속사포 같은 답변은 오랜 세월 수많은 비판자들을 압도해 왔다.

그러나 노스캐롤라이나 샬럿에 있는 서던 복음주의 신학대학원의 수수하고도 편안한 사무실로 나를 초대한 가이슬러는 부드러운 말투의 할아버지 같은 인상을 풍겼다. 그는 단추 달린 파란색 셔츠 위에 컬러 스웨터를 입은 평상복 차림이었고, 편안한 웃음에 유머 감각도 뛰어났다. 나는 곧 그의 진정한 모습을 볼 수 있었다. 미국 대륙을 절반이나 가로질러 오며 준비한 여러 의문들을 가이슬러가 레이저빔을 쏘듯이 정확히 해결해 나가는 것을 보았던 것이다.

수상 경력이 있는 탁월한 저자 가이슬러는 공저와 편집을 포함해 50권이 넘는 책을 저술했다. *General Introduction to the Bible*(성경 일반 입문), 「성경 무오 : 도전과 응전」(*Inerrancy*, 엠마오 역간), 「기독교 철학 개론」(*Introduction to Philosophy*, 기독교문서선교회 역간), *Philosophy of Religion*(종교 철학), *When Sceptics Ask*(회의론자들이 질문할 때), 「성경의 난해한 문제들」(*When Critics Ask*, 생명의말씀사 역간), *When Cultists Ask*(이단들이 질문할 때) 등은 권위를 인정받았다. 그의 최신간 중 하나는 841쪽에 달하는 야심작 *Baker Encyclopedia of Christian Apologetics*(베이커 기독교 변증론 백과사전)으로, '절대 진리'에서 '선(禪) 불교'에 이르기까지 다양한 이슈를 체계적으로 다루어 놓았다.

가이슬러는 휘튼 대학교, 디트로이트 대학교, 웨인 주립대학교, 윌리엄 틴데일 대학교, 노스웨스턴 대학교 등에서 수학하고 시카고 로욜라 대학교에서 철학 박사 학위를 받았다. 일리노이 디어필드에 있는 트리니티 복음주의 신학대학원 종교철학과 학과장과 달라스 신학대학원 조직신학 교수를 역임했고 미국 철학 학회, 미국 과학 협회, 미국 종교 아카데미의 회원이기도 하다.

토마스 페인
(1737-1809)
'The United States of America'라는 용어를 처음으로 제안하고 썼던 미국 건국 지도자.

그동안 가이슬러는 미국은 물론 25개국을 돌아다니며 기독교를 지지하는 강연도 하고 인본주의자 폴 쿠르츠(Paul Kurtz) 같은 유명한 회의론자와 토론을 벌이기도 했다. 따라서 나는 어떤 질문도 완전히 그의 허를 찌를 수 없으리라는 것을 알고 있었다. 그래도 가장 난해한 이슈로 무장하고 그 자리에 임했다.

나는 밤색 가죽 의자에 그와 마주앉아 종이 한 장을 꺼내 들었다. 그 종이에는 기독교 비판으로 명성을 날린 바 있는 미국의 존경받는 애국자 토마스 페인(Thomas Paine)의 신랄한 말이 적혀 있었다.

나는 말문을 열었다. "1794년 토마스 페인은 *The Age of Reason*(이성의 시대)에 이렇게 썼습니다. '성경의 반 이상은 음란한 이야기, 방탕한 환락, 잔인한 고문과 처형, 가차없는 복수로 가득 차 있다. 그런 내용을 읽고 있으면 성경을 하나님의 말씀이라기보다 귀신의 작품으로 부르는 편이 더 타당하리라 여겨진다.'"[6]

나는 혹시라도 가이슬러가 페인의 독설에 주춤하나 보려고 고개를 들고 그를 올려다보았다. "만만찮은 도전입니다. 이 자리에 페인이 앉아 있다면 박사님은 뭐라고 하시겠습니까?"

가이슬러는 금테 안경을 고쳐 쓴 뒤 웃으며 말했다. "먼저 그에게 성경이 없어 참 안됐다는 말부터 하겠습니다. *The Age of Reason* 첫 부분을 쓸 때 그에게는 성경이 없었습니다. 그것 외에도 그는 두 가지를 혼동하고 있다고 생각합니다. 성경에 기록된 것과 성경이 인정하는 것을 혼동한 것이지요."

"그 차이를 설명해 주시겠습니까?"

"예를 들어 성경에는 사탄의 거짓말과 다윗의 간음이 기록되어 있지만, 그렇다고 성경이 그것을 인정하는 것은 아닙니다. 성경에 지저분한 이야기가 많이 적혀 있는 것은 사실입니다. 사사기에 보면 여자를 강간한 뒤 시체를 열두 도막으로 잘라 이스라엘 각 지파로 하나씩 보낸 기사도 있습니다.[7] 하지만 성경이 그 행위를 인정하는 것은 아닙니다. 내 생각에 페인은 단순히 사실 관계에서 틀렸습니다. 성경에 나오는 잔인한 고문과 처형 중에서 하나님이 명하신 것은 단 한 건도 없습니다."

나는 손을 들어 항변하듯 지적했다. "하나님의 마음에 합한 자라는 다윗은 적

6 토마스 페인, *The Age of Reason*(이성의 시대), The Freethought Press Association, 1954, pp. 18-19. *Atheism : The Case Against God*, p. 78에서 인용.

7 사사기 19:25,29.

들을 고문했다고 성경에 나와 있습니다. 그들을 '톱으로 켜고 써레로 썰고 도끼로 찍고 벽돌 가마로 지나게 했다'[8]고요. 그것이 잔인한 고문이 아닙니까!"

8 사무엘하 12:31 난하주.

"너무 서두르지 마세요." 가이슬러가 주의를 주었다. "지금 그 말씀은 흠정역(KJV)을 인용한 것인데, 그 부분에 오해의 소지가 있습니다. NIV에 비교적 히브리 원어의 뜻이 잘 밝혀져 있는데, 거기 보면 다윗이 그들에게 '톱질과 써레질과 도끼질과 벽돌구이를 하게 했다'고 되어 있습니다. 고문한 것이 아니라 노동을 시킨 것입니다. 이것은 다윗 시대 적국에서 성행하던 잔학한 행위에 비하면 아주 인도적인 처사입니다. 게다가 이것 역시 성경에 기록되어 있지만, 그렇다고 성경이 묵인하는 것은 아닙니다."

사무엘하 12:31
KJV put them under saws, and under harrows of iron, and under axes of iron, and made them pass through the brickkiln
NIV consigning them to labor with saws and with iron picks and axes, and he made them work at brickmaking

그 점에서는 내가 졌다고 생각한다. 다시 마음을 가다듬으며 나는 이렇게 밀어붙였다. "그 본문은 그렇다 치더라도 구약 성경에는 대학살이 아주 많습니다. 걸핏하면 잔인해지는 구약의 하나님과 사랑이 넘치는 신약의 하나님 사이에는 큰 차이가 있는 것 아닙니까?"

가이슬러는 웃으며 대답했다. "마침 내가 단어 연구를 마친 참에 그 질문을 받으니 재미있군요. 흠정역에 '자비'로 번역된 단어는 성경 전체에 261번인데 그중 72%가 구약에 나옵니다. 3대 1의 비율이지요. '사랑'이라는 단어도 연구해 보니 구약과 신약 각각 절반 정도씩을 차지하며 총 322번 등장합니다. 신구약 모두에서 똑같이 강조되는 셈이지요.

한 가지 아이러니는, 하나님이 구약보다 신약에서 오히려 심판자로 그려져 있다는 것입니다. 예컨대 구약에는 영원한 형벌에 대한 얘기가 거의 없지만 신약에는 있습니다."

"그러니까 하나님의 성품에는 진화가 없는 셈이군요."

"그렇습니다. 사실 성경에는 '나 여호와는 변치 않는다'[9]고 되어 있습니다. 신구약 어디를 보나 그분은 동일하고 변함이 없는 하나님입니다. 즉 죄를 간과할 수 없을 만큼 거룩하면서도 회개하는 자는 누구나 용서하시는 사랑과 자비, 은혜와 긍휼의 하나님이지요."

9 말라기 3:6.

긍휼? 자비? 드디어 성품 문제의 핵심으로 들어갈 때가 왔다!

하나님의 살인 명령

나는 가이슬러의 눈을 빤히 쳐다보았다. 하나님의 성품에 관해 가장 매서운 반론을 제기하는 내 목소리는 괴기스럽게 들렸을 것이다. "긍휼과 자비를 말씀하셨나요? 신명기 7장에서 하나님은 가나안 족속을 비롯해 다른 여섯 족속을 '불쌍히 여기지 말고 진멸하라' 고 명합니다. 그런 집단 학살을 명령하는 하나님을 긍휼이니 자비니 하는 성품으로 말할 수 있을까요?"

일단 서두를 꺼내 놓자 봇물처럼 말이 쏟아져 나왔다. 갈수록 말이 빨라졌다. "그런 일이 한 번만 있었던 것이 아닙니다. 하나님은 이집트의 모든 장자를 죽였고 세상을 홍수로 쓸어 무수히 많은 사람을 죽였습니다. 이스라엘 백성에게 이렇게 말한 적도 있습니다. '지금 가서 아말렉을 쳐서 그들의 모든 소유를 남기지 말고 진멸하되 남녀와 소아와 젖 먹는 아이와 우양과 약대와 나귀를 죽이라.'[10] 사랑의 하나님이 아니라 잔인한 폭도의 하나님처럼 들립니다. 무죄한 아이들을 살육하라고 명하는 하나님이 어떻게 사람들의 예배를 받을 수 있단 말입니까?"

10 사무엘상 15:3.

이런 질문 공세를 받고도 가이슬러는 침착하고 사려 깊은 말투를 잃지 않았다. "그것은 하나님의 성품이 절대적으로 거룩하다는 것을 보여 줍니다. 죄와 반역을 반드시 벌하시는 그분은 의로운 심판자입니다. 그것은 틀림없이 그분이 지닌 성품의 한 부분입니다. 그러나 그분의 성품은 또한 자비롭습니다. 잘 들으십시오. 누구든 피하기 원하는 사람에게 그분은 피할 길을 주십니다."

가이슬러는 잠시 말을 끊었다. 내 질문들은 분명히 보다 상세한 설명을 요하고 있었다. "리, 여러 가지 좋은 이슈를 제기해 주셨습니다. 마땅히 사려 깊은 조사가 필요합니다. 그 본문들을 좀 더 자세히 살펴봐도 괜찮겠습니까? 거기에는 계속 반복되는 동일한 패턴이 나와 있기 때문입니다."

나는 얼마든지 좋다는 몸짓을 지어 보였다. "부탁드립니다. 자세히 설명해 주십시오. 정말 알고 싶습니다."

"아말렉 문제부터 시작합시다. 리, 그 사람들은 무죄와는 거리가 멉니다. 말도 안됩니다. 그들은 선량한 백성이 아니었습니다. 그들은 전적으로 타락해 있었고 그 사명은 이스라엘을 멸하는 것이었습니다. 그들이야말로 종족 학살을 시도했지요. 단순한 종족 학살이 아닙니다. 위기에 처한 것이 누구인지 보십시오. 이스라엘 백성은 하나님이 예수 그리스도를 통해 구원의 통로로 선택하신 백성입니다."

"그러니까 아말렉 사람들은 멸망당해 마땅하다는 뜻입니까?" 나는 물었다.

가이슬러는 말했다. "그 나라의 멸망은 자신들이 지은 무거운 죄로 인한 필연입니다. 일부 골수분자 잔여 세력이 살아남았다면 그들은 이스라엘과 하나님의 계획을 다시 공격했을 것입니다. 그들은 완고하고 악하며 전쟁을 일삼는 백성이었습니다. 그들이 얼마나 악랄했는지 보십시오. 그들은 이스라엘 백성을 끈질기게 따라다니면서 후미로 처지는 노약자와 장애인 등 무력한 자들을 비겁하게 죽이곤 했습니다.

그들은 지면에서 이스라엘의 마지막 한 사람까지 쓸어버리려 했습니다. 하나님은 홍수 같은 자연 재해를 통해서도 그들을 다루실 수 있었지만 대신 이스라엘을 심판의 도구로 사용하셨습니다. 그분이 취한 행동은 이스라엘만 위한 것이 아니라 그들 가운데 태어날 메시아를 통해 구원받을 전 인류를 위한 것이었습니다."

"하지만 아이들도 있었습니다. 무고한 아이들까지 죽여야 할 이유가 무엇입니까?" 나는 굽히지 않고 물었다.

"엄격히 말해 진정 무죄한 자는 아무도 없습니다. 시편 51편은 우리가 다 죄 중에 태어났다고 말합니다. 반역하며 잘못을 저지를 성향을 가지고 있다는 뜻이지요. 아울러 하나님은 생명에 대한 주권을 가지고 계십니다. 언젠가 한 무신론자가 토론석상에서 이 문제를 제기하기에 이렇게 답했습니다. '하나님은 생명을 창조하셨고 그것을 도로 취하실 권리가 있습니다. 당신도 생명을 창조할 수 있다면 그것을 도로 취할 권리가 있겠지요. 그러나 생명을 창조할 수 없다면 당신은 그럴 권리가 없습니다.' 그랬더니 청중이 박수 갈채를 보내더군요.

사람들은 인간이 해서는 안될 일을 하나님도 해서는 안된다고 생각합니다. 물론 내가 당신의 생명을 취한다면 그것은 잘못입니다. 당신의 생명은 내가 만든 것도 아니고 내 소유도 아니니까요. 내가 당신 집 마당에 들어가 나무를 뽑고 자르고 죽이고 옮겨 심고 여기저기 끌고 다닌다면 그것은 잘못입니다. 하지만 우리 집 마당에서는 얼마든지 할 수 있습니다. 우리 집 마당의 나무는 내 소유이기 때문입니다.

하나님은 모든 생명에 주권을 갖고 계시며, 원하신다면 얼마든지 도로 취할 권리가 있습니다. 우리는 하나님이 실제로 모든 인간의 생명을 취하신다는 사실을 망각하는 경향이 있습니다. 그것을 죽음이라 하지요. 문제는 시기와 방법인데, 그것이야말로 그분께 맡길 수밖에 없는 일입니다."

그래도 아이들은 …

여기까지 가이슬러가 말한 내용을 머리로는 이해할 수 있었다. 그러나 감정적으로는 아직 충분하지 않았다. 내 마음은 아직도 미결 상태였다. "하지만 아이들은…" 나는 그 문제를 놓아주지 않았다.

가이슬러도 공감했다. 그 자신도 여섯 자녀의 아버지이자 손자 손녀를 아홉이나 둔 할아버지였다. "사회적으로 육체적으로, 역사상 아이들의 운명은 좋은 쪽으로든 나쁜 쪽으로든 언제나 부모에 좌우되었습니다." 그는 그렇게 지적하며 말을 이었다.

"하지만 여기서 우리는 아말렉 사람들의 상황을 이해해야 합니다. 철저히 악하고 난폭하고 타락한 그 문화 속에서 아이들은 전혀 희망이 없었습니다. 이 나라는 철저히 부패하여 마치 다리 한쪽을 야금야금 먹어 들어가는 치명적인 병균 같았습니다. 하나님은 다리를 절단해야 했습니다. 그렇지 않으면 병균이 전신에 퍼져 아무것도 남지 않을 참이었습니다. 어떤 의미에서 하나님의 행동은 자비로운 행위였습니다."

어린이들의 사후에 대해서 노먼 가이슬러의 견해는 현대 복음주의자들이 많이 취하는 입장이기는 하나 아직은 논쟁의 여지가 남아 있음을 밝혀 둔다.

"자비라고 하셨습니까? 어떻게 그럴 수 있습니까?" 나는 물었다.

"성경에 의하면 도덕적 책임을 질 수 있는 나이 이전에 죽은 아이는 모두 천국에서 영원히 하나님의 임재 속에 살게 됩니다. 그 아이들이 책임을 지는 나이가 되도록 그 끔찍한 사회에서 계속 살았다면 틀림없이 타락했을 것이고, 따라서 영원히 구원을 받지 못했을 것입니다."

"아이들이 죽어서 천국에 간다고 생각하는 근거는 무엇입니까?"

"이사야 7장 16절에 보면 '아이가 악을 버리며 선을 택할 줄 알기 전에' 라는 말이 있는데 이는 아이가 도덕적 책임을 지기 전의 나이를 말합니다. 다윗 왕은 태어난 지 얼마 안 되어 죽은 자기 아들과 같이 있을 것에 대해 말한 적이 있습니다. 예수는 '어린아이들의 내게 오는 것을 용납하고 금하지 말라. 하나님의 나라가 이런 자의 것이니라'[11]고 말씀하셨습니다. 이 입장을 뒷받침하는 성경 말씀이 여러 군데 있습니다."

참고 : 사무엘하 12:23.

11 마가복음 10:14.

나는 이론상 모순이 있다고 느끼며 끼어들었다. "궁극적으로 천국에 갈 것이므로, 아이들이 책임을 지는 나이가 되기 전에 죽는 것이 가장 좋다고 합시다. 그렇다면 오늘날 낙태되는 아이들에 대해서는 왜 똑같이 말하지 않습니까? 낙태되면 분명히 천국에 가지만 나서 자라면 하나님께 반역하여 결국 지옥에 갈 수도 있습니다. 이거 정말 낙태를 지지해야 할 강력한 논거 아닙니까?"

"아닙니다. 그것은 잘못된 유추입니다." 가이슬러가 금방 대답했다. 그리고 강한 어조로 말을 이었다. “첫째, 하나님은 오늘 누구에게도 낙태를 명하시지 않습니다. 사실 낙태는 성경의 가르침을 거스르는 것입니다. 생명을 취하기로 결정하실 수 있는 유일한 분은 하나님이라는 사실을 잊지 말아야 합니다. 그분이 생명의 창조자이기 때문입니다. 둘째, 오늘 우리의 문화는 아말렉 사회처럼 철저히 타락하지 않았습니다. 그 문화에는 희망이 없었지만 오늘 우리 문화는 희망이 있습니다.”

“그러니까 아말렉을 진멸하라는 하나님의 명령은 부당하지 않다는 것이군요.”

“그들에게 모든 파멸을 피할 수 있는 기회가 충분히 주어졌다는 사실을 잊지 마십시오. 사실 가나안 모든 족속과 아말렉 족속에게 총 400년 동안 회개할 기회가 주어졌습니다. 아주 긴 시간이지요. 자기 파멸로 치닫는 길을 버리도록 수세기 동안 기회를 주시고, 긴 기다림 끝에 결국 하나님은 그들의 고집스런 악을 처단할 수밖에 없었습니다. 그분은 절대 무모하게 행동하신 것이 아닙니다.

게다가 그 상황에서 벗어나고 싶어한 사람들은 살아남았습니다. 오랜 세월 충분한 기회가 있었기에 파멸에서 살아남고자 한 사람들은 의당 도망하여 목숨을 건졌을 것입니다.

여호수아 6장에는 여리고와 가나안 족속들의 멸망 기사가 나옵니다. 거기에도 동일한 패턴이 나타납니다. 여리고의 문화는 철저히 악에 젖어 있었습니다. 어찌나 심했던지 성경에 하나님이 염증을 느꼈다고 되어 있습니다. 그들은 폭력, 만행, 근친상간, 수간, 우상숭배와 관련된 매춘 등에 빠져 있었을 뿐 아니라 어린아이를 불에 넣는 인신제사까지 행하고 있었습니다. 게다가 그들은 이스라엘 백성을 전멸시키려는 공격적 문화를 가지고 있었습니다.

참고 : 신명기 18:10.

이번에도 역시 악한 사람들은 멸망당했지만 의로운 이들은 구원을 얻었습니다. 예를 들어 이스라엘 정탐꾼을 보호해 주었던 라합은 다른 사람들과 함께 심판당하지 않았습니다. 니느웨 성에 살던 타락한 주민들에게 있었던 일을 보십시오. 하나님은 그들을 심판하려고 했습니다. 심판 받아 마땅했으니까요. 그런데 그들이 회개하자 하나님은 도시 전체를 구원하셨습니다. 그러니까 요지는 누구든 회개하면 하나님이 기꺼이 구원해 주셨다는 것입니다. 그것을 기억하는 것이 중요합니다.

참고 : 요나 3장.

이런 사례들에 있어서 하나님의 목적은 회개하는 사람들까지 멸하는 것이 아니라 타락한 나라를 멸하는 것이었습니다. 국가 기반에 철저히 악이 스며들었기 때문입니다. 여러 구절을 통해 하나님이 의도한 일차적 뜻이 악한 백성들을 몰아내는 것이었음을 알 수 있습니다. 그들도 그 땅이 이스라엘에게 약속된 땅임을 오래 전부터 알고 있었지요. 그렇게 함으로써 이스라엘은 그 땅에서 외부의 타락으로부터 비교적 자유로울 수 있었습니다. 그냥 두었다면 그 악이 암처럼 번져 이스라엘을 멸망시켰을 것입니다. 하나님은 인류 역사상 무수히 많은 사람들이 유익을 누리도록 메시아가 오실 수 있는 환경을 만드셨습니다."

나는 물었다. "반복되는 패턴을 통해서 사람들에게 충분한 경고가 주어졌다고 보시는군요?"

"물론입니다. 또 이것도 생각해 보십시오. 여자들과 아이들은 대부분 실제 전쟁이 시작되기 전에 달아났을 것입니다. 군인들이 남아 이스라엘과 맞섰던 것이지요. 남아 있던 전사들은 가장 완고한 자들, 떠날 것을 고집스레 거부한 자들, 타락한 문화의 선봉장들이었을 것입니다. 그러니까 정말 여자들과 아이들이 실제 전투에서 희생되었을지는 상당히 의심스럽습니다.

참고 : 신명기 20:10. 이스라엘은 어떤 성에 든 먼저 평화를 선언하게 되어 있었지만 가나안 성읍은 예외였다.

게다가 하나님이 이스라엘 백성에게 명한 행동 규칙상 그들은 적의 도시에 들어갈 때마다 우선 먼저 평화를 제의하게 돼 있었습니다. 그 제의를 받아들이면 목숨을 건지게 되고 제의를 거부하면 위험을 자초하는 것입니다. 아주 적절하고 공평한 처사이지요."

나는 이런 통찰이 새로운 해석의 가능성을 주고 있음을 시인하지 않을 수 없었다. 미리 충분한 경고가 주어졌다는 점, 여자들과 아이들은 전투가 시작되기 전에 피했으리라는 점, 이스라엘이 전투를 벌이기 전에 평화를 제의했다는 점, 회개하는 사람에게 심판을 피할 기회가 주어졌다는 점이 성경의 패턴이라는 사실이 도움이 되었다.

"그렇다면 하나님은 변덕쟁이가 아닌가요?"

"그분은 변덕스럽지도 않고 기분 내키는 대로 하는 분도 아니며 잔인하지도 않습니다. 하지만 분명한 것은 그분은 철저히 공의로우십니다. 완강하고 집요하게 악을 고집하는 타락한 자들에게는 반드시 처단을 요구하는 성품을 지니셨습니다. 마땅히 그래야 하지 않습니까? 정의가 시행되는 것, 그것이 우리가 원하는 바가 아닙니까? 중요한 사실은, 고금을 막론하고 회개하고 당신께 돌아오는 자들에게 그분은 긍휼과 사랑과 은혜와 자비를 베푸신다는 것입니다. 결국 우리 모두는 그분의 공평함을 보게 될 것입니다."

그러나 하나님이 변덕스레 행동하는 분이 아니라는 가이슬러의 의견에 반론이 될 만한 곤란한 사건이 또 있었다. 거기에도 아이들이 연루되어 있었다. 성경 전체를 통틀어 아주 이상한 사건 중 한 가지다.

엘리사를 놀린 아이들(?)

선지자 엘리사는 벧엘을 향하여 길을 가고 있었다. 그때 젊은 아이들이 나와서 대머리인 그를 조롱했다. "대머리여, 올라가라! 대머리여, 올라가라!" 이에 대응해 엘리사는 하나님의 이름으로 그들을 저주했다. 그러자 섬뜩하게도 곰 두 마리가 수풀에서 나와 아이들 42명을 찢어 놓았다.[12]

"가이슬러 박사님. 하나님이 변덕스럽지 않다고요? 장난삼아 한 사소한 잘못에 이런 반응을 보인 것은 잔인해 보입니다. 대머리를 놀렸다는 이유로 무죄한 어린아이 42명을 찢어 죽이다니 정말이지 너무 심하지 않습니까?"

이 문제를 익히 알고 있는 가이슬러는 이렇게 대답했다. "질문의 전제가 잘못돼 있습니다. 그들은 천진난만한 어린아이들이 아닙니다."

그런 반응을 기대했던 터라 나는 본문을 복사한 종이를 꺼내 그에게 내밀었다. "어린아이 맞습니다. 여기 보십시오." 나는 단어를 가리키며 말했다. "여기 '어린아이들' 이라고 되어 있지 않습니까?"

가이슬러는 종이에 잠깐 눈길을 주더니 출처를 금방 알아차렸다. "안타깝게도 이 부분의 흠정역 번역은 오해를 불러일으킵니다. 학자들이 확인한 바에 따르면 이것의 히브리 원어는 '젊은이들' 로 번역하는 것이 가장 적절합니다. NIV에는 '청년들' 이라는 단어로 번역되어 있습니다. 그들은 위험한 십대 폭도들이라고 할 수 있습니다. 오늘날 거리에 몰려다니는 갱들에 견줄 수 있지요. 선지자의 목숨은 단순히 숫적으로도 충분히 위협적이었습니다. 찢긴 사람이 42명이라면 전체 몇 명이 그를 위협했는지 누가 압니까?"

"위협했다고요?" 나는 물었다. "잠깐만요! 그들은 그저 대머리를 놀렸을 뿐입니다."

가이슬러는 대답했다. "문맥을 이해하면 그보다 훨씬 심각했음을 알 수 있습니다. 주석가들에 따르면 그들은 자신이 선지자임을 주장하는 엘리사에게 도전했던 것입니다. 사실상 그들은 이렇게 말한 셈입니다. '당신이 하나님의 사람이라면 선지자 엘리야처럼 그렇게 하늘로 올라가지 그래?' 분명 그들은 하나님이 엘리야에

12 참고 : 열왕기하 2:23-25.

참고: 열왕기하 2:23-26. 한글개역성경은 '젊은 아이들', NIV는 'some youths', KJV는 'little children'. 히브리어로는 'נְעָרִים'(네아림)이다.

게 행하신 일을 조롱했습니다. 하나님이 두 선지자를 통해 하신 일을 불신하며 경멸한 것입니다.

게다가 엘리사의 대머리에 대한 언급은 당시 문둥병자들이 머리를 밀었던 사실을 두고 한 말일 가능성이 높습니다. 하나님의 선지자요 위엄과 권위를 가진 사람인 엘리사를 가증하고 천한 폐물이라고 공격한 것입니다. 엘리사가 하나님의 대리자임을 감안하면, 그들은 엘리사의 인격뿐 아니라 하나님까지 더럽히고 있었던 것이죠."

"그래도 그것은 비교적 작은 잘못 아닙니까?"

"당시의 정황에서 보면 그렇지 않습니다. 엘리사가 그들 무리에게 위협을 느낀 것은 정당합니다. 목숨이 위험한 상황이었고 그들은 엘리사와 하나님을 공격하고 있었습니다. 이 사건은 그런 일을 또 저지를지 모르는 모든 이의 마음속에 두려움을 심어 주는 예방 조치였습니다. 위험한 전례가 될 수 있었기 때문이지요. 십대 폭도가 그렇게 하고도 말짱하다면, 다시 말해 하나님이 당신의 선지자를 옹호해 주시지 않는다면 사회에 어떤 부정적 영향을 끼칠지 생각해 보십시오. 선지자에 대한 공격에 물꼬를 터 주어 선지자들이 전달하는 하나님의 긴박한 메시지를 무시하는 결과를 낳을 수 있습니다.

어느 주석가가 이렇게 말했습니다. '곰의 습격은 무분별한 잔인성을 보여 준 것이 아니라 오히려 백성의 죄가 극에 달해 전면적 심판이 불가피하게 되기 전에 작은 심판들을 통해 백성을 당신께 돌아오게 하려는 하나님의 끊임없는 노력을 보여 주는 것이다. …이 사건 이후에 사람들이 회개했더라면 비참한 사마리아 함락도 면했을 것이다.'"[13]

13 월터 카이저 외, *Hard Sayings of the Bible*(성경의 난해 구절), InterVarsity Press, 1996, pp. 233, 234.

가이슬러는 덧붙여 말했다. "다시 한 번 말하지만 하나님의 주권을 생각해야 합니다. 그들의 생명을 취한 것은 엘리사가 아닙니다. 곰을 풀어놓은 분은 그 젊은이들을 창조한 하나님이었습니다. 생명을 창조하셨다면 얼마든지 도로 취할 권리도 있습니다. 이들 무리가 엘리사를 공격한 것은 하나님에 대한 그들의 태도를 보여 주는 것입니다. 하나님께 저주하고 대들며 완악하게 대적할 때 그것은 언제나 멸망으로 치닫는 위험한 길입니다."

나는 본문을 복사한 종이를 접으며 말했다. "이 사람들을 단순히 어린아이로 보는 것은 잘못이군요."

"그렇습니다. 그들을 지칭하는 데 사용된 히브리 단어는 그들의 나이가 12세부터 30세 사이였음을 보여 줍니다. 사실 똑같은 히브리 단어가 다른 곳에서는 군인들을 가리켜 사용된 적도 있습니다.[14] 이 모든 것을 종합해 볼 때 상황은 사뭇 다릅니다."

14 참고 : 위의 책, 열왕기상 20:14-15.

이쯤 되자 하나님의 성품을 비난하는 주장은 대부분 기운이 꺾이고 말았다. 논란을 일으키는 본문들에 담긴 하나님의 명백한 의도를 적절한 균형과 문맥을 통해 이해하게 된 것이다. 여전히 껄끄러운 문제가 되는 본문들이기는 하지만, 불분명한 부분을 하나님 편에 유리하게 해석하기가 한결 쉬워졌다. 그분의 긍휼과 사랑이 우세한 다른 증거들에 비추어 볼 때 특히 그렇다.

그러나 하나님의 성품에 관련된 문제가 또 하나 있다. 오늘날 많은 사람들이 관심을 갖는 문제인데, 바로 하나님이 동물을 다루시는 방식이다. 그분은 왜 세상을, 약탈자들이 끊임없이 먹이를 노리고 비명횡사가 삶의 불가피한 일부가 되는 곳으로 창조한 것일까? 근본으로 들어가면, 그것은 그분의 성품 중 얄궂은 일면을 보여 주는 것이 아닌가?

동물이 무슨 죄인가?

찰스 템플턴은 그의 책 *Farewell to God*에서 동물의 왕국에 있는 고통의 문제를 제기했다. 그는 이렇게 썼다.

"모든 생명은 다른 어떤 생명의 죽음으로 유지된다. 냉혹하고 불가피한 현실이다. 모든 육식 동물은 다른 생물을 잡아먹어야 한다. …전능하며 사랑이 가득한 하나님이 어떻게 이런 참사를 만들 수 있단 말인가?… 전능한 신이라면 고통과 죽음 없이 지탱되고 존속될 수 있는 동물의 세계도 얼마든지 만들 수 있었을 것이다.[15]"

15 *Farewell to God*, pp. 197-199.

나는 템플턴의 글을 읽어 준 뒤 가이슬러에게 물었다. "이 부분에 대해서는 어떻게 생각하십니까?"

"상당히 맞는 말이군요." 가이슬러는 대답했다.

기대하던 반응과 달랐기에 나는 다시 물었다. "정말 그렇게 보십니까?"

"그렇습니다. 하지만 불행히도 좋은 물 한 잔에 비소 한 방울이 섞여 있는 것과 같습니다. 물은 좋습니다만 독이 들어 있습니다."

"어떻게 말입니까?"

"좋은 물이란, 과연 하나님이 그런 동물을 만드실 수 있다는 것입니다. 그리고 사실 그러셨습니다. 본래의 낙원에 있던 동물도 그랬고 앞으로 올 낙원의 동물도 그럴 것입니다. 알다시피 하나님은 본래 동물과 인간을 초식성으로 지으셨으니까요."

그 말과 함께 가이슬러는 의자 밑에서 성경을 한 권 꺼냈다. 맨 앞을 펼치더니 눈으로 페이지를 쭉 더듬다가 첫 장 끝 부분에서 멈췄다. 그리고 읽었다.

"하나님이 가라사대 내가 온 지면의 씨 맺는 모든 채소와 씨 가진 열매 맺는 모든 나무를 너희에게 주노니 너희 식물이 되리라. 또 땅의 모든 짐승과 공중의 모든 새와 생명이 있어 땅에 기는 모든 것에게는 내가 모든 푸른 풀을 식물로 주노라 하시니 그대로 되니라.[16]"

가이슬러는 책을 덮으며 말을 이었다. "하나님은 낙원에서 동물들이 잡아먹히게 하지 않았고, 과연 동물은 서로를 먹지 않았습니다. 선지자 이사야는, 어느 날 하나님이 '새 하늘과 새 땅을 창조하실' 것인데 거기서는 '이리와 어린 양이 함께 먹을 것이며 사자가 소처럼 짚을 먹을 것'[17]이라고 말했습니다. 다시 말해서 지금처럼 서로 잡아먹는 행위가 더는 없을 것입니다.

요컨대 하나님이 창조하신 것은 모두 좋았습니다. 인간이 타락하여 상황이 바뀐 것입니다. 하나님은 비켜나라는 인간의 말을 들으시고 정말 비켜나셨습니다. 로마서 8장은 모든 피조물이 죄의 영향을 입었다고 말합니다. 거기에는 식물과 동물, 인간 모두가 포함됩니다. 유전자에 근본적 변화가 나타났습니다. 예를 들어 타락 후 수명이 급격히 짧아지기도 했습니다. 하지만 궁극적으로 다시 회복될 것입니다."

"하지만 구약에서 동물 제사 제도를 제정하신 것은 동물을 잔인하게 다룬 것 아닙니까?" 나는 물었다.

"그 동물들은 상당히 도의적인 방법으로 죽임 당했습니다. 가장 고통 없이 죽는 방법이었지요. 게다가 유기(遺棄)되는 것도 전혀 없었습니다. 고기는 먹었고 가죽은 옷을 만드는 데 썼습니다. 또 동물을 사육해 종을 유지할 수 있었습니다. 말살시키려는 의도가 아니었습니다. 게다가 동물 제사에는 중요한 이유가 있습니다. 우리의 죄값으로 십자가에서 죽으신 하나님의 어린양 예수 그리스도의 희생을 예표하는 것이지요."

"동물이 동물을 피차 사냥하고 죽이는 데서 비롯된 세상의 고통은 어떻습니까? 하나님이 세상에 허용하신 고통의 총합은 어마어마한 것입니다."

16 창세기 1:29-30. 참고 : 창세기 9:3, 홍수 후 하나님은 노아와 그 아들들에게 이렇게 말씀하셨다. "무릇 산 동물은 너희의 식물이 될지라. 채소 같이 내가 이것을 다 너희에게 주노라."

17 이사야 65:17,25.

참고 : 레위기 1:2.

그는 대답했다. "전제부터 잘못됐다고 봅니다. C. S. 루이스의 말대로 고통의 총합이라는 것은 없습니다. 표현 자체에 어패가 있습니다. 인간이든 동물이든 고통의 총합을 경험하는 개체는 없습니다. 사실 자기 인생에서 고통의 총합을 한꺼번에 경험하는 사람도 없습니다. 30년이란 시간에 30그램의 고통이 흩어져 있다면 1년에 1그램씩, 날마다 작은 부분만 경험하는 것입니다.

동물에 대해서라면 성경은 명백히 동물 학대를 금하고 있습니다. 그리스도인은 동물 학대를 반대해야 합니다. 그러나 동물도 도덕적 권리가 있다는 소위 동물 권리 운동에는 이의를 제기합니다. 동물은 도덕적 존재가 아닙니다. 물론 도덕적 인간이 동물을 비도덕적으로 대하면 안되겠지요. 성경은 '의인은 그 육축의 생명을 돌아본다'[18]고 말합니다. 우리를 섬기고 돕는 동물을 잔인하게 다루는 것은 도덕적으로 잘못된 일입니다."

18 잠언 12:10.

성경은 믿을 만한가?

가이슬러는 성경에 의지해 하나님의 성품을 평가했다. 그가 쓴 성경의 무오성에 대한 책은 잘 알려져 있다. 그는 성경이 하나님의 영감으로 기록된 독특한 책이며 그 가르침과 언급된 내용이 모두 사실이라고 믿는다. 그런데 성경이 정말 하나님에 관한 진리를 정확히 계시해 주는 책이라고 믿을 만한 합리적 이유가 있는가?

「성경무오 : 도전과 응전」 엠마오.

무신론 철학자 조지 스미스는 그렇지 않다고 말했다. "성경에는 초자연적 영향력이 미친 흔적이 전혀 보이지 않는다. 오히려 반대로 성경은 미신을 믿는 사람들의 산물이다. 그들은 자신들의 교리를 펴는 데 유리할 경우 속임수도 마다하지 않았다."[19]

19 *Atheism : The Case Against God*, pp. 210-211.

템플턴은 성경 대부분을 '그럴 듯하게 꾸민 민간 설화'로 일축한다. 그는 이렇게 덧붙인다. "식견이 있는 남녀 치고… 성경을 신빙성 있는 문서나… 기독교 교회들이 주장하는 대로 하나님의 무오한 말씀으로 믿는다는 것은 더는 불가능한 일이다."[20]

20 *Farewell to God*, p. 38.

무신론자 시절에 나는, 성경이 공상적인 이야기와 허무맹랑한 신화일 뿐 신의 영감으로 됐을 리 없다고 비웃었다. 우연찮게도 그런 견해는 성경에서 말하는 도덕적 명령을 따를 필요가 없도록 아주 편안하게 나를 해방시켜 주었다. 한 번도 성경을 제대로 연구해 본 적 없으면서 나는 다짜고짜 성경을 거부했다. 성경의 가르침에 어긋나는 내 부도덕한 삶을 맘껏 유지하기 위해서였다.

가이슬러와 마주앉은 시간은 귀한 기회였다. 무신론자 시절에 가졌던 내 견해와 반대되는 결론을 내리며 성경의 신빙성을 그토록 열렬히 옹호하는 이유를 가이슬러에게서 직접 들을 수 있기 때문이다. 나는 잠시 다리 운동을 하느라 자리에서 일어나 서가에 꽂힌 책제목들을 무심코 훑어보았다. 그리고 그를 돌아보며 말했다. "모든 것은 성경이 사실인지 아닌지 여부에 달려 있습니다. 박사님이 성경을 사실로 믿는 근거는 무엇입니까?"

가이슬러는 특유의 자신감으로 대답했다. "고대의 어떤 책보다 성경이 신빙성 있는 자료라는 증거가 많으니까요."

그러나 그 말은 내게 증거라기보다 결론처럼 들렸다. 나는 의자에 다시 앉아 "그것을 뒷받침해 줄 사실을 제시해 주셔야겠는데요" 하며 가이슬러의 반응을 기다렸다.

"증거는 아주 많습니다. 우선 성경이 지닌 통일성에 대해 말할 수 있습니다. 성경 66권은 천 오백 년이 넘는 기간 동안 배경이 각기 다른 저자 40여 명이 기록했으며 문학적 장르도 저마다 다릅니다. 그런데 놀랍게도 성경은 중심 메시지 하나를 가지고 동일한 연속 드라마를 펼쳐 나갑니다. 바로 그 점이 저자들의 주장대로 그들에게 영감을 불어넣어 준 하나님의 의지(Divine Mind)가 존재한다는 사실을 뒷받침해 주는 것이지요.

또 성경은 사람을 변화시키는 능력이 있습니다. 처음부터 성경은 사람들을 새롭게 하고 희망과 용기, 지혜와 능력을 불어넣으며 인생의 닻이 되었습니다. 초기 이슬람교는 칼로 퍼져 나갔지만 초기 기독교는 성령으로 퍼져 나갔습니다. 로마의 칼에 죽임을 당하면서까지 말입니다.

그래도 가장 설득력 있는 증거는 두 가지 범주로 좁혀진다고 생각합니다. 첫째, 고고학이 성경의 신빙성을 확인해 줍니다. 둘째, 기적이 성경의 신적 권위를 확인해 줍니다."

성경의 권위 : 고고학을 통한 확증

가이슬러는 먼저 고고학적 증거를 들기 시작했다. "예수는 '내가 땅의 일을 말하여도 너희가 믿지 아니하거든 하물며 하늘 일을 말하면 어떻게 믿겠느냐?'[21]고 말했습니다.

21 요한복음 3:12.

다시 말해서, 명백한 땅의 일을 말하는 부분에서 성경을 믿을 수 있다면 경험적으로 증명할 수 없는 부분들도 믿을 수 있게 됩니다."

"그렇다면 성경은 어떤 증거를 가지고 있습니까?" 나는 전에 「예수 사건」을 쓰면서 신약 성경에 관한 고고학적 확증을 다소 연구했던 터라, 고고학과 구약 성경에 특히 관심이 있었다. 나는 가이슬러에게 구약부터 밝혀 달라고 부탁했다.

"성경의 기록을 뒷받침하는 중동 지방의 고고학적 발굴은 수백 건, 아니 수천 건에 달합니다. 얼마 전 다윗 왕이 실존 인물임을 확증해 주는 물건이 발견되었습니다. 아브라함, 이삭, 야곱과 같은 족장 기사도 한때 전설로 여겨졌지만 새로운 내용이 밝혀지면서 점점 더 사실로 확인되고 있습니다. 소돔과 고모라의 멸망도 신화로 취급되었지만 창세기에 언급된 다섯 도시 모두 구약에 나타난 바로 그 지점에 위치해 있었다는 증거가 밝혀졌습니다. 그곳의 멸망에 관해 고고학자 클리포드 윌슨(Clifford Wilson)은 '머나먼 과거에 거대한 화재가 발생했다는 불변의 증거가 있다'[22]고 말했습니다."

창세기 5도시
창세기 10:19에 나오는 소돔, 고모라, 아드마, 스보임, 라사.

22 클리포드 윌슨, *Rocks, Relics and Biblical Reliability*(암석, 자취, 성경의 연관성), Zondervan, 1977, p. 42.

가이슬러는 덧붙여 말했다. "유대인들이 포로로 잡혀간 사건도 다양한 측면에서 확인되고 있습니다. 구약에서 앗시리아 왕에 관해 언급하는 모든 기록도 정확한 것으로 입증됐습니다. 1960년대 있었던 발굴에서는, 다윗 통치 당시 이스라엘 백성이 정말 터널을 통해 예루살렘에 들어갔다는 사실이 확인됐습니다. 성경이 말하는 대로 한때 세상에 언어가 하나밖에 없었다는 증거도 있습니다. 솔로몬의 성전 터는 지금 발굴이 진행 중입니다. 그밖에도 얼마든지 많습니다. 많은 고고학자들이 구약 성경에 회의를 품곤 하지만 새로 발견된 결과들은 오히려 성경 기사

⬅ **앗시리아 부조**
BC 2500년경 도시국가로 성립된 메소포타미아 문명의 북방 전진기지. 성경에서는 '앗수르'로 표기되었다. BC 612년 멸망.

를 확증해 줄 뿐입니다."

"예를 들면…" 하고 내가 말하자 그가 말을 이었다.

참고 : 사무엘상 31:10, 역대상 10:10.

"예를 들면 사무엘서는, 사울이 죽은 후에 그의 갑옷이 벧산에 있는 가나안 다산(多産)의 여신 아스다롯 신전에 놓였다고 말합니다. 그런데 역대기에 보면 사울의 머리가 블레셋 곡물 신인 다곤의 신전에 달렸다고 되어 있습니다. 고고학자들은 이것이 오류이며 그래서 성경을 믿을 수 없다고 합니다. 같은 시기 같은 장소에 두 개의 신전을 나란히 두고 있으리라고는 생각지 못했던 것이지요."

"고고학자들이 밝혀 낸 사실은 무엇입니까?" 나는 물었다.

"발굴을 통해 그곳에 두 개의 신전이 있었다는 사실이 확인됐습니다. 하나는 다곤 신전이고 하나는 아스다롯 신전이었지요. 두 신전은 복도 하나를 사이에 두고 마주보고 있었습니다. 블레셋 사람들이 아스다롯을 자신들의 여신 중 하나로 받아들였던 것으로 보입니다. 결국 성경이 옳았습니다.

이런 일은 지금까지도 계속되고 있습니다. 성경에는 히타이트 족(한글 개역성경에는 헷 족속-역주)이 36번 정도 언급돼 있는데, 비평가들은 그런 민족이 존재했다는 증거가 없다고 따지곤 합니다. 하지만 현재의 터키를 파헤치던 고고학자들은 히타이트 족의 기록을 찾아냈습니다. 탁월한 고고학자 윌리엄 F. 올브라이트(William F. Albright)는 '구약 전통이 역사적 사실임을 확증하는 데 의심할 여지 없이 고고학이 유용하다.'"[23]고 단언했습니다.

나는 가이슬러에게 계속해서 고고학이 신약 성경도 확증해 주는지 물었다.

"유명한 역사가 콜린 J. 헤머(Colin J. Hemer)는 *The Book of Acts in the Setting of Hellenistic History*(헬레니즘 역사에서의 사도행전)이라는 책에서, 초대 교회에 관한 성경 기사들이 고고학을 통해 수백 건씩 확증돼 온 경위를 소개하고 있습니다. 바람이 분 방향, 해안에서 특정 거리 만큼 떨어진 지점의 수심, 특정 섬에 나돈 질병, 지방 관리들의 이름 등 작고 지엽적인 내용까지도 확증되고 있습니다.

사도행전은 역사가인 누가가 기록했습니다. 헤머는 사도행전이 AD 62년 이전이나 예수가 십자가에서 죽은 지 30년쯤 후 기록되었다는 근거를 열두 가지 이상 제시합니다. 누가는 그보다 먼저 누가복음도 썼는데, 예수의 생애를 기록한 다른 성경 기사들과 동일한 내용입니다.

누가는 흠 잡을 데 없는 역사가입니다. 그가 기록한 예수와 초대 교회의 역사는 수백 가지 세부 사항에서 옳다고 입증됐으며 틀린 것으로 입증된 부분은 단 한 군

23 윌리엄 올브라이트, *Archaeology and the Religion of Israel*(고고학과 이스라엘의 종교), Johns Hopkins Press, 1953, p. 176.

데도 없습니다. 두 책은 예수의 목격자들이 살아 있는 한 세대 안에 쓰여졌으니 과장됐거나 틀린 부분이 있으면 얼마든지 목격자들의 논박이 가능했지요. 하지만 고대 세계의 어떤 종교 서적도 그렇게 말하고 있지 않습니다."[24]

"그것은 헤머 한 사람만의 의견입니까?" 나는 물었다.

"그럴 리가요." 바로 대답이 나왔다. "저명한 역사가 윌리엄 램지(William Ramsay) 경은 회의론자였는데, 사도행전을 연구한 후에 '이 이야기는 다양한 세부 사항에서 놀라운 사실성을 보여 주고 있다'[25]고 결론지었습니다. 옥스퍼드 대학교의 탁월한 고전 역사가인 A.N. 셔윈-화이트(Sherwin-White)는 '사도행전의 경우 사실성(史實性)에 대한 확증은 가히 압도적이다. 그 기본적 사실성을 거부하려는 모든 시도는 이제 불합리해 보일 수밖에 없다'[26]고 말했습니다.

방금 고고학자 윌리엄 F. 올브라이트 얘기를 했었지요. 그는 40년 간 미국 동양 연구소 소장으로 재직했는데, 처음에는 자유주의자였다가 고고학 문헌을 연구하던 중 보수적으로 변했습니다. 그는 신약 성경에 대한 급진적 비평가들이 '고고학을 모르는 다분히 구식'[27]이라고 결론지었습니다."

나는 가죽 의자 깊숙히 기대앉아 가이슬러의 입에서 막힘 없이 쏟아져 나오는 사실과 인용 내용을 되새겨 보았다. 논증은 강력했다. 검증이 가능한 부분에서 고고학을 통해 성경의 정확성이 확인되는데 다른 부분이라고 정확하지 않을 이유가 있겠는가? 하지만 고고학을 통한 입증은 거기까지였다.

"성경의 역사적 사실성이 고고학을 통해 확증된다고 해서 성경이 신적 권위를 가지고 있다는 뜻은 아니지요." 나는 말했다.

"맞습니다. 성경을 신적 권위를 가진 책으로 받아들여야 할 이유는 기적을 통한 확증이 있기 때문입니다." 가이슬러는 시원스레 대답했다.

24 참고 : 콜린 헤머, *The Book of Acts in the Setting of Hellenistic History*(헬레니즘 역사에서의 사도행전), Eisenbrauns, 1990.

25 윌리엄 램지, *St. Paul the Traveler and the Roman Citizen*(사도 바울, 여행가이자 로마 시민), Baker, 1982, p. 8.

26 A. N. 셔윈-화이트, *Roman Society and Roman Law in the New Testament*(신약 성경에 나타난 로마 사회와 로마 법), Clarendon Press, 1963, p. 189.

27 참고 : 윌리엄 올브라이트, "Retrospect and Prospect in New Testament Archaeology(신약 성경 고고학의 회고와 전망)," *The Teacher's Yoke*, Baylor University, 1964, p. 288 이하.

성경의 권위 : 기적의 증거

가이슬러는 너덜너덜해진 자신의 성경을 쭉 넘겨 맨 첫 문장을 펴더니 무릎 위에 올려놓고 말했다.

"모든 것은 성경의 첫 구절이 사실인가 여부로 회귀됩니다. '태초에 하나님이 천지를 창조하시니라.' 나는 이것이 사실임을 뒷받침하는 과학적 증거가 얼마든지 있다고 믿습니다. 시작이 있는 모든 것에는 그것을 시작하게 한 자가 있는데, 우주에 시작이 있었으니 당연히 처음 시작하게 한 존재가 있습니다. 우주는 창조되는 첫 순간부터 인간 생명의 출현을 위해 준비되고 세밀하게 조정됐습니다. 그 밖에도 증거는 많습니다."

나는 우주의 신적 기원을 뒷받침하는 증거에 관해 윌리엄 크레그와 인터뷰를 가졌다고 말했다.

"아, 잘했군요. 사람들은 흔히 이 첫 구절이 사실이라는 것을 잊어 버립니다. 이것이 사실이라면 기적은 가능한 정도가 아닙니다. 무에서 유를 만드는 최고의 기적이 이미 일어났기 때문입니다. 물로 포도주를 만드는 것과 무에서 물을 만드는 것 중 어느 쪽이 더 어려울까요? 무에서 물을 만드는 것이 훨씬 어렵습니다.

참고 : 요한복음 2장.

언젠가 한 회의론자가 내게 성경에 나오는 기적 때문에 성경을 못 믿겠다더군요. 예를 하나 들어 보라고 했더니 물로 포도주를 만들었다는 것을 못 믿겠다고 해요. 내가 그것은 늘 있는 일이라고 하며 이렇게 말해 줬습니다. '빗물이 포도 덩굴을 타고 포도 알갱이 속으로 들어가 나중에 그것이 포도주가 되지 않습니까? 예수는 약간 속도를 빨리 했다 뿐이지요.'

내 말은 무에서 유를 만드실 수 있는 하나님이라면 능히 어떤 기적도 행하실 수 있다는 것입니다. 세상에 어떤 책이 이렇게 극적인 증거를 가지고 있습니까? 그런 책은 하나밖에 없습니다. 바로 성경이지요."

"어떤 증거인지 말씀해 주십시오." 나는 말했다.

가이슬러는 두 손가락을 들어올려 보였다. "두 가지가 있습니다. 첫째, 성경은 예언의 성취로 확증됩니다. 둘째, 성경은 하나님의 말씀을 대언하는 사람들이 행한 기적으로 확증됩니다."

성경 : 예언의 성취

가이슬러는 우선 결론부터 내렸다. "성경은 수백 년 전에 미리 제시된 구체적이고 정확한 예언이 문자 그대로 성취된 유일한 책입니다."

그는 서가에 빼곡이 들어찬 책들 중 한 권을 가리켜 보이며 말했다. "*Barton Payne's Encyclopedia of Biblical Prophecy*(바턴 페인의 성경 예언 백과사전)에 따르면, 구약 성경에는 이 땅에 오실 그리스도에 대해 조상의 계보, 출생 도시, 동정녀 출산, 정확한 사망 시기 등의 예언이 191개 있습니다.

시편 22장 16절에 그분의 수족이 찔린다는 말이 있고, 14절에는 뼈가 어그러진다, 18절에는 그분의 옷을 제비 뽑아 나눈다는 말이 있습니다. 스가랴 12장 10절에도 그분이 찔린다는 말이 있는데 예수는 과연 창으로 찔렸습니다. 말할 것도 없이 이것들은 예수가 십자가에 처형되는 장면을 묘사하고 있습니다. 그런데 스가랴서는 로마인이 십자가라는 처형 방법을 시행하기도 전에 기록된 글이지요. 당시 유대에서는 사람을 돌로 쳐서 죽였습니다.

구약 전체를 통틀어 그리스도에 대한 가장 놀라운 예언이 담겨 있는 곳은 뭐니뭐니해도 이사야 53장 2-12절입니다. 그분의 수난에 대해 열두 가지 내용이 예언돼 있는데 나중에 모두 성취됐습니다. 그분은 버림받았습니다. 슬픔의 사람이었습니다. 고난의 삶을 살았습니다. 타인들에게 멸시당했습니다. 우리의 슬픔을 대신했습니다. 하나님께 맞으며 징벌 받았습니다. 우리의 허물 때문에 찔렸습니다. 우리의 죄악 때문에 상했습니다. 어린 양처럼 고난당했습니다. 악인들과 함께 죽었습니다. 죄가 없었습니다. 다른 사람들을 위해 기도했습니다."

"잠깐만요. 유대교 랍비에게 그런 얘기를 하면, 이 본문이 메시아가 아니라 이스라엘을 상징한다고 할 텐데요." 나는 큰소리로 말했다.

가이슬러는 고개를 저으며 말했다. "구약 시대 유대인 랍비들은 이 말씀을 정말 메시아에 관한 예언으로 생각했습니다. 그것이 정말 타당성 있는 견해입니다.

나중에 기독교가 이 말씀이 예수를 가리킨다고 지적한 후에야, 랍비들은 실은 고난받는 유대 나라에 관한 것이라고 정정한 것입니다. 명백한 호도입니다. 이사야는 관례상 유대 민족을 '우리'라는 1인칭 복수로 지칭하고 메시아는 언제나 '그'라는 3인칭 단수로 지칭했습니다. 이사야 53장도 바로 '그'라는 호칭을 쓰고 있습니다. 게다가 이 말씀을 읽어 보면 예수를 지칭하고 있음을 누구나 금방 알게 됩니다. 요즘 유대교 회당에서 대개 이 부분을 건너뛰는 것도 그 때문인지 모릅니다.

이렇듯 놀라운 예언들이 한 사람의 삶 속에서 문자적으로 성취됐습니다. 정작 본인은 그 대부분에 대해 아무런 통제권이 없었는데 말입니다. 그분은 자신의 조상이나 출생 시기 따위를 조정할 수 없는데다, 이 예언들은 200년에서 400년 전에 미리 기록되었으니까요. 세상에 이런 책은 또 없습니다. 성경이야말로 초자연적으로 확증된 유일한 책입니다."

나는 곰곰 생각해 보았다. "하지만 예언이 놀랍게 성취된 것은 비단 구약 선지자들에게만 있는 일은 아닙니다. 예컨대 1500년대에 살았던 의사이자 점성가인 노스트라다무스는 미래를 예측한 것으로 유명하지 않습니까? 히틀러와 나치 독

노스트라다무스
(Michel de Nostradame, 1503-1566)
의사, 천문학자, 예언가. 22세에 의사가 되었고 페스트가 유럽을 강타했을 때 'rose pills'라는 약을 개발, 엄청난 사람들을 살려냈다. 적어도 3797년까지, 특히 1550년에서 2050년 사이에 집중적으로 일어나리라 예언한 내용 중에 나폴레옹과 히틀러, 챌린저 호 참사 사건 등이 적중했다고 추종자들은 주장한다.

28 노먼 가이슬러, *Baker Encyclopedia of Christian Apologetics*(베이커 기독교 변증론 백과사전), Baker, 1999, p. 544.

노스트라다무스의 추종자들은 2001년 뉴욕과 워싱턴에 일어난 테러 사건이 그의 시에서 예언되었다고 주장한다. "새 세기가 시작되고 9 달째/ 하늘에서 공포의 대왕이 나타난다/ 하늘은 불타오르고/ '새 도시'로부터 불이 다가온다."

일의 발흥도 예언했다지요? 그 사람도 할 수 있다면 성경의 예언이 뭐 특별하겠습니까?" 나는 따지듯 말했다.

"노스트라다무스와 소위 영매(靈媒)들의 문제점은 그들이 말한 예언이 대개 불가사의하고 모호하며 부정확하다는 것입니다." 가이슬러는 말했다.

"하지만 히틀러에 관한 예언은요? 상당히 구체적이지 않습니까?" 나는 따져 물었다.

"아니오, 전혀 구체적이지 않습니다." 그는 대답했다.

가이슬러는 자리에서 일어나 서가에서 책 한 권을 꺼내 쭉 넘겼다. 이어 그는 노스트라다무스의 예언을 그대로 읽어 주었다.

"여러 종파의 추종자들이여, 메신저의 앞길에 커다란 환난이 예비되어 있다. 극장에서 한 짐승이 기막힌 연극을 준비하고 있다. 그 사악한 무공을 꾸미는 자는 장차 유명해질 것이다. 세상은 종파별로 혼란에 빠져 분열될 것이다. …굶주려 미친 짐승들이 헤엄쳐 강들을 가로지를 것이다. 군대는 대부분 다뉴브 강 하류 'Hister sera'를 대적할 것이다. 어린 형제 'de Germain'이 아무것도 보지 못할 때 큰 자가 철제 새장에 갇혀 끌려갈 것이다.[28]"

가이슬러는 말을 이었다. "분명 이것은 아돌프 히틀러를 지칭하는 말이 아닙니다. 여기 쓰인 단어는 '히틀러'가 아니라 '히스터'입니다. 게다가 이것은 인명이 아니라 지명입니다. 라틴어 단어 de Germain은 독일(Germany)이 아니라 '형제' 또는 '가까운 친척'으로 해석됩니다. 이 예언에는 날짜나 전반적 시기가 전혀 언급돼 있지 않습니다. 그뿐 아니라, '짐승들'과 '철제 새장'의 의미는 또 무엇입니까? 너무 혼란스러워 예언 전체가 무의미할 정도입니다.

노스트라다무스의 예언은 아주 모호해 웬만한 사건에 다 끼워 맞출 수 있습니다. 그것이 일관된 패턴입니다. 그의 추종자마저 그가 말한 예언을 해석하는 방식을 두고 의견이 분분합니다. 그가 말한 예언 중 일부는 틀리기도 했습니다. 사실 노스트라다무스가 말한 예언 중 사실로 입증된 것은 단 하나도 없습니다."

"노스트라다무스 같은 영매들이 말한 예언이 모호하다는 점은 나도 인정합니다. 하지만 성경의 예언 중에도 그런 것들이 있지 않습니까?" 나는 말했다.

"좋습니다. 성경의 모든 예언이 다 명확한 것은 아닙니다." 가이슬러는 대답했다. "그러나 아주 구체적인 예언들이 많습니다. 다니엘 9장 24-26절에는 예수가 죽게 되는 시기가 정확히 예언돼 있습니다. 그보다 얼마나 더 구체적일 수 있을까요? 숫자를 계산해 보면 그 본문이 예수가 인간 역사에 들어오는 시기를 정확히 지적하고 있음을 알 수 있습니다. 예수의 출생지나 고난당하며 죽을 때 모습에 관한 예언들은 또 어떻습니까? 구체성은 놀라울 정도입니다. 그리고 매번 사실로 입증돼 왔습니다."

나는 현시대 영매의 사례로 맞섰다. 예언이 상당히 구체적인 경우였다. "1956년 진 딕슨(Jean Dixon)은 1960년 대통령 선거에서 민주당 후보가 당선된 뒤 재임 중 암살될 것이라고 예언했습니다. 그 예언대로 존 F. 케네디가 죽었고요. 이 정도면 아주 구체적이지 않습니까?"

가이슬러는 전혀 감동하지 않았다. "진 딕슨은 1960년 선거에서 노동자 계급이 지배할 것이라는 예언도 내놓았지만 그렇게 되지 않았습니다. 나중에는 케네디 대신 리처드 닉슨의 당선을 점쳐 양다리를 걸치기도 했습니다. 두 예언 중 하나가 맞을 확률은 각각 100%인 셈이지요. 암살에 관해서라면 20세기 미국의 대통령 10명 중 3명은 재임 중에 죽었고 2명은 임기 말기에 중병을 앓았습니다. 그 정도면 승률이 꽤 높은 셈이지요.

게다가 진 딕슨의 경우 성경의 선지자와 달리 틀린 예언이 무수히 많습니다. 1958년 중공이 세상을 케모이와 마쭈 섬의 전쟁으로 몰아넣을 것이라든지, 1954년에 제3차 세계 대전이 터질 것이라든지, 1970년에 카스트로가 쿠바에서 추방당할 것이라고 예언했지요? 내가 즐겨 인용하는 것이 있는데 재클린 케네디가 재혼하지 않는다는 예언입니다. 딕슨이 그 예언을 내놓은 바로 이튿날 재클린 케네디가 아리스토틀 오나시스와 재혼하지 않았습니까!" 그는 웃으며 말했다.

"1975년에 실시된 한 연구에 따르면 딕슨을 비롯한 영매들의 예언은 정확성이 6%에 지나지 않는 것으로 밝혀졌습니다. 아주 딱한 수준이지요! 어림짐작만 해도 그보다 성적이 나을 것입니다. 게다가 딕슨, 노스트라다무스 등 많은 영매들은 소위 비술(秘術)을 합니다. 딕슨은 수정 구슬을 사용했지요. 그들의 예언 중 일부는 거기서 비롯됐다고 하더군요."

나 역시 영매를 회의적으로 생각하는 사람인지라 그들을 옹호해야 하는 입장으로 떠밀려 가고 싶지 않았다. 게다가 가이슬러의 요지는 분명하다. 영매는 성경의 선지자와 전혀 다르다. 나는 성경에 나타난 예언에 대해 보다 유력한 비판으로 파고들기로 했다. 그리스도인들이 문맥과 상관없이, 사실은 다른 문제인데도 무턱대고 예수에 대한 예언이라고 우기는 부분이었다. 한 가지 예가 마음속에 떠올랐다.

영매 (Psychics 靈媒)
신령 또는 사자(死者)의 뜻을 전달하거나, 심령현상을 일으키는 능력을 가지고 있다는 사람으로 19세기 근대 심령주의가 대두하면서 구미(歐美) 각국에서 속출. 넓게 보아 한국의 무당이나 샤머니즘에서의 샤먼 등도 이에 속한다. 파이퍼 부인, D. D. 홈, 유사피아 팔라디노 등이 유명.

1958년 포격 사건
대만 영토인 金門島(Quemoy)와 馬祖島(Matsu)는 중국 복건성에서 2.3km 떨어진 섬. 1958년 8월 23일, 중국 공산당은 대만 해방을 위해 두 섬을 포격했다.

버트런드 러셀
(1872-1970)
회의주의자, 철학자, 논리학자, 수학자, 문필가, 반전운동가, 영국 귀족, 스캔들 메이커, 행동하는 지성, 20세기 최고 지성. 1927년 *Why I Am Not a Christian*(왜 나는 크리스천이 아닌가?) 발표. 1950년 노벨문학상 수상.

"좀 봐도 되겠습니까?" 나는 손을 뻗어 가이슬러의 성경을 집으며 물었다. 마태복음 2장 14-15절이었다. "요셉이 일어나서 밤에 아기와 그의 모친을 데리고 애굽으로 떠나가 헤롯이 죽기까지 거기 있었으니 이는 주께서 선지자로 말씀하신 바 '애굽에서 내 아들을 불렀다' 함을 이루려 하심이니라."

인용한 원문인 호세아 11장 1절도 펴 가이슬러에게 읽어 주었다. "이스라엘의 어렸을 때에 내가 사랑하여 내 아들을 애굽에서 불러내었거늘." 책을 덮어 가이슬러에게 도로 주면서 나는 이렇게 말했다. "분명 이 말씀은 이스라엘 자녀들이 출애굽 당시 이집트에서 나오던 사건에 관한 것입니다. 메시아에 관한 것이 아닙니다. 이거야말로 억지로 예언을 짜맞춘 것 아닙니까?"

"좋은 질문입니다." 가이슬러는 말했다. "하지만 예언이라고 다 예언적이지 않다는 사실을 이해해야 합니다."

"무슨 뜻입니까?" 나는 물었다.

"신약 성경이 직접적인 예수의 예언이 아닌 구약의 본문을 예수에게 적용시킨 것은 사실입니다. 하지만 많은 학자들이 그 부분을, 예수에 대한 직접적 예언은 아니지만 그리스도 안에서 '예표적'으로 성취되었다고 봅니다."

"예표적이라니요?"

"본문의 진리가 구체적으로 예수에 대한 예언은 아니지만 그리스도에게 적절히 적용된다는 것입니다. 또 어떤 학자들에 따르면, 구약에는 이스라엘과 그리스도 둘 다 적용되는 포괄적 의미를 지닌 말씀들이 있습니다. 예컨대 이스라엘과 그리스도 둘 다 하나님의 '아들'로 불린 경우입니다. 이것을 예언의 '이중 지칭 견해'라고 하지요.

두 견해 모두 일리가 있습니다. 하지만 이 본문들은 직접적인 예언이 아니기 때문에 나는 그런 식으로 사용하지 않습니다. 명백한 예언의 사례도 얼마든지 많이 있어 성경의 신적 권위를 확증하기에 충분합니다. 이런 예언들이 단지 우연으로 성취될 수 없다는 것은 수학적으로도 밝혀집니다."

성경 : 기적을 통한 확증

성경의 권위를 뒷받침하는 또 다른 이유가 있다. 가이슬러에 따르면 한 선지자가 진정 하나님의 대변자인지 아니면 대중을 속이는 사기꾼인지 판별하는 한 가지 분명한 방법이 있다. 확실한 기적을 일으킬 수 있느냐는 것이다. 3대 유일신 종교인 기독교, 유대교, 이슬람교는 하나님으로부터 온 메시지를 확증하는 방편으로 기적의 가치를 인정한다. 심지어 유명한 회의론자 버트런드 러셀도 진리에 관한 주장은 기적을 통해 확증된다고 시인했다.[29]

"이미 살펴본 것처럼 성경은 역사적으로 신빙성 있는 책입니다. 성경에는 사람들이 선지자의 직분에 이의를 제기할 때 선지자들이 기적을 일으켜 자신의 신분을 확증하는 사례들이 나옵니다." 가이슬러는 말했다.

"일례로 출애굽기 4장 1절에서 모세는 이렇게 말합니다. '그들이 나를 믿지 아니하며 내 말을 듣지 아니하고 이르기를 여호와께서 네게 나타나지 아니하셨다 하리이다.' 하나님이 어떻게 반응하십니까? 모세더러 지팡이를 땅에 던지라고 하십니다. 지팡이는 즉각 뱀으로 변합니다. 하나님은 다시 뱀의 꼬리를 잡으라고 하십니다. 뱀이 다시 지팡이가 됩니다. 이어 하나님은 5절에서 이렇게 말씀하십니다. '이는 그들로 그 조상의 하나님 곧 아브라함의 하나님, 이삭의 하나님, 야곱의 하나님 여호와가 네게 나타난 줄을 믿게 함이니라.'

갈멜 산의 엘리야도 마찬가지입니다. 일각에서 그의 신분에 도전하자 하나님은 하늘에서 불을 내려 그가 참 선지자임을 확증해 주셨습니다. 예수도 세상에 와서 사실상 이렇게 말한 셈입니다. '내가 하나님의 기적을 행치 않거든 나를 믿지 말라.'[30] 그리고는 기적을 행했습니다. 니고데모도 그것을 인정하고 예수에게 '랍비여, 우리가 당신은 하나님께로서 오신 선생인 줄 아나이다. 하나님이 함께 하시지 아니하시면 당신의 행하시는 이 표적을 아무라도 할 수 없음이니이다'[31]라고 말했습니다.

마호메트에게는 그런 일이 한 번도 없었습니다. 사실 마호메트는 예수를, 죽은 자를 살리신 일을 비롯해 많은 기적을 행한 선지자로 믿었습니다. 이슬람교도 모세와 엘리야가 기적을 행했다는 것을 믿습니다. 아주 재미있는 사실이지요. 코란에는 불신자들이 마호메트에게 기적을 행해 보라며 도전하자 그가 거부했다는 기사가 실려 있습니다. 그는 단순히 코란의 어느 한 장을 읽어 보라고만 했습니다."[32]

"그랬습니까?" 나는 불쑥 물었다.

"예, 마호메트는 친히 '하나님은 분명 이적을 내려보내실 능력이 있다'[33]고 했습니다. 이런 말도 있지요. '사람들은 왜 그에게는 주님으로부터 이적이 내려오지 않는지 물을 것이다.'[34] 예수와는 달리 마호메트가 한 사역에는 기적의 징표가 없습니다. 그가 죽은 지 150년에서 200년이 지난 후에야 그의 제자들이 기적을 만

29 참고 : 버트런드 러셀, "What Is an Agnostic?(불가지론자란 무엇인가?)," 「룩」지, 1953.
노먼 가이슬러, *Baker Encyclopedia of Christian Apologetics*, pp. 455-456에서 인용.

30 요한복음 10:37.

31 요한복음 3:2.

32 참고 : 코란의 Sura 2:118; 3:181-184; 4:153; 6:8,9,37.

33 Sura 6:37.

34 Sura.

들어 내 그가 했다고 기술했을 따름이지요.

반면 세례 요한이 예수가 과연 메시아인지 의문을 제기하자, 예수는 요한의 제자들에게 확신 있게 답합니다. '너희가 가서 보고 들은 것을 요한에게 고하되 소경이 보며 앉은뱅이가 걸으며 문둥이가 깨끗함을 받으며 귀머거리가 들으며 죽은 자가 살아나며 가난한 자에게 복음이 전파된다 하라.'"[35]

35 누가복음 7:22.

내가 그 말을 되새기는 동안 가이슬러는 잠시 말을 멈췄다. 이어 자신의 논리를 요약해서 말했다. "고고학을 통해 입증된 성경의 역사적 신빙성, 명백한 예언 말씀의 기적적 성취, 기적, 이 모든 것을 종합해 볼 때 성경은 역사상 어느 책에도 견줄 수 없는 초자연적으로 확증된 책입니다."

나는 확인하고 싶은 것이 있었다. "그러니까 '나는 성경을 하나님의 영감으로 기록된 책이라 믿는데 그 이유는 성경이 그렇게 말하고 있기 때문이다'와 다른 차원이군요?"

"그렇지요. 그것은 순환 논법입니다. 반대로 내 논리는 '성경은 스스로 하나님의 말씀임을 주장할 뿐 아니라 과연 하나님의 말씀임을 스스로 입증해 보인다'는 것입니다."

아주 위력적인 논리라는 생각이 들었다. 단 성경에 모순이 그토록 많지 않다면 말이다. 여기저기 내용이 서로 틀리다면 어떻게 성경을 믿을 수 있는가? 피차 앞뒤가 맞지 않는 말이 있다면 어떻게 하나님의 영감으로 된 책이라 할 수 있는가?

성경 속 모순

성경에 나타난 소위 모순에 관해 질문을 던지자 가이슬러는 의자 뒤로 몸을 젖히며 웃었다. 그것이야말로 그가 평생 몸바쳐 연구해 온 분야였던 것이다.

"성경에서 소위 앞뒤가 틀리는 부분, 부정확한 부분, 모순되는 부분을 수집하는 것이 내 취미입니다. 지금까지 800개쯤 모았습니다. 몇 년 전 「성경의 난해한 문제들」(*When Critics Ask*, 생명의말씀사 역간)이라는 600쪽 가까운 분량의 책을 공동 집필했는데 거기에 그런 부분들에 대한 의미를 명확히 밝혀 놓았습니다.[36] 내가 말할 수 있는 것은 이것입니다. 내 경험상 반론을 제기하는 비판자들은 언제나 성경 해석의 17가지 원리 중 하나를 위반합니다."

36 노먼 가이슬러 외, 「성경의 난해한 문제들」 생명의말씀사.

"어떤 원리들입니까?" 나는 물었다.

"한 예로, 그들은 설명돼 있지 않으면 무조건 설명이 불가능하다고 간주합니다. 어떤 예리한 비판자가 나한테 '이 문제는 어떻게 된 겁니까?' 하고 물으면, 이 분야를 40년간 연구해 왔음에도 불구하고 분명 내가 답할 수 없는 경우가 있습니다. 그렇다면 그것이 무엇입니까? 성경이 틀렸다는 것입니까? 아니면 가이슬러가 아직 모르는 부분이 있다는 것입니까? 불분명한 부분에서 나는 기꺼이 성경 쪽에 유리하게 해석합니다. 지금껏 800가지 주제를 연구해 오면서 성경에서는 단 하나의 오류도 발견하지 못한 반면 비판자들에게서는 너무나 많은 오류를 발견했기 때문입니다."

나는 고개를 똑바로 들고 물었다. "하지만 불분명한 부분을 성경 쪽에 유리하게 해석하는 것이 정말 타당한 자세입니까?"

"물론입니다." 그는 강하게 말했다. "과학자가 자연에서 이형(異形)을 만나면 과학을 포기합니까? 우주 탐사용 로켓이 목성의 둘레에서 고리를 발견했을 때 그것은 과학적 설명에 어긋나는 것이었습니다. 그것을 설명하지 못했다고 NASA의 과학자들이 모두 사임했습니까?"

"물론 아니지요." 나는 웃으며 말했다.

"그렇습니다. 그들은 포기하지 않았습니다. '아, 다른 설명이 있겠지' 하고 계속 연구했습니다. 나는 바로 그런 자세로 성경에 접근합니다. 처음에는 정확하지 않다고 생각했던 부분도 거듭 정확한 것으로 밝혀졌습니다. 그러니 불분명한 부분을 성경 쪽에 유리하게 해석하지 말아야 할 이유가 무엇입니까? 우리는 미국인이 법정에서 대우받는 방식으로 성경에 접근할 필요가 있습니다. 유죄가 입증될 때까지는 무죄를 가정하는 것 말입니다.

하지만 비판자들은 그 반대지요. 그들은 구약 성경에 나오는 히타이트 족의 존재를 부인했습니다. 이제 고고학자들이 히타이트 족의 도서관을 발굴하자 비판자들은 '그 구절의 성경은 맞다 쳐도 나머지는 받아들일 수 없다'고 합니다. 수백 가지 세부 사항에서 성경의 정확성이 거듭 입증된 만큼 이제 증거를 제시할 차례는 성경이 아니라 비판자들이 아니겠습니까?"

나는 가이슬러에게 성경의 소위 모순을 해결하는 다른 원리들을 간략히 소개해 달라고 했다.

"예를 들어, 본문의 문맥을 이해하지 못하는 경우가 있습니다. 비판자들이 범하는 가장 흔한 실수입니다. 문맥과 상관없이 단어를 뽑아 낸다면 성경 말씀으로 하나님이 없다는 것까지 증명할 수 있습니다. 시편 14편 1절에 보란 듯이 '하나님이 없다' 고 되어 있지 않습니까? 그러나 물론 문맥을 보면 '어리석은 자는 그 마음에 이르기를 하나님이 없다 하도다' 이지요. 이렇듯 문맥은 아주 중요합니다. 비판자들은 문맥을 무시한 채 구절을 떼어놓고, 있지도 않은 모순을 만들어 내는 우를 범하는 경우가 많습니다.

또 다른 실수는 부분적 차이를 잘못이라고 간주하는 것입니다. 마태에 따르면 베드로는 예수를 '그리스도시요 살아 계신 하나님의 아들이시니이다' 라고 했습니다. 그러나 마가는 '주는 그리스도시니이다' 로 기록했고, 누가는 '하나님의 그리스도시니이다' 라고 썼습니다.[37] 비판자들은 이것을 보고 '거보시오! 모두 틀리지 않소!' 합니다. 그럼 나는 말합니다. '틀리기는 어디가 틀렸단 말이오?' 마태는 '주는 그리스도가 아니다' 로 기록하고 마가는 '주는 그리스도이다' 로 기록했단 말입니까? 마태가 내용을 더 자세히 적은 것뿐입니다. 오류가 아니라 상호 보완이지요.

37 마태복음 16:16, 마가복음 8:29, 누가복음 9:20.

그 외의 실수는 이런 것입니다. 난해한 본문을 명확한 본문에 비추어 해석하지 않는 것, 모호한 본문에 가르침의 근거를 두는 것, 성경이 비전문적 일상 언어를 사용하고 있음을 망각하는 것, 성경이 다양한 문학적 기법을 사용하고 있음을 간과하는 것, 성경이 인간의 특성을 지닌 인간의 책이라는 사실을 잊는 것들이지요."

"인간이란 실수하게 마련이지요. 성경이 인간의 책이라면 오류란 불가피한 것 아닙니까?"

내 물음에 가이슬러는 이렇게 답했다. "십계명을 제외하고 성경은 구술을 받아 적은 책이 아닙니다. 성경의 저자들은 성령의 비서가 아닙니다. 때로 그들은 인간에게서 자료를 얻기도 했고 다양한 문학 양식을 사용하기도 했습니다. 기록한 시각과 강조한 관심사가 서로 다르기도 했고 인간의 사고 방식과 감정을 드러내기도 했습니다. 하지만 거기에는 전혀 문제가 없습니다. 그리스도가 철저한 인간이면서 죄가 없으시듯 성경도 철저히 인간의 책이지만 오류가 없습니다."

"하지만 사람들은 분명한 모순을 제기합니다." 내가 끼어들며 말했다.

"예를 들어 어떤 것이지요? 가장 문제 되는 것이 무엇입니까?"

나는 잠시 생각한 뒤 말했다. "마태는 예수의 무덤에 한 천사가 있었다고 하고 요한은 두 천사가 있었다고 합니다. 복음서에는 유다가 스스로 목을 맨 것으로 되어 있는데 사도행전에는 창자가 흘러나왔다고 되어 있지요."

참고 : 마태복음 28:2, 요한복음 20:12, 마태복음 27:5, 사도행전 1:18.

"맞습니다. 흔히들 언급하는 것들이지요. 하지만 금방 앞뒤가 맞아 들어갑니다. 천사에 대해서라면, 잘 생각해 보십시오. 뭐든 둘이 있으면 그 안에 하나도 있는 법 아닙니까? 절대 틀림없습니다. 마태는 천사가 하나뿐이었다고 말하지 않았습니다. 요한은 둘이 있었다고 좀 더 자세히 말한 것이고요.

유다의 경우, 그가 나무나 낭떠러지 끝에 목을 맸다고 합시다. 당시 시체에 손을 대는 것은 율법에 어긋나는 일이었습니다. 그러니 나중에 누군가 지나가다가 유다의 시체를 보고 줄을 끊었겠지요. 부풀어오른 배가 돌 위로 떨어집니다. 성경의 말대로 창자가 터져 나올 수도 있지요. 모순이 아니라 상호 보완입니다."

모든 것을 종합해 볼 때 가이슬러의 말이 옳음을 인정하지 않을 수 없었다. 무신론자 시절의 기억이 났다. 답할 준비가 안된 그리스도인들에게 성경에 나타나는 소위 모순이나 일치하지 않는 구절들을 쉴 새 없이 퍼붓던 일이 있었다. 그들은 답을 못해 당황하며 쩔쩔맸고 그러면 나는 우쭐하며 자만에 빠져 그곳을 떠나곤 했다.

그러나 그들이 답할 수 없다고 답이 없는 것은 아니다. 가나안 족속과 엘리사에 관한 난해한 본문의 경우와 마찬가지로, 역사적 증거를 파헤치며 각 이슈를 면밀히 검토해 보면 반론들은 서서히 위력을 잃곤 했다.

하필이면 왜!

점심 시간이 되어 가면서 배가 고팠다. "뭘 좀 드시겠습니까?" 나는 가이슬러에게 물었다.

"좋습니다. 저쪽에 조그만 샌드위치 가게가 있습니다."

나는 공책을 훑어보았다. 토론하고 싶은 문제를 다 다룬 줄 알았는데 공책에 적어 온 한 인용구가 눈에 띄었다. 많은 사람들이 느끼는 좌절감이 잘 표현된 글이었다. 왜 하나님은 당신을 믿는 것을 이토록 어렵게 만들어 놓으셨을까? 가이슬러에게 이것을 물어보지 않고는 점심을 먹을 수 없었다.

"가기 전에 한 가지만 더 묻겠습니다." 나는 가이슬러에게 좌절에 빠진 한 신앙 구도자의 생생한 글을 읽어 주었다.

"그러니까 지옥을 피하고 싶다면 나도 뱀이 하와에게 말했다는 것, 처녀가 하나님을 통해 잉태했다는 것, 고래가 선지자를 삼켰다는 것, 홍해가 갈라졌다는 것 등 온갖 괴상망측한 일들을 믿어야만 한다는 말이지. 글쎄, 하나님이 나를 그렇게 간절히 원한다면… 왜 자기를 믿는 일을 이렇게… 불가능하게 만들어 놓았을까?… 내가 보기에 전능한 하나님이라면 사람들에게 자기 존재를 믿게 하는 일을 어떤 전도자보다 훨씬 잘 할 수 있을 것 같은데… 그냥 하늘에 크게 또박또박 쓰는 거야. '에드, 여기 증거가 있다. 나를 믿든지 지옥에 가든지 알아서 해라! - 전능자 씀.'"[38]

나는 가이슬러를 올려다보며 말했다. "에드에게 뭐라고 하시겠습니까?"

가이슬러는 잠시 생각에 잠긴 뒤 답했다. "내 대답은 하나님이 이미 그렇게 하셨다는 것입니다. 시편 19편 1절에 이런 말씀이 있습니다. '하늘이 하나님의 영광을 선포하고 궁창이 그 손으로 하신 일을 나타내는도다.'[39] 사실 온 하늘에 너무나 선명히 쓰여 있어서 별을 연구하는 과학자들이 앞다투어 그리스도인이 될 정도입니다.

천문학의 권위 있는 상을 수상한 위대한 우주학자 앨런 샌디지(Allan Sandage)는 '존재의 기적에 대한 설명'[40]은 하나님뿐이라고 결론지었습니다. 하나님의 존재를 피해 보려고 우주의 나이가 무한하다는 정상(定常) 우주론을 고안한 프레드 호일(Fred Hoyle) 경 역시 우주의 이성적인 설계자를 믿는 신자가 되었지요.

토론토 대학교에서 천문학 박사 학위를 받고 준성(準星)과 은하계를 연구한 천체 물리학자 휴 로스(Hugh Ross)는 과학적, 역사적 증거가 '성경의 진실성에 대한 내 확신을 깊이 뿌리내리게 해주었다'[41]고 고백했습니다. 마운트 윌슨 천문대 소장이자 고다드 우주 연구소 창설자이며 자칭 불가지론자인 로버트 재스트로(Robert Jastrow)도 빅뱅이 하나님을 뒷받침한다고 결론지었습니다. 나는 수리 물리학자 로버트 그리피스(Robert Griffiths)의 말이 마음에 듭니다. '토론 상대로 무신론자가 필요하거든 철학과로 가 보십시오. 물리학과는 별 도움이 못됩니다.'[42] 리, 증거는 너무나도 분명합니다."

나는 버트런드 러셀 같은 회의론자의 경우에는 그렇지 않았다고 한 뒤, 러셀의 말을 환기시켜 주었다. "그는 자기가 하나님 앞에 서서 왜 하나님을 믿지 않았느냐 질문을 받으면 충분한 증거가 주어지지 않아서라고 답하겠다고 했습니다."

가이슬러는 버트런드 러셀이 한 다른 말을 지적해 주었다. 역시 그는 무신론자와 불가지론자의 어록을 수집하는 것이 취미인 게 분명하다. "그는 「룩」지와의 인터뷰에서 '어떤 조건이 충족되면 하나님을 믿겠습니까?' 라는 질문을 받고 이렇

38 「너는 왜 하나님을 믿느냐」 미션월드라이브러리.

39 영어 원문 : 개정표준역(RSV).

40 John Noble Wilford, "Sizing Up the Cosmos : An Astronomer's Quest(우주 측정 : 한 천문학자의 질문)," 「뉴욕 타임스」지, 1991년 3월 12일자. *Creator and the Cosmos*(창조주와 우주), NavPress, 1993, p. 116에서 인용.

41 *Creator and the Cosmos*, p. 17.

42 로버트 재스트로, "The Secret of the Stars," 「뉴욕 타임스」지, 1978년 6월 25일자. *Creator and the Cosmos*, p. 116.에서 인용.

게 말했습니다. '글쎄요, 하늘에서 소리를 듣는다면, 그리고 그 소리가 일련의 사건들을 예언하고 과연 그대로 이루어진다면, 그때는 나도 초자연적 존재를 믿을 수밖에 없겠지요.'"[43]

43 각주 29와 같음.

성경의 예언적 말씀이 어떻게 기적적으로 성취되었는지 지금까지 우리가 토의한 내용을 근거로 러셀이 한 말의 아이러니는 명백했다.

"이렇게 말해 주고 싶습니다. '러셀, 하늘에서 이미 소리가 있었습니다. 그 소리는 많은 일들을 예언했고 우리는 그것이 어김없이 성취되는 것을 보아 왔습니다.'" 가이슬러는 그렇게 잘라 말했다.

"그러니까 하나님은 사람들이 당신을 믿기 어렵게 만들지 않았다는 것이 박사님 생각입니까?"

"물론입니다. 정말 볼 마음이 있는 사람들에게는 이미 증거가 주어졌습니다. 사람들이 하나님을 등지는 것은 증거가 부족해서가 아니라 자기의 교만이나 의지 때문입니다. 하나님은 누구도 억지로 떠밀어 양떼 속으로 집어넣지 않습니다. 사랑은 절대 강요로 되지 않습니다. 오직 설득으로만 됩니다. 설득력 있는 증거는 얼마든지 많이 있습니다."

나는 하나님이 왜 이렇게 믿기 어렵게 만들어 놓았느냐고 물었던, 그 인용구 주인공의 정체를 밝혀야 할 책임을 느꼈다. 나는 가이슬러에게 그의 이름은 에드워드 보이드(Edward Boyd)이고, 그 글은 그가 크리스천 철학자인 아들 그레고리 보이드(Gregory Boyd)에게 보낸 편지라고 말해 주었다. 그들 부자는 계속 서신 교환을 통해 기독교의 증거에 대해 토론을 벌이곤 했고 1992년, 회의론자였던 에드워드 보이드는 스스로 증거를 저울질한 끝에 마침내 그리스도의 제자가 되기로 결단했다.[44]

44 「너는 왜 하나님을 믿느냐」 미션월드라이브러리.

가이슬러는 사연을 듣고 미소를 지으며 자신의 개인적 신앙으로 이야기를 마무리지었다. 그의 어조가 사적으로 바뀌면서 자못 시적이기까지 했다.

"나도 사도 베드로와 똑같이 고백합니다. '주여, 영생의 말씀이 계시매 우리가 뉘게로 가오리이까?'[45] 그분은 스스로 하나님이라 주장하셨을 뿐 아니라 과연 하나님으로 입증되신 유일한 분입니다. 이것을 다른 모든 종교, 다른 주장을 편 사람들을 향해 말한다면 이와 같다고 하겠습니다. '밤은 천 개의 눈을 가졌으나 낮의 눈은 하나뿐. 해가 저물면 온 세상의 빛이 스러진다.'"

45 요한복음 6:68.

가이슬러의 목소리는 나지막했지만 여전히 힘이 있었다. "무지의 한밤중에는 하늘에 빛이 많습니다. 그러나 한낮에는 빛이 하나뿐입니다. 바로 세상의 빛이신 예수 그리스도입니다. 그분의 실체에 대한 증거를 바탕으로 볼 때, 그분께 필적할 만한 존재는 아무도 없습니다.

그래서 나는 그분과 운명을 같이합니다. 지혜를 주장한 공자도 아니고 해탈을 주장한 부처도 아니고 선지자로 자처한 마호메트도 아닙니다. 자신을 인간의 몸을 입은 하나님이라 주장하신 바로 그분입니다. '아브라함이 나기 전부터 내가 있느니라'[46]고 주장하시고 그대로 입증해 보이신 바로 그분입니다."

46 요한복음 8:58.

최종 진술

1. 하나님의 성품 중 당신의 신앙 여정에 '껄끄러운 문제'가 될 만큼 의심스러운 부분은 무엇인가?

2. 성경이 충분히 신뢰할 만하다고 할 때, 여전히 불분명한 부분을 성경 쪽에 유리하게 해석하는 것이 타당하다고 생각하는가? 그 이유는 무엇인가?

3. 당신의 믿음에 방해가 되는 가장 큰 장애물은 무엇인가? 그 장애물을 극복하기 위해 구체적으로 취할 수 있는 방안은 무엇인가?

4. 성경에서 앞뒤가 안 맞거나 모순으로 보이는 부분 때문에 난처한 적이 있는가? 당신의 질문을 간략히 정리하여 인터넷과 도서관 자료를 활용, 납득할 수 있는 설명을 찾아 보라.

증거 자료

- Norman Geisler, *Baker Encyclopedia of Christian Apologetics*, Baker, 1999.
- Norman Geisler & Ronald Brooks, *When Skeptics Ask*, Victor, 1990.
- Gleason L. Archer, *Encyclopedia of Bible Difficulties*, Zondervan, 1992.
- Walter C. Kaiser Jr., Peter H. Davids, F. F. Bruce & Manfred T. Brauch, *Hard Sayings of the Bible*, InterVarsity Press, 1996.
- 노먼 가이슬러 · 토머스 하우, 「성경의 난해한 문제들」, 생명의말씀사
- 노먼 가이슬러, 「성경 무오 : 도전과 응전」, 엠마오
- 월터 카이저, 「구약 난제 해설」, 생명의말씀사

왜 예수만이 유일한 길인가?

나는 이 신앙이 저 신앙보다 우월하다고 말하는 종교는 절대 반대한다. 영적으로 인종 차별하는 것이 아닌가. 그것은 우리가 너희보다 하나님과 더 가깝다는 뜻으로, 바로 거기서 증오가 싹튼다.

—랍비 슈물리 보티치(Schmuley Boteach) [1]

모세는 율법을 전달할 수 있고 마호메트는 검을 휘두를 수 있다. 부처는 개인적 조언을 들려줄 수 있고 공자는 지혜의 말을 들려줄 수 있다. 그러나 이들 중 어느 누구도 세상의 죄를 대속할 자격은 없었다. 오직 그리스도만이 무한한 헌신과 섬김을 받으실 자격이 있다.

—신학자 R. C. 스프라울(Sproul) [2]

1 http://cnn.com/Transcripts/0001/12/lkl.00.html

2 *Reason to Believe*(믿는 이유), pp. 44-45.

월터 채플린스키(Walter Chaplinsky)는 종교에 대한 주관이 강한 사람으로 그것을 거리낌없이 표출했다. 1940년 뉴햄프셔 로체스터에서 한바탕 소동이 일어났다. 그가 기성 종교를 '사기극'이라고 욕하면서 몇몇 기독교 교단을 이름까지 대가며 비난했던 것이다. 그는 체포되어 뉴햄프셔 주 법에 따라 유죄 판결을 받았다. '거리나 공공 장소에서 사람에게 모욕이나 조롱, 불쾌한 말을 하는 행위'는 범죄에 해당했던 것이다.

그러나 채플린스키는 언론의 자유를 침해당했다며 미국 대법원에까지 상소했다. 1942년 대법원 판사들은 만장일치로 그의 유죄를 확정했다. 그가 큰소리로 내뱉은 '도전적인 말'은 언론의 자유를 보장한 헌법 수정 제1안을 벗어난다는 판결이었다.[3] 그로부터 30년 후 고등법원은 '도전적인 말'의 정의를 '일신상 모멸감을 줄 수 있는 말로, 본질상 폭력 행위를 유발할 가능성이 농후한 것'[4]이라 명시했다.

'도전적인 말'은 사람들 속에 노골적 반감을 유발하여 속이 뒤집히게 하고 주먹을 불끈 쥐게 한다. 이 불쾌한 발언은 상대의 가장 소중한 신념을 공격하여 듣는 이의 심중 깊이 비수처럼 꽂힌다. 사실상 상대를 조롱하여 맹렬한 복수극을 유발하는 것이다. 일부 사람들에게 예수 그리스도의 다음 말이 그렇게 불쾌하게 들릴 것이다. "내가 곧 길이요 진리요 생명이니 나로 말미암지 않고는 아버지께로 올 자가 없느니라."[5]

하나님께 가는 유일한 길은 반드시 나사렛 예수를 통하는 것이라는 그리스도인의 주장은 어떤 사람들에게는 오만과 독선과 고집으로 여겨진다. 종교 다원주의와 상호 존중의 시대에 그런 배타적 주장은 정치적 오류요, 다른 신앙 체계의 뺨에 언어 폭력을 가하는 일이다. 다원론자 로즈메리 래드포드 루더(Rosemary Radford Ruether)는 그것을 '허무맹랑한 종교적 쇼비니즘'[6]이라 못박았고, 한 유대교 랍비는 그것을 거만한 우월적 태도를 부추기는 '영적 독재'로 표현하면서 바로 그런 신앙이 다른 이들을 향한 증오와 폭력으로 이어질 수 있다고 말했다.[7]

분명 오늘날에는 인도의 철학자 스와미 비베케난다(Swami Vivekenanda)가 표현한 것 같은 접근이 훨씬 쉽게 받아들여진다. 그는 1893년 세계 종교 회의에서 "우리 '힌두교도'는 모든 종교를 진리로 받아들인다"며, 다른 사람을 죄인이라고 부르는 것이야말로 진짜 죄라고 말했다.[8]

시간과 장소, 문화와 사람을 초월하여 만국 공통의 진리가 되는 존재를 인정하지 않는 현대의 상대주의 문화에는 그런 개방적이고 자유주의적인 태도가 어울린다. 사실 현재 미국인 중에는 그런 진리의 존재를 부인하는 사람이 2/3에 달한다.[9]

무신론자 시절에 나 역시, 종교에 다가가는 유일한 바른 길을 자기네가 독점하고 있다는 기독교의 주장에 격분하곤 했다. "도대체 자기들을 뭐라고 생각하는 거야? 자기들이 뭐라고 다른 사람들을 판단하는 거야? 예수의 사랑은 다 어디 갔어?" 그런 불만이 새어나왔다.

찰스 템플턴은 예수 외에는 "천하 인간에 구원을 얻을 만한 다른 이름을 우리에게 주신 일이 없다"[10]는 성경의 주장을 '참을 수 없는 오만'[11]으로 보았다. 템플턴은 이렇게 덧붙였다.

3 참고: Robert J. Wagman, *The First Amendment Book*(헌법 수정 제1안), Pharos Books, 1991, p. 106. 채플린스키 대 뉴햄프셔, 315 U.S. 568(1942) 판례 참고.

4 코헨 대 캘리포니아, 403 U.S. 15(1971) 판례 참고.

5 요한복음 14:6.

6 참고: *The Myth of Christian Uniqueness*(기독교 독특성의 신화), SCM Press, 1987, p. 141. Paul Copan, *True for You, But Not for Me*(당신에게는 진리이지만 내게는 아니다), Bethany House, 1998, p. 78에서 인용.

7 각주 1과 같음.

8 *True for You, But Not for Me*, p. 34.

9 Ravi Zacharias, *Can Man Live Without God*(인간은 하나님 없이 살 수 있는가), Word, 1994, 찰스 콜슨의 서문.

10 사도행전 4:12.

11 *Farewell to God*, p. 27.

12 위의 책.

"그리스도인은 작은 소수에 지나지 않는다. 지구상에서 대략 5명 중 4명 꼴로 기독교가 아닌 다른 종교의 신을 믿는다. 이 땅에 살고 있는 50억 이상의 사람들이 300가지가 넘는 신을 받들고 섬기고 있다. 정령 숭배자나 부족 종교까지 합한다면 그 수는 3천 가지를 넘어설 것이다. 그런데도 그리스도인들만이 옳다고 믿어야 하는가?"[12]

전 세계 인구가 숭배하는 신들의 숫자를 턱없이 적게 말하기는 했지만 템플턴의 요지는 분명하다. 예수의 배타성은 오늘날 신앙을 찾으려는 이들에게 큰 장애물 중 하나이다. 이처럼 민감한 주제라면 반드시 전문가와 얘기할 필요가 있다. 명석한 지성, 건전한 철학적 배경, 세계의 다양한 종교에 대한 광범위한 지식과 경험을 갖춘 사람이라야 한다. 인도에서 나고 자란 래바이 재커라이어스(Ravi Zacharias)야말로 그런 기준에 꼭 맞는 사람이었다. 나는 조지아 주 애틀랜타 교외에 있는 그의 사무실로 찾아갔다.

http://www.gospelcom.net/rzim/

| 다섯 번째 인터뷰 |

래바이 재커라이어스 박사

"인도의 옛 속담에, 코를 만지는 데는 두 가지 길이 있다는 말이 있습니다." 래바이 재커라이어스는 까만 양복저고리를 벗고 자기 사무실의 둥근 목재 탁자 앞에 앉으며 내게 그렇게 말했다.

"이런 방법도 있고." 그는 앞으로 손을 뻗어 자신의 코를 만지며 말했다. 그리고는 머리 뒤로 손을 돌려 반대쪽으로 코를 만지면서 "이런 방법도 있습니다" 하고 웃었다.

다시 말해 인도인들은 너무 빨리 요점으로 들어가기보다는 먼 우회로를 거쳐 해답에 이르는 쪽을 좋아한다는 것이다. 그것은 재커라이어스의 모습이기도 하다. 그는 빈틈없고 조리 있는 기독교 옹호자 중 한 사람으로 명성을 얻었다.

마음은 유하지만 지성은 면도날처럼 날카로운 재커라이어스에 대해 빌리 그레이엄은 "놀라운 영적 감식력과 지적 순전함을 갖춘 사람"[13]이라 평한 바 있다. 재커라이어스는 기독교, 철학, 세계 종교, 이단 등에 관해 전 세계 50여개 국에 걸친 수많은 대학에서 강연해 왔다. 그의 저서로는 하버드 대학에서의 통찰력 있는 연속 강의를 중심으로 꾸민 *Can Man Live Without God*(인간은 하나님 없이 살 수 있는가), *A Shattered Visage : The Real Face of Atheism*(부서진 얼굴 : 무신론의 진면모), *Deliver Us From Evil*(우리를 악에서 구하소서), *Cries of the Heart*(마음의 절규), *Jesus Among Other Gods*(다른 신들 속의 예수) 등이 있다. 1999년에는 그의 첫 아동 도서 *The Merchant and the Thief*(상인과 도둑)가 간행되기도 했다.

13 *Can Man Live Without God*, 뒤표지.

재커라이어스는 트리니티 복음주의 신학대학원에서 신학 석사를 받았고, 케임브리지 대학교 객원 학자를 지낸 바 있다. 하우턴 대학교, 틴데일 신학대학원에서 각각 명예 신학 박사(D.D.)를, 애즈베리 대학교에서 명예 법학 박사 학위를 받았다. 그는 얼라이언스 신학대학원에서 전도와 현대 사상 학과장을 역임하기도 했다.

현재 재커라이어스는 미국, 캐나다, 인도, 영국에 사무실을 두고 있는 '래바이 재커라이어스 국제 사역' 대표를 맡고 있다. 아내 마가렛과의 사이에 세 자녀를 두었다.

재커라이어스는 당당한 체구에 소년 같은 미소를 지닌 사람이다. 적당히 보기 좋은 구릿빛 피부는 눈부실 정도로 하얀 머리칼과 좋은 대조를 이룬다. 부드럽고 걸쭉한 목소리에는 인도인 특유의 말투와 억양이 배어 있다. 그는 내게 더할 나위 없이 정중한 예우를 해 주었다. 곧 외국 방문 길에 오를 참인 그의 뒤에서 직원들이 준비에 열을 올리고 있었는데도 아낌없이 시간을 내어 인터뷰에 온전히 집중해준 것이다.

내가 그를 찾은 것은, 자신이 하나님께 가는 유일한 길이라는 예수의 주장에 대해 질문을 던지기 위해서였다. 그 말은 예수가 제자 도마에게 한 말이다. 전승에 따르면 한때 의심 많던 도마는 부활한 예수를 만나 믿음이 굳건해져 위험을 무릅쓰고 인도 땅 깊숙이 들어가 기독교의 메시지를 전하다 결국 마드라스 근처에서 살해당했다고 한다. 재커라이어스는 도마의 순교를 기려 세워진 기념관에서 불과 10킬로미터 떨어진 곳에서 태어났다.

어떤 의미에서 재커라이어스의 신앙 여정은 도마의 삶을 닮았다. 이름뿐인 그리스도인으로 어린 시절을 보낸 재커라이어스는 17세 때 미국인 전도자가 인도한 전도집회에서 말씀을 듣고 일단 믿음을 가졌다. 그러나 그는 인생의 허무를 이기지 못해 자살을 시도, 병원에 실려가게 된다. 이 경험을 통해 그는 완전히 헌신된

⬆ 마드라스 근처에 있는 도마 순교 유적지.

예수의 제자가 되었고 전 세계 곳곳을 돌아다니는 인도의 선교사가 되었다.

그는 이슬람교도, 힌두교도, 시크교도들 사이에서 자라났다. 이런 다중 문화, 다중 종교의 환경이 그리스도의 배타성이라는 난제에 있어 그의 시각을 한층 풍부하게 해 주었으리라는 생각이 든다. 그가 차를 조금씩 마시는 사이 나는 가방에서 공책을 꺼내 즉시 그 주제로 들어갔다.

기독교의 오만

"죄송하지만 단도직입적으로 말씀드리겠습니다." 나는 질문의 서두를 꺼냈다. "예수가 하나님께 가는 유일무이한 길이라는 그리스도인들의 주장은 극히 오만한 것 아닙니까? 그들은 왜 자기들만 맞고 세상의 다른 사람들은 다 틀렸다는 말을 정당한 주장인 양 내세웁니까?"

억양과 보수적인 정장 차림-빳빳한 흰색 셔츠와 연한 색조의 넥타이-에서 격식 있는 인상이 풍겨나기는 했지만 재커라이어스의 대답에는 시종 상대의 마음을 잡아끄는 열정과 온기가 배어 있었다.

"리, 내가 자주 듣는 질문입니다. 특히 동양에서 많이 듣지요." 그는 기운찬 목소리로 말했다. 눈빛에서 깊은 관심을 느낄 수 있었다. "내가 맨 먼저 하는 일은, 그 말에 담긴 잘못된 정보부터 해결하는 것입니다."

"잘못된 정보요? 무엇이 말입니까?" 나는 물었다.

"첫째, 배타성을 주장하는 종교는 비단 기독교만이 아니라는 사실을 이해해야 합니다. 이슬람교도 철저히 배타성을 주장합니다. 신학적으로만 그런 것이 아니라 언어적인 면에서까지 그렇습니다. 회교도들은 코란이야말로 이슬람의 독점적이고 완전무결한 기적이라고 믿습니다. 게다가 그들의 주장에 따르면 코란은 아랍어로 읽어야만 뜻이 통합니다. 다른 언어로 번역하는 것은 코란을 속되게 하는 일입니다. 아랍어에 대한 기본적 이해 정도가 아니라 정교한 수준까지 다다라야 코란을 이해할 수 있습니다.

불교도 마찬가지입니다. 고타마 싯다르타가 힌두교의 두 가지 근본 주장, 즉 힌두교 경전인 베다의 궁극적 권위와 카스트 제도를 거부하면서 생겨난 것이 불교입니다. 따라서 힌두교에 배타적인 입장을 취합니다. 힌두교 자체도 두세 가지 문제에는 절대 타협이 없습니다. 첫째는 업보의 법칙입니다. 모든 출생을 전생에 대한 상벌의 환생으로 해석하는 도덕적 인과응보의 법칙이지요. 둘째는 베다의 권위이고 셋째는 윤회입니다."

나는 여기서 말을 잘랐다. 그리고는 앞에 소개했던 스와미 비베케난다의 말을 떠올리며 이렇게 말했다. "하지만 나는 힌두교도들이 힌두교야말로 아주 개방적인 종교라고 꽤 점잖게 말하는 것을 여러 번 들었습니다."

그는 웃으며 말했다. "그 말을 액면 그대로 받아들여서는 안 됩니다. 그 말의 속뜻은 이런 것입니다. 힌두교가 당신의 종교를 인정하는 것은 그것이 힌두교가 말하는 진리의 개념에 부합할 때 한해서입니다. 힌두교의 진리 개념은 혼합주의입니다." 혼합주의란 상이한 신앙은 물론 심지어 상반된 신앙까지 한데 융합하려는 시도이다.

그의 말은 계속되었다. "시크교는 힌두교와 불교 둘 다에 반대하여 생긴 종교입니다. 그런가 하면 무신론자들은 하나님을 믿는 사람들을 거부합니다. 심지어 모든 종교를 다 끌어들였다고 주장하는 바하이교도 배타주의자는 배제합니다! 따라서 오만한 그리스도인의 배타성 주장은 다른 주요 종교들도 똑같이 하고 있다는 점을 간과한 것입니다. 그러므로 오만하다는 것은 기독교에 대한 논리적 공격이 될 수 없습니다."

내가 다음 질문을 막 시작하자 재커라이어스는 내용을 미리 알아차리고 중간에 끼어들어 대신 말을 이어갔다.

"박사님이 믿기에 모든 진리는 …" 내가 꺼낸 말은 그것이었다.

"원칙적으로 배타적이냐고요? 물론입니다. 당연한 말입니다. 진리가 뭔가를 배제하지 않는다면 그것은 진리 주장이 아닙니다. 그저 의견 진술일 뿐이지요. 진리 주장은 거기에 어긋나는 것은 잘못됐다는 뜻을 담고 있습니다. 진리는 그 반대를 배제합니다."

"거기 반대하는 사람들도 있습니다." 나는 말했다.

"그렇지요. 하지만 생각해 보십시오. 진리의 배타성을 거부하는 것은 그 자체로 또 하나의 진리 주장입니다. 그렇다면 그 사람 역시 오만한 것 아닙니까? 이것은 비판자들이 미처 생각해 보지 못한 부메랑 효과입니다. 내가 곧 길이요 진리요

고타마 싯다르타
(Gautama Siddhartha)
2500년 전 네팔 카필라 성 룸비니에서 샤카족(샤카모니, 즉 석가모니) 슛도나다 왕의 장남으로 태어났다. 싯다르타는 뜻을 다 성취할 자라는 뜻으로 그의 본명이다. 35세에 보리수 아래에서 도를 깨닫고 80세에 쿠시나가르 국의 사라나무 아래에 누워 육체를 벗었다.

혼합주의
(Syncretism)
이질적인 철학사상이나 종교적 교의, 의례 등을 절충 · 통합하려는 절충주의. 선교에서의 '상황화'와는 다른 차원으로 혼합주의 여부는 그리스도의 유일성에 대한 확고한 신념을 기준으로 판단한다. 중국에서 예수회의 전례 논쟁을 두고 거론되기도 했다.

바하이교(Baha' ism)
이란인 바하 알라(1817~1892)가 창시한 이슬람교 시아파(派) 계열의 종교. 한국에는 1966년 한국 바하이 전국정신회가 구성되었다.

생명이라는 예수의 주장에 담겨 있는 의미는 첫째, 진리란 절대적인 것이요, 둘째, 진리란 알 수 있다는 것입니다. 그분의 배타성 주장은 그분의 말씀에 어긋나는 것이라면 무엇이든 원칙적으로 틀렸다는 의미입니다."

"그렇게 믿는 것과 그것을 교만이나 우월감이 내비치지 않게 남에게 전하는 것은 별개의 문제입니다. 하지만 그리스도인들은 좀 거만하게 말할 때가 많지요." 나는 말했다.

재커라이어스는 한숨을 내쉬었다. 너무나 자주 접하는 도전이었던 것이다. "맞습니다. 사랑이 뒷받침되지 않을 때 진리는 오히려 반감을 불러일으키고 진리의 소유자는 비위를 상하게 합니다. 인도에서 힌두교도 친구, 회교도 친구, 불교도 친구, 시크교도 친구들과 두루 함께 자라다 보니 그리스도인에 대한 그들의 비난에 적잖이 공감이 갑니다. 우리는 기독교의 방법론을 어느 정도 재고할 필요가 있습니다. 폭력과 적대와 적의는 그리스도의 사랑에 어긋나는 것입니다. 사랑 없는 방식으로 그리스도의 사랑을 전할 수는 없습니다.

인도에는, 상대의 코를 벤 뒤에는 아무리 장미향을 맡으라고 꽃을 줘도 소용없다는 속담이 있습니다. 한 그리스도인의 오만한 태도로 누군가의 마음 문이 닫혀 버린다면 그 사람은 앞으로 기독교의 메시지를 받아들이기 어려울 것입니다. 마하트마 간디는 '나는 그리스도는 좋지만 그리스도인은 싫다'고 말했고, 프리드리히 니체는 '그리스도인이 좀 더 구원받은 자답게 보인다면 나도 그들의 구원자를 믿을 것이다'라고 말했습니다. 이런 말의 요지를 우리는 심각히 받아들여야 합니다."

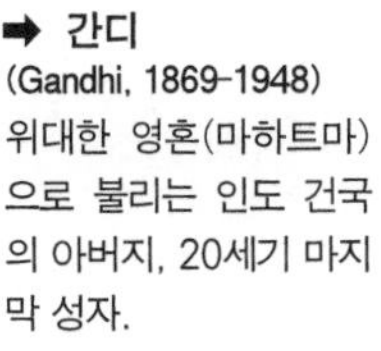

➡ 간디
(Gandhi, 1869-1948)
위대한 영혼(마하트마)으로 불리는 인도 건국의 아버지, 20세기 마지막 성자.

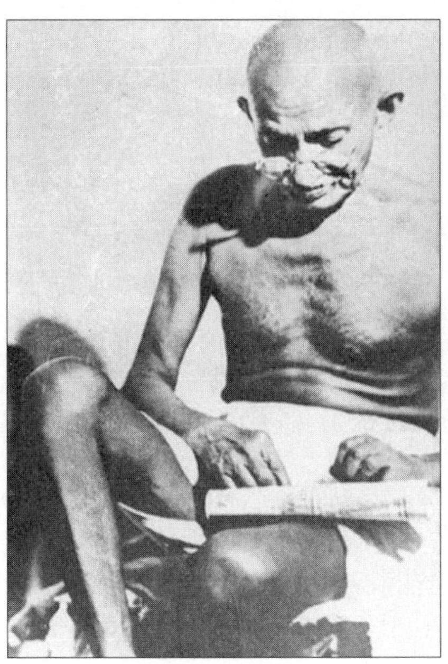

이어 그는 이렇게 덧붙였다. "배타적인 진리를 사랑으로 주장하는 것은 가능한 일입니다. 과학자가 '이것이 열역학 제2의 법칙입니다'라고 아주 부드럽게 말할 수 있는 것과 마찬가지입니다. 과학자는 굳이 이런 말은 덧붙이지 않아도 됩니다. '이제 우리 중에 이 법칙에 따를 수 있는 자를 투표로 결정할까요?' "

"그러니까 그리스도인에 대한 비난은 정당할 때가 많군요?"

"그렇습니다. 우리는 문화적으로 민감한 사안에 무조건 맞부딪칠 때가 있습니다. 하지만 오늘날 동양 종교들도 이 부분에 있어서 자기 성찰의 소지가 많습니다. 나는 기독교 국가에서 인종 갈등이나 정치 싸움을 제외하고 단순히 다른 종교를 믿는다는 이유로 사람의 목숨이 위태로운 경우는 거의 보지 못했습니다. 그러나 지금도 파키스탄, 사우디아라비아, 이란 등에서는 그리스도의 제자가 되는 순간 자신과 가족의 목숨을 내놓아야 합니다."

나도 최근 읽은 신문 기사들을 통해 그 말이 사실임을 알고 있었다. 재커라이어스의 고국인 인도에서도 최근 몇 년 사이 그리스도인들이 무장 힌두교도에게 살해당한 일이 있었다. 그러나 사람들이 불쾌감을 느끼는 것은 신앙 전파 방법 때문이 아닐 수도 있다. 단순히 기독교 메시지 자체에 대한 반응일 때도 있는 것이다.

"가장 완벽한 삶을 사신 분도 결국 십자가에서 죽어야 했습니다." 재커라이어스는 말했다. "진리에 대한 저항은 너무 강렬해서 상대가 아무 잘못이 없을 때에도 여전히 폭력과 미움을 품을 수 있습니다."

네 가지 근본 문제

누구나 자기가 하나님께 가는 유일한 길이라고 주장할 수 있다. 사실 역사상 그런 주장을 편 이상한 사람들이 꽤 있었다. 진짜 관건은 예수의 이 주장이 사실이라는 근거가 무엇이냐는 것이다.

"박사님은 어떤 근거로 예수의 주장을 사실로 믿습니까?" 나는 재커라이어스에게 물었다.

"그렇지요. 그것이 질문의 핵심입니다." 그는 고개를 끄덕이며 대답했다. "우선은 예수의 부활 때문입니다. 부활 사건은 예수가 하나님의 아들임을 입증했습니다. 부활이 사실이라면 예수의 신성에 반대되는 주장을 펴고 있는 다른 모든 종교 체계는 진리일 수 없습니다. 그런데 예수의 부활에 관한 역사적 기록은 저항할 수 없을 만큼 설득력이 강합니다.

다른 한편, 우리는 모든 종교가 답을 구하는 네 가지 근본 문제를 통해 예수의 주장이 옳은지 알 수 있습니다. 바로 기원, 의미, 도덕, 운명의 네 가지입니다. 나는 이들에 대해 예수 그리스도만이 현실적인 답을 준다고 믿습니다. 그분의 답에는 일관성이 있습니다."

퍽 과감한 진술이었다. "그 네 가지에 있어서 다른 종교들이 어떻게 자격 미달인지 예를 들어 설명해 주시겠습니까?"

"불교를 생각해 보십시오. 기원과 도덕 면에서 부처의 답은 일관성이 없습니다. 불교는 무신론은 아닐지 몰라도 엄격히 말해 비(非)신론 종교입니다. 창조주가 없다면 인간의 도덕법은 어디서 왔다는 말입니까? 힌두교의 윤회는 어떻습니까? 모든 출생이 환생이며 모든 생애가 전생의 상벌이라면 최초의 생애는 무엇에 대한 상벌입니까? 논리적으로 함정이 있습니다."

그는 다른 종교들을 헐뜯으려는 것이 아님을 재빨리 덧붙인 뒤 말을 이었다. "위대한 학자들도 논리가 맞지 않음을 지적할 것입니다. 심지어 간디도 만일 자기 뜻대로 할 수만 있다면 힌두교 경전에서 일부를 삭제하고 싶다고 말했습니다. 모순이 너무 심하기 때문이지요. 반면 예수의 답은 다른 종교들과는 달리 현실에 부합하고 내적 연관성도 있습니다."

자세한 설명이 요구되는 말이었다. "하나씩 차례로 그 내용을 말씀해 주십시오." 나는 말했다.

"좋습니다. 먼저 기원에 관해, 성경은 힌두교의 주장과 반대로 우리가 하나님과 같지 않고 하나님과 별개의 존재라고 말합니다. 우리는 저절로 생겨난 존재가 아니라 하나님의 피조물입니다. 하나님의 형상대로 창조되었다는 사실이 인간의 도덕적 준거입니다. 유일신 종교가 아니고는 어떤 종교도 그것을 설명할 수 없습니다. 인간의 도덕적 준거를 설명하지 못하기는 자연주의자들도 마찬가지입니다. 이 도덕적 준거를 인간은 현실 속에서 경험합니다. 기독교는 인간이 하나님의 뜻을 거부했다고 합니다. 동산의 유혹자는 인간이 열매를 먹는 순간 하나님과 같아져 선악을 알게 된다고 말했는데 곧 인간이 선악의 규정자가 된다는 뜻입니다. 바로 거기서 인본주의가 태동했습니다. 인간이 모든 것의 기준이 된 것이지요. 하나님을 향한 의지적 반역과 거부는 인간의 현실에서 확인됩니다. 말콤 머거리지(Malcolm Muggeridge)의 말대로 인간의 타락은 경험적으로 가장 분명한 실체인 동시에 철학적으로 가장 거부되는 실체입니다.

말콤 머거리지
(1903-1990)
BBC 프로듀서로서 캘커타의 성녀 테레사 수녀를 취재하고 가톨릭으로 회심한 작가 겸 언론인, 전직 사회주의자. 그의 책 *Something Beautiful for God*은 테레사 수녀를 세계인의 가슴에 아로새긴 작품이다.

둘째, 의미의 문제입니다. 여기서도 기독교 신앙은 타의 추종을 불허합니다. 이것을 가장 간단히 표현하면 이렇습니다. 하나님은 착한 사람이 되라는 의미로 우리를 부르시지 않습니다. 서로 사랑하라는 의미로 부르시지도 않습니다. 의미는 오직 예배 안에서만 존재하는 것입니다. 즐거움 이상의 그 무엇이 의미를 제공하는데, 곧 예배 안에서 끊임없이 새로워지는 하나님 자신입니다. 성경은 우리에게 마음과 목숨과 뜻을 다해 주 하나님을 사랑하라고 말하는데, 그것이 전제될 때에만 이웃을 내 몸처럼 사랑할 수 있게 됩니다. 이것 역시 경험으로 확인됩니다.

셋째, 기독교는 도덕의 기반을 문화에 두지 않고 하나님의 성품 자체에 둔다고 말합니다. 그렇지 않다면 우리는 '도덕법은 인간 위에 있는 것인가 인간에게 부속된 것인가?' 라는 케케묵은 철학적 딜레마를 벗어나지 못할 것입니다. 도덕법이 인간 위에 있다면 그 뿌리는 어디란 말입니까? 그것을 설명할 수 있는 유일한 방법은 그 뿌리를 영원하고 도덕적이며 전능하고 무한하신 하나님 안에서 찾는 것입니다. 하나님과 하나님의 성품은 불가분의 관계입니다. 이렇듯 기독교의 도덕에 대한 설명은 앞뒤 조리가 맞습니다.

넷째, 인간의 운명은 예수 그리스도의 부활을 기반으로 합니다. 부활은 그분의 신성을 확증한 사건이자 그분을 따르는 모든 이에게 천국의 문을 열어준 사건입니다. 부활의 주장에 근접하기라도 한 것을 달리 어디서 또 찾을 수 있습니까?

콘라트 아데나워
(1876-1967)

빌리 그레이엄은 콘라트 아데나워(Konrad Adenauer)를 만났던 일을 회고한 적이 있습니다. 쾰른 시장으로 있을 당시 나치 정권에 반대하여 투옥되었다가 후에 존경받는 서독 수상으로 1949년부터 1963년까지 재임한 사람이지요. 그분이 그레이엄의 눈을 쳐다보며 말했답니다. '예수 그리스도의 부활을 믿습니까?' 그레이엄이 물론이라고 대답하자 아데나워는 '그레이엄 목사님, 예수의 부활이 없다면 이 세상에는 다른 희망이 전혀 없습니다' 라고 했습니다.

맞는 말입니다. 부활이 실제로 있었던 역사적 사건이기에 우리는 용서받을 수 있고, 하나님과 화목할 수 있고, 영원히 그분과 함께 살 수 있으며, 예수의 가르침이 하나님으로부터 온 것임을 믿을 수 있습니다.

내 친구 중에 이슬람교에서 개종하고 후에 순교한 사람이 있습니다. 두 다리가 잘린 그를 병원으로 찾아갔던 일이 기억납니다. 그는 이렇게 말했습니다. '다른 사람들의 주장과 설득을 듣게 될수록 내게는 예수 그리스도가 더욱 아름다워 보인다.' 나는 그 말을 평생 잊지 못합니다. 정말 옳은 말이라고 믿습니다.

예수처럼 말한 사람은 아무도 없습니다. 그처럼 답한 사람도 없습니다. 물음에 답한 것만 아니라 그 인격 자체가 답이었습니다. 우리는 이를 실존으로 확인할 수 있습니다. 경험으로 확인할 수 있습니다. 성경은 단지 신비주의나 영감의 책이 아니라 지리적 사실과 역사적 사실까지 담고 있는 책입니다. 한 인간이 정직한 회의론자라면 성경은 그를 감정이 아닌 살아 계신 한 인격에게로 부릅니다. 그래서 사도 베드로는 이렇게 말했습니다. '우리 주 예수 그리스도의 능력과 강림하심을 너희에게 알게 한 것이 공교히 만든 이야기를 좇은 것이 아니요 우리는 그의 크신 위엄을 친히 본 자라.'[14]

14 베드로후서 1:16.

다시 말하면 이런 뜻입니다. '이것은 사실이다. 실체이다. 얼마든지 믿을 수 있는 것이다.' 이 진리는 거기서 벗어나지 않습니다."

장님들이 만지는 코끼리

기독교에 대한 재커라이어스의 말이 맞는다 해도 반드시 다른 모든 종교가 틀린 것일까? 핵심으로 들어가면 종교는 모두 동일한 진리를 가르치고 있는 것이 아닐까? 사용되는 언어와 이미지, 전통만 다를 뿐 기본적으로 동일한 신념을 전하는 것인지 모른다.

나는 말했다. "어떤 주장을 보니까, 세계의 모든 종교는 본질상 하나님이 만인의 아버지고 인류가 만인의 형제라고 가르친다던데요. 세계의 모든 신앙 체계가 동등하게 의미있다면서요."

재커라이어스는 고개를 흔들며 말했다. 얼굴에 말도 안된다는 표정이 역력했다.

"모든 종교가 똑같은 것을 가르친다는 주장은 종교를 이해하지 못한 사람이 하는 말입니다. 불교는 하나님의 존재를 주장조차 하지 않습니다. 그런데 하나님이 만인의 아버지라니 도대체 무슨 말입니까? 힌두교의 영향력있는 철학자 샨카라(Shankara)는 유신론이란 인간이 궁극적으로 정상, 즉 하나님과 구분이 없는 경지에 이르는 데 있어 유치한 방식에 지나지 않는다고 말했습니다. 그런데 하나님이 아버지라니 말이 되겠습니까? 하나님이 아버지라는 믿음은 모든 종교의 공통된 교리가 아닙니다.

그렇다면 인류의 형제 됨은 무슨 뜻일까요? 맞습니다. 우리는 같은 인간으로서 형제 자매입니다. 하지만 우리가 형제 자매인 이유는 단지 하나님께 지음 받았기 때문입니다. 그 근거가 없다면 형제 됨이란 허울좋은 구호에 지나지 않습니다!"
그는 멋쩍게 웃으며 말했다. "요컨대 이슬람교와 불교와 힌두교와 기독교는 똑같은 말을 하는 것이 아닙니다. 각 종교는 저마다 구별될 뿐 아니라 상호 배타적인 종교적 교리입니다. 모든 종교가 동시에 다 진리일 수는 없습니다."

그래도 나는 종교적 융화의 시도를 포기하지 않았다. "그렇다면 각 종교마다 진리가 한 조각씩 들어 있는지 모릅니다. 신학자 존 히크(John Hick)는 각 종교는 결국 궁극적 '실체', 즉 하나님에 대한 문화적으로 상이한 반응이라고 했습니다.[15] 장님 세 명이 코끼리를 만졌다는 얘기를 아시지요? 각 종교가 진실하기는 하되 자체 힘만으로는 하나님의 신비를 설명하기에 부족하다는 것이지요. 각 종교는 그 나름대로 유효하고요."

재커라이어스는 약간 철학적인 반격으로 대답했다. "그 말을 하는 히크 역시 자신이 속한 문화의 산물이거나 문화를 초월했거나 둘 중 하나입니다. 만일 그가 자신의 문화를 초월했다면 과거 다른 사람은 왜 문화를 초월하지 못했을까요? 그의 말은 학적으로는 정교해 보여도 배후에는 많은 문제가 도사리고 있습니다."

"이를테면 어떤 것입니까?" 나는 물었다.

"예를 들어, 무신론도 진리 한 조각을 가지고 있습니까? 아니면 무신론은 여기서 제외되는 것입니까? 무신론의 근본 교리가 신의 존재 자체를 부정하는 것인데 무신론에도 한 조각의 진리가 있다면 그 한 조각은 무엇입니까?"

그는 질문의 답이 자명해지도록 잠시 뜸을 들이더니 말을 이었다. "다시 말하지요. 사실상 모든 주요 종교에는 진리의 단면들이 있습니다. 각 종교에는 위대한 사상과 신념이 녹아 있습니다. 동양의 유명한 철학서들을 읽어 보면 깨닫는 바가 아주 많습니다. 그런데 이것은 세 장님이 코끼리를 만지는 것과는 전혀 다릅니다. 그 이야기에서 한 사람은 코끼리 다리를 만지면서 나무라 생각하고 한 사람은 코를 만지면서 밧줄이라 생각하고 또 한 사람은 귀를 만지면서 부채라 생각하지요."

그는 강조하느라 목소리를 높였다. "이 비유에는 대상의 참 정체가 코끼리라는 사실이 이미 밝혀져 있습니다! 장님이 나무라고 하는 말은 틀린 것입니다. 그것은 나무도 아니고 밧줄도 아니고 부채도 아닙니다. 눈뜬 사람은 코끼리인 줄 훤히 압니다. 그는 진리를 압니다. 눈으로 보았기 때문입니다. 마찬가지로 예수 그리스도는 우리가 하나님의 영원한 진리를 알 수 있다고 분명히 말했습니다. 예수 그리스도는 복음의 핵심입니다. 모든 진리는 그분 안에 한데 모여 있습니다. 그러므로 다른 곳에 진리의 단면들이 있다 해도 진리의 총합은 곧 그리스도 안에 있습니다.

히크의 설명은 하나님이 자신을 우리에게 계시해 주신다는 것과, 따라서 그분의 참 존재를 알 수 있다는 가능성을 무시한 것입니다. 대신 히크는 문화와 직관

존 히크(John Hick) 영국 버밍엄 대학의 종교 철학자. 모든 종교가 궁극적으로 절대 존재를 갈구하고 있다는 다원주의적 가설을 제기했다.

15 참고: "The Exclusivism of Religious Pluralism(종교 다원주의의 배타성)," *True For You, But Not For Me*, pp. 71-77.

을 더 우위에 두었습니다. 그러나 성경은 하나님이 실제로 자신을 계시해 주셨다 고 말합니다. '태초에 말씀이 계시니라. 이 말씀이 하나님과 함께 계셨으니 이 말씀은 곧 하나님이시니라. 말씀이 육신이 되어 우리 가운데 거하시매 우리가 그 영광을 보니 아버지의 독생자의 영광이요 은혜와 진리가 충만하더라.'"[16]

16 요한복음 1:1,14.

구원, 의, 예배

코미디언 퀜틴 크리스프(Quentin Crisp)의 유머 가운데 이런 것이 있다. "북아일랜드 사람들 앞에서 내가 무신론자라고 말한 적이 있다. 그러자 청중 한 사람이 이렇게 물었다. 당신이 믿지 않는 신은 가톨릭 하나님인가, 개신교 하나님인가?"

뿌리 깊은 종교 분쟁을 꼬집은 가슴 아픈 말이다. 동서고금을 통해 이 땅에는 신에 대한 생각의 차이 때문에 싸움과 폭력이 끊이지 않았다. 종교 분쟁에 염증을 느끼고 두 손 든 사람들은, 교리적 차이로 싸우는 일을 멈추고 더불어 화목하게 사는 데 중점을 둔다면 세상이 훨씬 살기 좋아질 것이라고 말한다.

"이슬람교, 유대교, 기독교, 몰몬교, 힌두교를 막론하고 도덕적으로 바르게 사는 사람들이 있습니다." 나는 재커라이어스에게 물었다. "사람들이 살아가는 방식, 이웃을 대하는 방식이 신학적으로 무엇을 믿는가보다 더 중요하지 않습니까?"

그는 대답했다. "물론 인간이 살아가는 방식, 이웃을 대하는 방식은 아주 중요합니다. 그러나 무엇을 믿는가보다 더 중요하지는 않습니다. 믿는 내용이 그대로 삶의 방식으로 반영되어 나오기 때문입니다. 교리 문서에 서명을 했든 안 했든 자신이 진정으로 믿는 그것이 궁극적으로 삶이 되는 것입니다. 그러니 도덕이 곧 삶의 전부인 양 말하면 안 되지요."

"도덕이 삶의 핵심이 아니라면, 그럼 삶이란 무엇입니까?"

"예수 그리스도는 나쁜 사람들을 착하게 만들려고 세상에 온 것이 아닙니다. 그분은 죽은 사람들을 살리려고 세상에 왔습니다. 하나님 앞에 죽어 있는 자들을 산 자가 되게 하려고 온 것입니다. 삶이 도덕만의 문제라면 어떻게 사느냐가 가장 중요한 일이 되겠지요. 삶의 방식이 여전히 믿음의 내용과 연관돼 있다 해도 말입니다. 그러나 그것은 기독교의 개념을 오해한 것입니다. 아무리 바르게 잘 산다 해도 하나님의 기준과 성품에 부합할 수 없습니다.

'죄' 라는 단어는 과녁을 빗나갔다는 뜻입니다. 그 정의가 맞다면 하나님의 은혜야말로 가장 중요한 진리입니다. 그분이 없다면 올바른 삶은 고사하고 옳은 것을 믿을 수조차 없습니다.

순전히 생존을 위해서라면 자비롭고 도덕적이고 선하게 사는 것이 중요합니다. 그러나 소크라테스, 플라톤, 아리스토텔레스에서 임마누엘 칸트 같은 계몽주의자들에 이르기까지 철학자들은 지금껏 도덕이 무엇인지조차 정의하지 못했습니다. 그들이 우리에게 말해 준 것은 도덕이 사회에 미친 영향 정도입니다.

나 역시 사람이 선한 삶을 살 수 있는 몇 가지 근거를 연구한 적이 있는데, 조셉 플레처(Joseph Fletcher)의 상황 윤리, 아인 랜드(Ayn Rand)의 자기중심적 휴머니즘, 칸트의 의무 개념 등의 예닐곱 가지로 좁혔습니다. 하지만 각 이론은 피차 상충하는 것이었습니다. 초월적이고 필수 불가결한 도덕적 근거가 없기 때문입니다. 모든 것은 단순한 생존으로 귀결됩니다. 그래서 나는 선악의 문제는 잘못된 출발점이라 믿습니다. 영적인 생사의 문제야말로 바른 출발점입니다."

나는 반론하지 않을 수 없었다. "하지만 박사님도 인정하셨듯이 삶의 방식은 중요합니다. 사람들은 간디가 대다수 그리스도인들보다 덕망 있는 삶을 살았다고 말합니다. 그런데도 예수의 제자가 아니었다는 이유만으로 간디가 지옥에 가야 하는 까닭은 무엇입니까?"

"쉽지 않은 문제입니다. 많은 청중 앞에서 이런 질문을 받으면 쉬는 시간을 갖자고 할 것입니다!" 그는 웃으며 말했다.

"하지만 분명 성경에는 그 답이 들어 있습니다. 첫째, 누구를 막론하고 인간이 인간을 천국이나 지옥에 보낼 수 없다는 사실을 알아야 합니다. 하나님도 인간을 천국이나 지옥에 보내시지 않습니다. 그것은 하나님의 은혜에 대한 인간 자신의 반응에 달린 문제입니다. 인간은 하나님의 은혜를 받아들일 수도 있고 거부할 수도 있습니다. 물론 그조차 그분의 은혜로 가능하지만 말입니다.

둘째, 아브라함은 소돔과 고모라 사건에서 하나님께 의인을 악인과 함께 죽일 셈이냐고 물었습니다. 이 질문에 대한 아브라함 스스로의 답은 정말 놀랍습니다. '세상을 심판하시는 이가 공의를 행하실 것이 아니니이까?'[17] 간디나 혹은 기타 다른 누구를 하나님이 어떻게 하시든, 결국 의를 행하실 것을 절대적으로 확신한다는 뜻입니다.

생각해 보십시오. 천국에서 영원히 하나님과 함께 사는 것은 오직 예수 그리스도의 은혜 때문이라고 성경은 말합니다. 그 은혜를 믿고 받아들였을 때의 일이지

조셉 플레처
(1905-1991)
성공회 신부, 상황 윤리를 주장하며 안락사와 낙태조차 지지하게 되었다. 절대적인 윤리 규범을 부정하는 상황 윤리(Situation Ethics)는 논란의 여지는 있으나 인간의 비참한 상황을 이해하려는 의도에서 출발하였다.

아인 랜드
(1905-1982)
러시아 태생의 작가, 극작가, 철학자. 그 철학은 보통 Objectivism으로 불리는데 영웅적 존재가 최상의 행동을 통해 자기 삶의 도덕적 목적으로 행복을 추구하는 것이다.

칸트의 의무 개념
도덕적으로 필연성을 가지는 요구로서 인간의 의지 및 행위에 부과되는 구속이나 강제. 칸트는 도덕률의 지상명령에 따라 최고선에 도달하는 것이 의무의 본질이라고 했다.

17 창세기 18:25.

요. 만일 은혜를 거부하면 그 사람은 선한 사람입니까, 악한 사람입니까? 재미있는 질문이지요. 성경은 구원받기 전에는 누구도 선하지 않다고 말합니다."

"자세히 말씀해 주십시오."

"출애굽기에는 세 가지 사건이 하나의 패턴을 이루고 있습니다. 우선 하나님은 그 백성을 이집트에서 이끌어내셨습니다. 다음에 도덕법을 주셨습니다. 그리고 나서야 성막을 주셨습니다. 구원, 의, 예배의 순서입니다. 이 순서는 절대 바뀌지 않습니다. 구원받지 않는 한 의로울 수 없습니다. 구원받고 의롭게 되지 않는 한 예배할 수 없습니다. 성경에는 '여호와의 산에 오를 자… 누군고? 곧 손이 깨끗하며 마음이 청결한…자로다'[18]라고 되어 있습니다.

18 참고 : 시편 24:3-4.

그러므로 구원은 의롭게 되는 가장 중요한 발걸음입니다. 만일 스스로 선해지기 위해 노력한다면 그것은 본질상 하나님의 구원이 필요 없다는 말과 같습니다. 자신이 자신의 구원자인 것이지요. 그렇게 말하는 자는 선하든 악하든, 하나님의 근본 원리를 저버리는 것입니다. 구원이 인생의 첫 단계입니다."

그렇다면 간디는?

내 마음은 여전히 간디에게 있었다. "예수를 따르지 않았으니 박사님 말대로라면 간디도 구원받지 못했겠군요."

"하나님이 판정하실 일입니다." 재커라이어스는 담담히 답했다. "간디가 이렇게 말했습니다. '하나님은 진리이고 진리는 하나님이다.' 그 말이 무슨 뜻일까요? 지금 우리는 방 안에 앉아 있지요. 맞는 진술입니다. 그렇다고 이 방이 선한지 악한지 여부와 상관이 있습니까? 아닙니다. 우리가 방 안에 있다는 사실만을 말할 따름입니다. 하나님은 존재하십니다. 맞는 진술입니까? 맞다면 그 하나님은 누구입니까?"

나는 박사의 말에 끼어들었다. "하지만 이 사람은 간디입니다. 대다수 사람들이 보기에 그는 선한 삶을 살았습니다. 연쇄 살인범 데이비드 버코위츠(David Berkowitz)는 무죄한 사람을 여러 명 죽이고도 예수를 영접하는 기도를 드렸다고 하더군요. 그리스도인들은 버코위츠는 천국에 가고 간디는 못 간다고 말할 테지요. 이런 불공평한 일이 어디 있습니까?"

"인간은 도덕적인 존재이기 때문에 공평함을 추구합니다. 하지만 공평함은 주어진 시간 동안 누가 어떻게 행동했는가의 문제만이 아닙니다. 그러면 공평의 개

← 데이비드 버코위츠
1970년대 뉴욕을 공포로 몰아넣은 엽기적 살인범. 총을 난사해 6명이 죽고 7명이 부상당했다.
후에 사탄을 숭배하는 'Son of Sam'의 일원임이 밝혀졌다. 1987년 회심한 후 2002년 가석방될 예정이다.
사진은 1979년 감옥에 갇혔을 당시(왼쪽)와 회심한 후 모습(오른쪽).

념을 놓치고 맙니다. 인간의 관점에서 공평을 판단하는 것이지요. 하나님이 사람에게 정말 마땅한 대우를 하신다면 우리는 아무도 천국에 갈 수 없습니다.

이런 이야기가 있습니다. 방탕한 삶을 살던 두 형제 중 하나가 갑자기 죽었습니다. 남은 형제는 목사를 찾아가 장례식 설교를 의뢰하며 이렇게 말했습니다. '한 가지 부탁이 있습니다. 죽은 형제를 성인(聖人)이라 불러 주십시오.' 목사는 최선을 다해 보겠다고 말했습니다.

장례식 날이 되어 목사는 고인의 명복을 빌며 이렇게 말했습니다. '이 사람은 사기꾼이요 거짓말쟁이요 협잡꾼이요 절도꾼이었습니다. 그러나 살아 있는 그 형제에 비하면 성인이었습니다!'

뼈있는 이야기지요. 우리는 어떻게든 남과 비교해서 자신의 선을 주장하려 합니다. 데이비드 버코위츠는 이렇게 말할 수 있습니다. '잠깐! 나는 히틀러가 아니오. 수백만 명을 죽이지는 않았소. 그저 몇 명 죽였을 뿐이오.' 혹은 '나는 제프리 다머(Jeffrey Dahmer)가 아니오. 난 적어도 시체를 먹지는 않았소.' 이런 식의 비교를 통해 자신을 남보다 나아 보이게 만드는 경향이 있습니다. 그리고는 자신이 착하다고 생각하지요. 하지만 하나님의 완전한 도덕 기준 앞에서 우리 모두는 실격입니다. 우리 모두 하나님의 용서와 은혜가 필요합니다.

분명 데이비드 버코위츠가 저지른 일은 폭력이며 악입니다. 거기에는 재론의 여지가 없습니다. 그러나 하나님의 전체적 구원 계획 속에서 보면 살인보다 나쁜 것이 있습니다."

"그것이 무엇입니까?" 나는 물었다.

"이해하기 어렵겠지만 최악은 하나님이 필요 없다고 말하는 것입니다. 왜냐고

제프리 다머 (Jeffrey Dahmer)
1992년 모든 범죄 사실을 자백한 연쇄 살인범. 집 근처에서 16명을 죽이고 절단하고 심지어 먹기까지 했다. 냉장고에 시체 일부를 보관한 것이 드러나 세계를 경악케 했다. 광적인 정신상태를 이유로 무죄를 주장했지만 기각되고 총 936년 형을 선고받았다. 1994년 동료 죄수에게 맞아 죽었다.

요? 죽은 사람은 하나님을 통해 생명을 되찾을 수 있고, 사별한 사람은 하나님의 평안을 누릴 수 있고, 능욕 당한 사람은 하나님의 힘과 보호를 얻고, 또 하나님이 어두운 악의 세력을 다스리시는 것을 목격할 수 있기 때문입니다. 다시 말해 잔학한 행위와 비극에도 돌이킬 길이 있습니다. 그런데 하나님이 필요 없다고 말하는 사람에게 돌이킬 길은 무엇입니까? 없습니다.

자신이 데이비드 버코위츠, 마하트마 간디, 아돌프 히틀러, 테레사 수녀 중 어떤 사람인가의 문제가 아닙니다. 문제는 '자신이 하나님의 완전한 기준에 이르지 못하는 자로서 하나님의 은혜가 아니고서는 그분과 함께 천국에 있을 가능성이 전혀 없다는 것을 깨달았는가?' 입니다.

하나님이 필요 없을 정도로 지극히 선한 삶을 살았다며 교만과 자만심에 눈이 멀었다면 버코위츠가 발견한 궁극적 진리를 보지 못할 것입니다. 지옥이란 하나님의 부재가 아니고 무엇이겠습니까? 하나님의 부재 속에 인생을 사는 것이야말로 이미 지옥에 들어선 것입니다."

"하지만 버코위츠 같은 살인범이 무사히 풀려나는 것이 공평한 일입니까?" 나는 항변했다.

"그가 무사히 풀려났다고 생각하지 않습니다. 물론 죄를 고백하고 회개하며 하나님의 자비를 구했다면 하나님은 그를 용서하셨겠지요. 그러나 그리스도가 어떤 분인지를 깨달았다면 자신이 저지른 일에 대한 아픔이 깊어질 것입니다.

어떤 사람이 운전 중에 잠시 딴 생각을 했다고 합시다. 어린아이가 차 앞으로 뛰어들어 그만 아이를 치고 말았습니다. 이 비극은 그 사람이 평생 지고 갈 짐이 될 것입니다. 다른 아이들의 얼굴을 볼 때마다 '내가 무슨 일을 저질렀던가? 무슨 일을 저질렀던가?' 하는 생각을 떨칠 수 없을 것입니다.

버코위츠가 교수대에 서지 않았으니 그가 풀려났다고 생각할 수 있겠지만 그에게는 마음의 교수대가 남아 있습니다. 인간의 마음은 자신이 자초한 지옥과 곧바로 연결됩니다. 진심으로 회개한 사람이라면 감방에 앉아 '흠, 이제 그리스도인이 됐으니 궁지를 모면했군' 하고 생각할 수는 없을 것입니다. 천만에요. 때로 내면의 지옥이 더 깊고 고통스러울 수 있습니다.

나는 구원이 지연되는 것이 지옥이라고 믿습니다. 내 눈에 흐르는 눈물은 하나님을 알기 전 나 때문에 사라져 간 것들의 눈물이기 때문입니다. 하나님은 우리의 과거를 용서해 주십니까? 물론입니다. 그러나 때로 우리가 과거를 잊지 못합니다."

재커라이어스는 거기에서 잠시 멈추고 의자 뒤로 몸을 기댔다. 그의 이야기는 곧 다시 이어졌다. "은혜를 오해하면 비교와 질투, 불만과 억울한 하소연에 빠질 수밖에 없습니다. 예수도 바로 이 문제를 지적합니다.

예수가 든 한 비유에서, 주인은 온종일 일한 일꾼과 말미에 나타난 일꾼 모두에게 같은 품삯을 줍니다. 그 계산 방식에 온종일 일한 일꾼들은 불만을 품지요.[19] 성경의 파격적인 진리 중 하나가 행위로 천국을 얻을 수 없다는 것입니다. 성경에는 예수가 평판 나쁜 여자를 받아주는 이야기도 나옵니다. 바리새인은 자기 공로로 얻어낸 높은 콧잔등 너머로 하나님의 자비를 내려다보며 비웃습니다.[20] 행위도 필요합니다. 그러나 행위는 용서를 얻어 낸 공로의 훈장이 아니라 값없이 용서받았다는 표시로 드러나는 것입니다."

19 참고 : 마태복음 20:1-16.

20 참고 : 누가복음 7:36-50.

그럼 듣지 못한 자들은?

연쇄 살인범 데이비드 버코위츠는 운이 좋았다. 그는 기독교가 자유로운 나라에 살았던 것이다. 누군가 그리스도의 용서를 말해 주었고 그는 자신의 죄를 고백하고 예수를 믿었다. 하지만 복음이 일상적으로 거론되지 않거나 복음 전파가 사실상 불법인 곳에 살고 있는 사람들은 어떻게 되는가?

"예수에 대해 한 번도 들어 보지 못하고 그저 부모의 종교적 전통을 따른 사람들을 정죄한다면 불공평하지 않습니까?" 나는 물었다.

재커라이어스는 손을 뻗어 성경을 집어들었다. 사도행전 부분에는 노란색으로 밑줄 친 요절들이 많이 눈에 띄었다.

"성경은 그리스도의 인격과 사역을 통하지 않고는 아무도 하나님의 임재 안에 들 수 없다고 말합니다. 우리가 마땅히 치러야 할 죄 값을 대신하여 그리스도가 십자가에 죽으신 것, 그것이 곧 지불된 대가입니다. 저마다 다른 문화 속에서 태어나는 사람들이 이 사실에 어떻게 반응해야 할지 사도 바울의 말을 들어 보지요. 아테네 사람들에게 복음을 전할 때 사용한 것입니다."

재커라이어스는 주머니에서 안경을 꺼내 코 위에 살짝 걸치고는 바울이 몇몇 그리스 철학자들과 쟁론하는 부분을 읽었다.

"인류의 모든 족속을 한 혈통으로 만드사 온 땅에 거하게 하시고 저희의 연대를 정하시며 거주의 경계를 한하셨으니 이는 사람으로 하나님을 혹 더듬어 찾아 발견케 하려 하심이로되 그는 우리 각 사람에게서 멀리 떠나 계시지 아니하도다."[21]

21 사도행전 17:26-27.

재커라이어스는 안경을 벗고 나를 올려다보며 말했다. "중요한 말입니다. 피조된 세계 안에 주권적 계획이 있어 각 사람의 출생지를 정해 주신다는 지적입니다. 하나님은 우리가 태어나 자랄 곳을 알고 계십니다. 당신을 찾을 만한 곳에 우리를 두십니다. 우리가 어떤 나라, 어떤 문화에 속해 어느 곳에 살든 그분은 우리 각 사람의 손 닿는 반경 내에 계십니다. 모든 인간은 언제라도 무릎 꿇고 '하나님, 도와주세요' 하고 부르짖을 수 있습니다. 그렇게만 하면 하나님이 인간의 이해를 초월하여 그 사람을 도와주실 것입니다."

"예를 들어 어떻게 말입니까?"

"복음 전할 사람을 보내 주실 수 있습니다. 이런 경우도 있습니다. 한 이슬람 여인이 내게 직접 들려준 이야기입니다. 그 나라의 유명 기관에서 일하는 여인이었는데 어느 날 퇴근하면서 몹시 마음이 착잡했습니다. 길을 걷는데 '왜 이렇게 공허한지 모르겠어'라는 중얼거림이 새어나왔습니다. 그러다 여인은 난데없이 '예수여, 날 도와줄 수 있나요?' 하고 말했습니다. 그리고는 길거리에 멈춰 서서 자신에게 물었습니다. '왜 내 입에서 그 이름이 나왔지?' 결국 여인은 그리스도인이 되었습니다.

이 경우, 나는 하나님이 그 마음을 보셨다고 생각합니다. 하나님을 찾아 갈급해 하면서도 자기 존재의 폐쇄된 세계 안에서 그분께 다가갈 길을 찾지 못하는 그 마음 말입니다. 그래서 하나님은 환경의 장벽을 뛰어넘으셨습니다. 여인이 이미 자기 내면의 장벽을 허물고 하나님을 구하고 있었기 때문이지요. 이렇듯 하나님은 당신을 진정 알려는 사람에게는 어떤 문화적 상황도 헤치고 들어가 반드시 응답해 주십니다.

로마서에서도 이 문제를 언급하고 있습니다. 바울은 하나님의 무한한 능력과 신성이 그 지으신 만물을 통해 만인에게 드러나 있다고 말합니다.[22] 이어 바울은 하나님이 우리 마음과 양심에 그분을 찾을 만한 법을 심어 놓으셨다고 말합니다.[23] 또 인간이 그분을 알게 되는 데 필요한 그리스도의 말씀에 대해 언급했는데[24] 나는 그것이 다양한 문화적 틀 안에서 이루어진다고 생각합니다.

22 로마서 1:20.

23 로마서 2:14-15.

24 로마서 10:14-15.

이 말이 무슨 뜻인지 궁금하겠지요? 나는 많은 이슬람 국가에서 강연한 바 있습니다. 예수에 대해 말하기 힘든 곳이지요. 이들 중 그리스도를 따르기로 결심한 사람들은 한 그리스도인을 통해 표현된 그리스도의 사랑 때문에, 또 환상이나 꿈, 기타 초자연적 개입을 통해 그런 결단을 내렸습니다. 천사와 환상에 대한 교리에 있어서 회교보다 복잡한 종교는 없습니다. 나는 초자연적 세계에 대한 회교도들의 민감성을 사용하여 하나님이 환상과 꿈으로 말씀하고 계시하신다고 생각합니다.

인도의 가장 위대한 회심자는 시크교도였던 선다 싱입니다. 그는 꿈속에서 자기 방에 나타난 그리스도를 보았습니다. 그의 삶에 엄청난 영향을 미친 이 일로 그는 그리스도를 전하는 사람이 되었습니다. 이렇듯 하나님은 우리의 이해를 초월하여 당신을 계시하십니다.

선다 싱
(Sundar Singh, 1889-1929)
펀잡에서 태어나 장로교 선교회에서 교육받고 1905년 sadhu(가난한 순례자)의 삶을 시작했다. 1929년 히말라야에서 실종됐다.

우리가 이해하지 못하는 방식으로 다양한 상황에서 그리스도의 말씀이 주어지기에, 어느 곳에 있든 피조된 세계의 일반 계시와 우리의 양심을 통해 그분의 말씀이 들리기에, 우리는 인정하지 않을 수 없습니다. 우리에게는 핑계가 없다는 것입니다. 모든 인간은 반응할 수 있을 만큼 충분한 진리를 알고 있으며, 일단 반응하면 하나님은 더 많은 것을 계시해 주십니다. 그렇다고 그 사람이, 다른 문화의 사람보다 방대한 진리를 알아야 할까요? 나는 그렇지 않다고 봅니다."

나는 그의 요지를 요약해 보았다. "그러니까 어느 지역 어떤 문화 속에 살든지, 이미 알고 있는 사실에 근거하여 진실하게 하나님을 찾으면 누구나 어떤 식으로든 그분께 반응할 기회가 주어진다는 말씀이군요."

재커라이어스는 내 말을 조심스레 저울질한 뒤 답했다. "그렇다고 믿습니다. 아주 조심해야 할 대목인데 한 인간이 진심으로 진실하게 하나님을 구한다면 그분이 반드시 길을 열어 그 사람에게 당신에 관한 얘기를 들려주신다고 믿습니다. 지금껏 어떤 상황에서도 하나님께 반응하지 않은 사람은 그분에 대한 얘기를 들을 기회가 없을지도 모릅니다. 그러나 반응하지 않을 경우 정죄 당할 만큼 사람은 이미 충분히 알고 있습니다. 요한복음 3장 16절을 듣지 못했어도 하나님이 찾으시는 영혼일 수 있습니다. 하나님이 피조된 세계와 양심과 기타 다른 방법들을 통해 들려주신 말씀을 이미 거부했다면 우리는 다 그분 앞에 서서 책임지게 됩니다."

"그러니까 진실해야겠군요?"

그의 대답은 이러했다. "진실함이 구원은 아닙니다만 진실함이 있을 때 하나님이 당신을 계시하실 가능성이 열린다고 생각합니다. 진실해 보이는 사람도 막상 누군가 그리스도를 전하면 거부할 수 있습니다. 믿음의 시험에 떨어지는 셈이지요."

"그렇다면 박사님은 그리스도에 관해 알아야 할 정보의 양이 사람마다 다르다고 믿으시나요?" 나는 말했다.

"예, 나는 그렇게 믿습니다. 서구적 시각의 위험 요소는, 무엇이든 깨끗하게 포장돼 있지 않으면 불량품으로 보는 것입니다. 안타깝게도 일부 서구 그리스도인들은 자기들이 하는 대로 신조를 고백하지 않으면 무조건 하나님을 모르는 자라고 생각합니다.

하지만 어린아이가 엄마에 대해 얼마나 압니까? 엄마가 자기를 먹여 주고 입혀 주고 안아 주고 뽀뽀해 준다는 것, 이를테면 친구 정도로나 알겠지요. 열여덟 살 자녀가 아는 것처럼 그렇게 알지는 못합니다. 그러나 엄마를 사랑할 수 있을 만큼은 충분히 압니다. 하나님의 계시에는 다양한 이해의 수준이 있다고 나는 믿습니다."

예수를 택한 사람

예수가 진리라면 왜 그토록 많은 이들이 거부하는 것일까? 기독교가 진실이라면 궁극적으로 우세해야 하지 않을까? 하지만 통계가 보여 주는 현실은 그렇지 않다. 기독교는 다른 유수의 종교들처럼 개종자를 내는 데 별반 이렇다할 성과를 보이지 못하고 있다. 기본적으로 사람들은 자기 부모의 종교를 물려받는 경향이 있다.

나는 재커라이어스에게 이 점에 대해 물었다. 그는 이것이 기독교 옹호자로서 자신을 곤란하게 만드는 문제라고 했다. 하지만 꽤 그럴듯한 설명이 있다고 했다.

"문제를 약간 다른 시각에서 봅시다. 오늘날 미국에서 불교가 인기를 끄는 이유는 무엇입니까? 간단합니다. 하나님 없이도 좋은 사람이 될 수 있기 때문입니다. 오후 3시부터 5시까지 소량의 멋진 영성을 맛본 뒤 다시 삶을 양분하여 내 마음대로 살 수 있다니, 마다할 이유가 있겠습니까? 그런 종교라면 사람들은 끌리게 되어 있습니다.

또 이슬람교가 환영받는 이유는 지정학적 요인들 때문입니다. 힌두교의 매력은 그 안에 있는 풍부한 철학 때문입니다. 지구를 경외해야 한다는 교의도 있지요."

"왜 기독교는 그렇지 않을까요?" 나는 물었다.

"예수는 우리 자아에게 죽으라고 하기 때문입니다. 진리에 전폭적으로 헌신해야 할 때, 즉 철저히 낮아져 자신의 의지를 드려야 할 때, 언제나 저항을 피할 수 없습니다. 그리스도는 우리의 힘과 자율을 깨뜨립니다. 순결의 영역에서 우리에게 도전합니다. 세례 요한이 와서 율법을 주자 사람들은 좋아하지 않았습니다. 예수가 은혜의 메시지를 주어도 사람들은 '차라리 우리에게 확고부동한 율법을 주시오' 했습니다. 예수가 문화 속에 무엇을 가져오든 문화는 그것을 거부하는데 그 핵심은 예수에 대한 저항입니다.

불교와 기타 종교들은 사람이 자력으로 훌륭한 사람이 되는 길을 보여 줍니다. 내 경우 대부분의 상황에서 무엇이 옳고 그른가를 분별하는 일은 문제가 된 적이 없습니다. 내게 없는 것은 옳은 일을 행하려는 의지입니다. 바로 그 부분에 그리스도가 들어와, 우리가 전적으로 자신을 드리면 우리에게 영생을 주실 뿐 아니라 이 생에서 하고 싶은 일까지도 바꿔 주십니다."

기독교가 요구하는 헌신의 높은 차원을 들으며 어떻게 해서 예수의 메시지를 받아들이는지 궁금해졌다. "박사님 자신의 이야기를 좀 들려주십시오." 나는 말했다.

"인도에서는 어느 집에서 태어나느냐가 곧 그 사람을 결정합니다." 그는 그렇게 이야기를 꺼냈다. "우리 아버지와 어머니는 명목상 그리스도인이었습니다. 부모님이 그리스도인이라는 것은 단지 불교도나 회교도, 힌두교도가 아니라는 뜻입니다. 나는 우리 교회에서 복음이 전파되는 것을 들은 기억이 전혀 없습니다. 아주 자유주의적인 교회였지요.

Cries of the Heart
인간의 내면 세계를 다룬 래바이 재커라이어스의 책. 두란노에서 곧 출간될 예정이다.

나보다 먼저 누이들이 복음을 듣고 헌신했습니다. 나는 두 단계를 거쳐 예수를 믿게 됐는데 첫 단계는 열일곱 살 때 강당에서 복음을 듣던 날입니다. 나는 '여기 뭔가 진실이 있다, 그것을 얻고 싶다'는 생각으로 앞으로 나가 상담을 받았습니다. 하지만 정말 내용을 이해하지는 못했습니다. 막히는 것이 너무 많았습니다.

당시 나는 학교 성적을 무엇보다 중시하는 분위기에서 심한 압박을 받고 있었습니다. 반에서 1등을 하지 못하면 성공할 수 없는 사회였지요. 나는 그것을 감당할 수 없었습니다. 아버지가 너무 엄해 고민하기도 했습니다. 체벌도 많이 받았습니다.

그래서 결국 나는 생을 끝내기로 마음먹었습니다. 평소에 우울하지 않았기 때문에 친구들은 내가 자살을 생각했다는 것을 알면 깜짝 놀랄 것입니다. 하지만 인생은 내게 아무 의미나 목적을 주지 못했습니다. 열쇠로 학교 과학 실험실을 열고 들어가 독약을 찾았습니다. 물 잔에 독약을 타고 들이킨 뒤 털썩 쓰러져 주저앉고 말았습니다."

나는 믿기지 않는 눈빛으로 그를 바라보았다. 오늘날 널리 영향력을 미치고 있는 이 박학다식한 명석함의 귀재 재커라이어스가 십대 시절 절망과 혼란에 빠져 독약을 마시고, 그 독이 혈관에 퍼져 무릎 꿇고 숨을 헐떡였다니 도저히 상상이 가지 않았다.

그는 말을 이었다. "우리 집 하인이 급히 나를 병원으로 데려갔습니다. 그가 없었다면 나는 죽었을 것입니다. 병원 사람들은 내 몸에서 독을 다 뽑아냈습니다. 침대에 누워 있는데 친구 하나가 신약 성경을 가지고 들어와 요한복음 14장을 보여 주었습니다. 나는 몸에 탈수 증상이 심해 책을 들 수도 없었습니다. 어머니가 대신 읽어 주셨지요.

어머니가 읽은 부분은 예수가 도마에게 한 말이었습니다. '내가 곧 길이요 진리요 생명이니 나로 말미암지 않고는 아버지께로 올 자가 없느니라.' 곧 19절이 나왔지요. 예수는 제자들에게 '내가 살았고 너희도 살 것'이라고 말했습니다.

그 구절이 내 영혼에 와 닿았습니다. 나는 기도했습니다. '예수님, 당신을 잘 모르지만 예수님이 참된 생명의 주인인 것을 알겠습니다.' 나는 죄의 개념을 이해하지 못했습니다. 그 문화에서는 당연한 것이지요. 그러나 그분이 친히 내게 생명을 주겠다고 하는 것만은 분명히 이해할 수 있었습니다.

그래서 나는 '이 병실에서 나가면 모든 수단을 다하여 진리를 추구하겠다'고 결심했습니다. 5일 후 병실에서 걸어나올 때 나는 완전히 새사람이 되었습니다. 나는 성경을 공부하기 시작했고 내 삶은 극적으로 바뀌었습니다. 그 후 내 형제들도 예수를 따르게 됐고 부모님도 돌아가시기 전에 믿었습니다.

다른 누구의 설명도 없는 병실에서의 짧은 말씀을 통해 나는 본연의 참 삶을 얻었습니다. 그 뒤로 나는 한번도 뒤돌아보지 않았습니다. 해를 거듭하며 공부하면 할수록 그를 따르기로 한 결심이 굳어질 뿐이었습니다. 케임브리지에 다닐 때 유명한 무신론자 교수가 가르치는 철학 과목을 여러 개 들었는데, 그때 깜짝 놀랐던 일이 기억납니다. '무신론자들이 내놓을 수 있는 최고의 논증이 고작 이거란 말인가?' 성경이 진리임을 더 확증하게 되었지요."

"평소에 박사님은 하나님을 찾는 사람들을 많이 대하시지요? 그들에게 뭐라고 말해 주십니까?"

"성경은 '너희가 전심으로 나를 찾고 찾으면 나를 만나리라'[25]고 합니다. 생각

25 예레미야 29:13.

해 보십시오. 정말 놀라운 약속입니다. 나는 사람들에게 수용적인 자세로 지성을 아끼지 말고 성경의 진리를 시험해 보라고 권합니다. 편견 없는 시각으로 진실하게 찾는다면 '다른 것은 없다' 고 고백하지 않을 수 없을 것입니다.

나는 세상을 많이 돌아다녔습니다. 여기저기 찾아 다녔습니다. 내 생각과 마음, 가장 깊은 갈망을 예수처럼 만족시킨 것은 아무것도 없었습니다. 길이요 진리요 생명인 그분이 내게 스스로 다가오셨습니다. 그래서 나의 길이요 나의 진리요 나의 생명이 되셨습니다. 그 앞으로 나아오는 사람 모두에게 똑같이 그렇게 하십니다.

바울이 아테네 사람들에게 말한 것처럼 '그는 우리 각 사람에게서 멀리 떠나 계시지 않기' 때문입니다."

사도행전 17:26.

최종 진술

1. 예수가 하나님께 가는 유일한 길이라는 주장에 대해 어떻게 생각하는가?

2. 다른 종교로의 개종을 생각해 보았는가? 그 종교의 어떤 점에 끌렸는가? 기독교에서 느끼는 호감과 거부감은 각각 무엇인가?

3. 하나님은 "너희가 전심으로 나를 찾고 찾으면 나를 만나리라"고 했다. 하나님을 찾고 있는 친구에게 당신은 어떤 말을 해 주고 싶은가?

증거 자료

- Ravi Zacharias, *Jesus Among Other Gods*, Word, 2000.
- Paul Copan, *True For You, But Not For Me*, Bethany House, 1998.
- Frank Beckwith & Gregory Koukl, *Relativism : Feet Firmly Planted in Mid-Air*, Baker, 1998.
- Millard J. Erickson, *How Shall They Be Saved?* Baker, 1996.
- 밀라드 에릭슨, 「하나님 어떻게 살아야 하나요?」, 기독교문서선교회

영원한 지옥이 무슨 필요인가?

내가 보기에 예수의 도덕성에는 아주 심각한 결함이 하나 있다. 그가 지옥을 믿는다는 것이다. 진정 자비와 긍휼이 있다면 영원한 형벌은 믿을 수 없다고 본다.

—버트런드 러셀(Bertrand Russell), 무신론자[1]

지옥은 인간 자유의 실체와 그 고결한 선택에 대한 하나님의 놀라운 존중의 표현이다.

—G. K. 체스터톤(Chesterton), 그리스도인[2]

1 *Why I Am Not a Christian*(왜 나는 크리스천이 아닌가), p. 17.

2 Cliffe Knechtle, *Give Me An Answer*(대답해 주십시오), p. 42에서 인용.

코트랜드 A. 매더즈(Cortland A. Mathers) 판사는 궁지에 빠졌다. 앞에는 마약 거래를 가볍게 거든 죄로 기소된 피고가 서 있었다. 어린 자녀를 둔 31세의 가난한 어머니였다. 피고는 죄를 뉘우치고 있었다. 마땅히 선처를 내려야 했다. 집행유예만 내려도 정의에 어긋나지 않을 것이다.

그러나 문제가 있었다. 기소된 죄목에 유죄를 판결할 경우 매사추세츠 주의 법은 최소 징역 6년을 선고하게 되어 있다. 특정 부류의 사건 처리에 있어서 판사의 재량권을 없앤 이른바 '의무 선고'라는 제도였다. 어쩔 수 없는 일이었다. 감옥은 평생 상처가 될 것이다. 취약한 가정을 무너뜨리고 마음에 원한과 분노를 심어 줄 뿐 아니라 직장마저 빼앗아 더 많은 문제를 일으킬 것이었다.

'의무 선고' 제도는 판사들이 지나치게 관대해질 소지를 막는다는 점에서 긍정적이지만 경우에 따라 너무 가혹하다는 한계가 있다. 이번 사건도 그랬다. 피고는 무장 강도들보다 더 장기간 철창 신세를 져야 할 판이었다.

매더즈 판사는 상황만 정당하다면 범인에게 장기 복역을 선고하는 데 주저하는 사람이 아니었다. 그러나 이 경우 조기 출감의 가능성도 전혀 없는 의무 선고가 '절대적 오심'이라는 생각이 들었다.

결국 매더즈 판사는 '정의를 위해 법에 불복하는' 길을 택했다. 복역 기간이 지정되지 않은 보다 가벼운 죄로 피고에게 유죄 판결을 내리고 집행유예 5년을 선고하여 상담을 받게 한 것이다.

"그렇게 할 수 없는 판사라면 판사석에 앉지 말아야 한다. 판사는 기계처럼 정해진 선고에 무조건 도장을 찍거나 아니면 정의감에 따라 행하거나 둘 중 하나를 택해야 한다."[3] 매더즈 판사는 의무 선고에 대해 「보스턴 글로브」지에 기고한 글에서 그렇게 말했다.

후텁지근한 9월의 아침, 비행기가 로스앤젤레스 공항을 활강하는 동안 나는 그 사건을 생각하고 있었다. 정의 구현을 위해 제정된 법이 오히려 정의를 막는 위협 요소가 되다니 이 무슨 아이러니인가. 천편일률적인 선고를 제쳐두고 보다 걸맞은 벌을 부과한 매더즈 판사의 정의감이 충분히 이해가 됐다.

오랜 세월 신앙을 찾아 헤매는 동안 나는 지옥에 대한 기독교의 가르침이 내 정의감을 짓밟는다고 느꼈다. 지옥은 매더즈 판사 앞에 선 피고의 의무 복역 기간보다 훨씬 더 부당해 보였다. 지옥의 교리는 내게 우주적 과잉 살상이요 영원한 고문과 고통에 상소조차 할 수 없는 무자비한 선고로 보였다. 모든 사람이 상황과 무관하게 똑같은 결과를 맞아야 한다니 그야말로 극에 달한 '의무 선고' 자체였다. 하나님의 뜻에 어긋나게 행동하기만 하면, 고의가 아닌 사소한 일이라 해도 무기한 복역 선고가 떨어지고 황량한 벌판이 차라리 디즈니랜드로 변하게 된다.

정의는 어디로 갔단 말인가? 죄와 벌의 형평성은 어디로 갔단 말인가? 자신의 피조물들이 나치 수용소처럼 철두철미 무시무시하고 야만적인 고문실에서 희망도, 구원도 없이 영원히 몸부림치며 괴로워하는 것을 고소하게 지켜보는 하나님은 도대체 어떤 하나님이란 말인가? "지옥의 개념은 도덕적 부조리"[4]라던 무신론자 B. C. 존슨(Johnson)의 비난은 과연 맞는 말인가?

감정적이 되기 쉬운 난해한 질문들이었다. 정직한 도전에 물러서지 않을 만큼

3 판사 코트랜드 A. 매더즈와의 인터뷰는 「보스턴 글로브」지 집중 취재반의 '의무 선고'에 대한 탁월한 기사에 들어 있다. Dick Lehr & Bruce Butterfield, Gerard O'Neill 편집 "A Judgement on Sentences : Some Judges Balk at Preset Penalties(선고에 대한 판단: 사전 지정된 형벌 외면한 판사들)," 「보스턴 글로브」지, 1995년 9월 27일자.

4 B. C. 존슨, *The Atheist Debater's Handbook*(무신론자들의 토론 핸드북), Prometheus, 1979, p. 237.

의지가 강한 권위자의 답이 필요했다. 비행기 창 밖으로 내다보니 로스앤젤레스 근교 지역이 밝은 햇살에 빛나고 있었다. 영원한 저주라는 난해한 교리와 깊이 씨름해 온 명망 높은 철학자와의 일대일 만남이 이 여행의 목적이었다.

http://hisdefense.org/home2.html

| 여섯 번째 인터뷰 |

J. P. 모어랜드 박사

차를 빌려 J. P. 모어랜드(Moreland)의 집까지 가는 데는 오래 걸리지 않았다. 모어랜드의 집은 그가 철학 및 윤리학 석사 과정 교수로 있는 탈봇(Talbot) 신학교에서 멀지 않았다.

모어랜드의 책 *Beyond Death : Exploring the Evidence for Immortality*(죽음 이후 : 불멸성의 증거를 찾아)에 보면, 그가 지옥의 교리에 관해 얼마나 철저한 사고와 개인적 성찰을 많이 했는지 알 수 있다. 그는 요즘 게리 하버마스(Gary Habermas)와 공동으로 영혼의 본질, 임사(臨死) 체험, 윤회, 천국의 신학 등을 깊이 파헤치고 있다.

내가 모어랜드를 택한 것은 그의 폭넓은 배경 지식 때문이기도 하다. 그는 과학을 공부했고(미주리 대학교 화학 전공), 신학에도 해박한 지식을 갖추고 있으며(달라스 신학대학교 석사), 명망 높은 철학자이기도 하다(남캘리포니아 대학교 박사).

그는 *Scaling the Secular City*(세속 도시의 척도), *Christianity and the Nature of Science*(기독교와 과학의 본질), *Does God Exist?*(하나님은 존재하는가?-케이 닐슨과의 논쟁), *The Creation Hypothesis*(창조 가설), *Body and Soul*(몸과 영혼), *Love Your God with All Your Mind*(마음을 다하여 하나님을 사랑하라), 수상 경력이 있는 *Jesus Under Fire*(포화 속의 예수) 등 열두 권이 넘는 책을 썼다. 아직 51세의 나이에 이렇게 많은 일을 한 것이다.

반팔 셔츠와 반바지, 맨발에 슬리퍼를 신은 편안한 차림의 모어랜드가 농장 같은 자택의 진입로에서 나를 맞아주었다. 나는 악수하며 위로의 말부터 했다. 전날 밤 그가 샌디에고까지 내려가 응원한 캔자스 시티 취프스(Kansas City Chiefs)가 약체 차저스(Chargers)에게 형편없이 져 버린 것이다. 그가 쓰고 있는 모자에는 아직도 미련을 못 버렸는지 취프스의 이름이 선명하다.

← 미국 NFL 풋볼 팀 캔자스 시티 취프스와 샌디에고 차저스 로고.

몇 마디 한담을 주고받은 뒤 나는 그의 거실 소파에 무너지듯 앉으며 한숨을 쉬었다. 지옥이라는 거창하고 무겁고 논란 많은 주제는 영적 회의론자들에게 인화선 같은 것이다. 나는 말을 꺼낼 방도를 궁리했다.

결국 솔직해지기로 한 나는 이렇게 털어놓았다. "어디서부터 시작해야 할지 모르겠습니다. 지옥이란 주제를 어떻게 접근하면 되겠습니까?"

모어랜드는 잠시 생각에 잠기더니 초록색 쿠션을 댄 의자 뒤로 몸을 기댔다. "뭔가를 좋아하고 싫어하는 것과 그것이 옳고 그름을 판단하는 것은 서로 구분해야 하지 않을까 생각합니다."

"무슨 뜻입니까?"

그는 이렇게 설명했다. "우리가 좋아하는 일이 옳지 않을 때가 있습니다. 간음이 즐거운 일이라고 말하는 이들도 있지만 대부분 그것이 잘못되었다는 데 동의합니다. 옳은 일은 즐겁지 않을 때가 많습니다. 누군가에게 입바른 소리를 하거나 업무 실적이 나쁜 사람을 해고하는 일은 아주 고역일 수 있습니다."

"지옥은 격렬한 반응을 불러일으킵니다." 내가 끼어들었다. "사람들은 지옥이라는 개념 자체에 강한 반감을 보이지요."

"맞습니다. 지옥의 정당성 여부와 상관없이 자신의 반감을 기준으로 생각하는 경향이 있습니다."

"어떻게 거기서 벗어날 수 있습니까?"

"자신의 감정을 일단 접어두어야 한다고 봅니다. 평가 기준은 지옥이 도덕적으로 정당한가 여부이지 내가 그 개념을 좋아하느냐 싫어하느냐가 되어서는 안 됩니다."

모어랜드는 잠시 쉬었다 말을 이었다. "하나님은 지옥을 싫어하시고 사람들이 지옥에 가는 것을 원치 않으십니다. 그것을 이해하는 것이 중요합니다. 성경은 그 점에 대해 아주 단호합니다. 하나님은 악인의 죽음을 기뻐하시지 않습니다."[5]

5 에스겔 33:11.

하지만 그들은 결국 절대적 공포와 비참한 절망 속에서 영원을 보내게 된다. 나는 전도자였다가 회의론자로 변한 찰스 템플턴과의 인터뷰를 떠올렸다. 분명 그에게는 지옥에 대한 강한 반감이 있었지만 그것은 의분과 도덕적 격분에 의해 정당한 것처럼 보였다.

솔직히 나는 지옥의 논의에서 감정적 반응을 완전히 차단할 수 있을지 약간 의구심이 일었다. 그 둘은 가망 없이 얽혀있는 듯 보였다.

템플턴의 의분에 맞서

지옥의 도덕성 또는 비도덕성은 우리의 감정과 별개로 처리되어야 한다는 모어랜드의 요지는 이해하지만 템플턴의 감정적 반론을 들이대 보는 것도 필요한 일이었다.

나는 목청을 가다듬고 꼿꼿이 앉아 모어랜드를 응시하며 말문을 열었다. 힘을 주느라 목소리가 올라갔다. "모어랜드 박사님, 이 문제로 찰스 템플턴과 인터뷰를 했는데 그의 입장은 아주 강경했습니다. 그는 이렇게 말했습니다. '나라면 누군가의 손을 불속에 한 순간도 넣어둘 수 없소. 단 1초도 그렇게 못합니다! 자기 말에 순종하지 않고 자기 뜻대로 움직이지 않았다는 이유만으로 어떻게 사랑의 하나님이 한 인간을 영원히 고문할 수 있단 말이오? 죽지도 못하게 하면서 영원히 그 고통 속에 있게 한단 말이오?'"

이어 나는 찰스 템플턴의 마지막 말을, 그가 내게 말할 때와 똑같은 혐오조로 내뱉었다. "'아무리 흉한 범죄자라도 그렇게는 못할 것이오!'"

거실 가득 이 말이 울려 퍼지는 듯했다. 금세 긴장이 고조되었다. 나는 질문보다 공격에 가까운 말투로 다그쳤다. "모어랜드 박사님, 여기에 대체 뭐라고 하시겠습니까?"

감정을 벗어나는 것은 역시 쉽지 않았다.

하지만 J. P. 모어랜드에 대해 알아야 할 것이 있다. 그는 철학자다. 사상가다. 냉철하고 이성적인 사람이다. 무엇이 그를 당혹하게 할 수 있으랴. 내 공격적 어조는 마치 지옥을 만들어 낸 사람이 모어랜드라도 되는 것 같았지만 그는 전혀 불쾌해 하지 않았다. 오히려 신속히 이슈의 정곡을 파고들었다.

"그 질문에 대한 해답은 템플턴의 표현 자체에 있습니다." 모어랜드는 그렇게 말문을 열었다. "그의 질문에는 '당신, 언제부터 아내를 구타하지 않게 되었소?'라는 식의 전제가 이미 깔려 있습니다. 대답을 어떻게 하든 처음부터 운명이 정해진 질문입니다."

"그러니까 그의 전제가 잘못되었다는 말이군요. 어떻게 잘못되었습니까?"

"한 가지 분명한 것은, 지옥은 고문실이 아니라는 것입니다."

나는 눈썹을 치켜올렸다. 수많은 세대에 걸친 주일 학교 어린이들에게 이것은 분명 기쁜 소식일 터였다. 불타는 지옥의 영원한 형벌과 고통에 대해 무시무시한 설명을 듣고 무서워 악몽에 시달리던 그들이 아닌가.

"아니라고요?" 나는 어이없어하며 물었다

모어랜드는 고개를 내저었다. "하나님은 지옥에서 사람들을 고문하시지 않습니다. 그러니까 그 점에 있어 템플턴의 말은 완전히 틀린 것입니다. 템플턴은 또 하나님을 버릇없는 아이처럼 말하고 있습니다. 이런 식이지요. '이봐, 엿장수 맘대로인 내 규율에 따르지 않다가는 따끔한 맛을 보게 될걸. 규율은 어디까지나 규율이라는 사실을 명심해. 내 뜻대로 안 되는 날에는 그만큼 대가를 지불하게 해 주겠어.' 하나님이 정말 제멋대로인 어린아이 같다면 사람들을 향한 그분의 선고도 당연히 기분 내키는 대로일 것입니다. 그러나 과연 그렇습니까?

하나님은 우주에서 가장 아량이 넓고 사랑이 많고 멋있고 매력 있는 존재입니다. 그분은 우리를 자유 의지를 지닌 존재로 만드셨고 분명한 목적을 위해 지으셨습니다. 그 목적은 바로 우리가 그분과, 또 다른 사람들과 더불어 사랑의 관계를 누리는 것이지요. 우리는 우연의 산물이 아닙니다. 개량된 원숭이가 아닙니다. 어쩌다 생긴 실패작이 아닙니다. 만일 우리가 지속적으로 본래의 지음 받은 목적, 즉 다른 어떤 것보다 우리에게 훨씬 풍성한 삶을 가져다주는 그 목적대로 살지 않으면 하나님으로서는 우리가 그토록 원하는 것을 주시는 방법 외에 다른 길이 전혀 없습니다. 곧 그분과의 분리이지요."

"그것이… 지옥이군요."

"예, 그것이 지옥입니다. 한 가지 더 있습니다. 하나님을 단순히 사랑의 존재로만 생각하는 것은 잘못된 일입니다. 특히 '사랑'의 의미가 오늘날 대다수 사람들이 생각하는 그런 뜻이라면 말입니다. 물론 하나님은 긍휼이 풍성하신 분이지만 동시에 공평하고 의롭고 순결하신 분입니다. 따라서 하나님의 결정은 감상주의에 기초한 것이 아닙니다. 예전 사람들은 지옥의 개념에 전혀 문제를 못 느꼈습니다. 거룩함, 의, 공의 같은 딱딱한 덕목은 망각한 채 사랑, 친절 같은 부드러운 덕목에만 신경 쓰는 현대인에게만 있는 경향입니다.

템플턴의 질문 속에 나타난 하나님은 불공평하고 독단적인 규율을 강요하다 끝

➡ 미켈란젤로가 그린 '최후의 심판'의 일부. 로마 바티칸 시스티나 성당.

내 땅을 쾅쾅 밟으며 이렇게 말하는 악의에 찬 존재입니다. '내 뜻대로 안 되는 날에는 너희를 영원히 고문해 주겠어.'"

모어랜드의 강렬한 청회색 눈이 나와 마주쳤다. "그것은 진실이 아닙니다." 그는 힘주어 말했다.

하나님의 차선책

"좋습니다." 나는 소파 안쪽으로 바싹 붙어 앉으며 말했다. "그렇다면 개념을 바로잡을 기회를 드리겠습니다. 기초 작업으로 우선 정의부터 분명히 하지요. 박사님은 지옥이 고문실이 아니라고 하셨습니다. 그렇다면 지옥은 무엇입니까?"

"지옥의 본질은 관계입니다. 기독교는 인간이야말로 전체 피조세계에서 가장 소중한 존재라고 말합니다. 사람이 중요하다면 사람간의 관계도 중요합니다. 지옥은 관계적인 것입니다.

성경에 따르면 지옥이란 세상에서 가장 아름다운 존재인 하나님으로부터 분리 또는 추방된 것을 의미합니다. 모든 중요한 것, 모든 가치, 하나님뿐 아니라 그분을 알고 사랑하게 된 모든 사람으로부터 제외되는 것입니다."

나는 혼란스러워 이렇게 물었다. "지옥은 하나님의 기준을 어긴 데 대한 벌입니까? 아니면 자신이 선택한 삶에 대한 자연스런 결과, 즉 '하나님과 분리되든 말든 상관없이 내 방식대로 살 거야'라는 사람들이 하나님과 영원히 분리됨으로써 자신이 원하던 바를 영구히 얻게 된 것입니까?"

"둘 다입니다. 오해하지 마십시오. 지옥 자체는 분명 벌입니다. 그렇다고 지옥의 삶이 처벌 행위는 아닙니다. 고문도 아닙니다. 지옥이 벌이라는 것은 하나님과 분리되어 수치와 고뇌와 후회 속에 살기 때문입니다. 부활 상태의 인간은 몸과 영이 모두 있기 때문에 지옥에서 겪는 고통 역시 정신적이며 동시에 육체적일 수 있습니다. 그러나 거기서 겪을 아픔은 하나님과 그분의 나라와 우리의 본연의 창조 목적인 선한 삶으로부터 궁극적으로 영원히 추방되었다는 슬픔에서 비롯된 것입니다. 지옥에 있는 사람들은 자기가 잃어버린 것 때문에 깊이 슬퍼할 것입니다.

또 지옥은 최종 선고입니다. 본연의 지음 받은 목적대로 살기를 끝까지 거부한 데 대한 영원한 추방 선고입니다. 그런 면에서 지옥은 벌입니다. 그러나 동시에 자기 방식대로 살아온 삶의 당연한 귀결이기도 합니다."

나는 이렇게 지적했다. "창세기에 따르면 하나님은 만물을 창조하신 뒤 '좋다'고 선포하셨습니다. 분명 하나님은 지옥도 지으셨습니다. 어떻게 지옥을 좋다고 생각할 수 있습니까? 이것은 그분의 성품이 달린 문제가 아닙니까?"

"지옥은 최초의 피조세계의 일부가 아닙니다." 모어랜드는 그렇게 답했다. "지옥은 하나님의 차선책입니다. 사람들이 그분께 반항하여 가장 좋은 것, 즉 본연의 지음 받은 목적에 등을 돌렸기 때문에 하나님이 부득불 만들어야 했던 것입니다.

미국이라는 나라를 세울 때 처음부터 감옥을 짓지 않았습니다. 마음 같아서야 감옥 없는 사회를 원했겠지요. 하지만 협조하지 않는 사람들이 있으니 부득불 감옥을 지을 수밖에 없었지요. 지옥도 마찬가지입니다."

"지옥은 물리적인 장소입니까?"

"그렇기도 하고 아니기도 합니다. 인간은 죽을 때 영혼이 몸을 떠나므로 물리적 존재가 아닙니다. 성경에 따르면 지옥에 간 사람은 그리스도의 재림 전에 죽으면 하나님의 임재로부터 분리되지만 물리적 장소에 가 있지는 않습니다. 물리적 존재가 아니기 때문이지요. 그런 의미에서 지옥은 장소가 아닙니다. 다만 우주의 현실적 한 부분임은 분명합니다. 마치 문을 통과해 다른 종류의 실존으로 들어가는 것과 같습니다."

"임사(臨死)의 체험 같이 들리는군요." 나는 웃으며 말했다.

"임사의 체험들이 회의의 여지를 남기지 않고 명백히 알려준 사실이 있다면, 인간은 죽어서도 여전히 의식을 지니고 있다는 것이지요." 모어랜드는 계속 말을 이어 나갔다.

임사
(臨死, near-death experience)
응급의학과 심폐 소생술이 발달하면서 거의 죽음의 상태(심장마비, 혼수 상태)에까지 이르렀다가 회복되는 경우가 있다. 미국에서는 아주 보편화된 상황으로 말해지는데, 혼란스런 종교적 환상들을 제시하는 경우가 많아 경계해야 한다.

참고 : 사도행전 17 :18, 고린도전서 15:35-42.

"최후의 심판 때 우리 몸은 다시 살아나 영혼과 연합하게 됩니다. 그 시점에는 분명 사람들이 최초의 장소, 즉 하나님과 그 백성들이 거하는 곳으로부터 분리될 우주의 한 영역이 존재한다고 봅니다. 그 시점에서 지옥을 장소로 말해도 의미가 통하는 것이지요. 그래도 지옥은 고문실이나 그 비슷한 곳이 아닙니다."

불, 구더기, 이를 갊

'고문실' 이미지는 쉽게 지워지지 않았다. 나는 말했다. "지옥에 대한 일반적 시각이 어떤 것인지 아시지요? 열 살 때쯤 주일 학교에서 선생님이 촛불을 켜놓고 이렇게 말했습니다. '너희들, 손가락 하나 태우면 얼마나 아픈지 아니? 몸 전체가 불속에 들어가 영원히 그렇게 있다고 생각해 봐. 그게 지옥이란다.'"

모어랜드는 그런 얘기라면 익히 들어봤다는 듯 고개를 끄덕였다.

"어떤 아이들은 정말 겁에 질렸습니다. 나는 우리를 교묘하게 조종하려 드는 선생님에게 화가 났어요. 이와 비슷한 일을 겪은 사람들이 많다고 봅니다. 박사님도 아시다시피 지옥에 대한 얘기가 나올 때마다 성경은 불을 언급하잖아요."

"맞습니다. 하지만 불은 비유적 표현입니다." 모어랜드의 대답이었다.

나는 손을 들어 이의를 제기했다. "잠깐만요! 나는 박사님을 보수적인 학자로 알고 있습니다. 지금 지옥의 개념을 비위에 덜 거슬리게 유화하려는 것입니까?"

"절대 아닙니다." 그는 그렇게 답했다. "성경적으로 정확하게 말하려는 것뿐입니다. 불이 비유적 표현이라고 한 것은 그 단어를 문자적으로 받아들이면 안 되기 때문입니다. 예컨대 지옥은 칠흑 같이 어두운 곳으로 묘사되어 있습니다. 그러면서 불도 있습니다. 어떻게 그럴 수 있습니까? 불은 사방을 밝히는 것 아닙니까?

게다가 성경은 그리스도가 불꽃에 싸여 다시 오시고 그 입에서 커다란 검이 나온다고 합니다. 그리스도가 검 때문에 숨이 막혀 아무 말도 못할 거라고 생각하는 사람은 없겠지요. 검이란 하나님의 심판의 말씀에 대한 비유적 표현입니다. 불꽃은 심판하러 오시는 그리스도를 나타내고요. 히브리서 12장 29절에 하나님은 소멸하는 불이라고 되어 있습니다. 하나님을 우주상의 가스 버너로 생각하는 사람은 아무도 없습니다. 심판의 하나님임을 말하는 한 방편으로 불의 이미지를 사용한 것입니다."

참고 : 마가복음 9:48. 공동번역 성경에 "지옥에서 그들을 파먹는 구더기는 죽지 않고 불도 꺼지지 않는다"로 되어 있다.

"지옥에서 구더기가 사람의 육체를 파먹을 것이라는 개념은 어떻습니까?" 나는 물었다.

모어랜드는 말했다. "예수 당시에 수천 마리의 동물이 성전에서 제물로 죽어갔습니다. 성 밖에는 동물의 피와 기름을 바깥으로 흘려보내는 하수 시설과 오물이 모이는 웅덩이가 있었는데 거기에 구더기들이 살고 있었습니다. 아주 역겨운 장소였지요. 예수는 지옥이 성 밖의 역겨운 장소보다도 더 비참한 곳이라고 말한 것입니다."

"지옥에 있는 사람들이 '이를 간다'는 표현도 있습니다. 이거야말로 괴로운 고문에 대한 그들의 신체적 반응을 염두해 두고 한 말이 아닐까요?" 나는 말했다.

모어랜드는 말했다. "더 정확히 말해서 그것은 엄청난 상실의 자각이나 분노의 상태를 묘사한 말입니다. 자신이 막중한 실수를 저질렀다는 것을 깨달은 후의 격분을 그렇게 표현한 것이지요. 자기 중심적, 자기 도취적이며 매사에 자기밖에 모르는 사람 옆에 있어 본 일이 있습니까? 그들은 일이 자기 뜻대로 안 되면 화를 냅니다. 이를 간다는 것은 장차 지옥에 속하게 될 사람들의 성격 유형을 표현한 것이라고 생각합니다."

"불도 없고 구더기도 없고 고문 때문에 이를 가는 일도 없다면 지옥은 생각처럼 그렇게 나쁜 곳이 아닐 수도 있겠군요." 나는 짐짓 경솔한 어투로 그렇게 툭 한마디를 던졌다.

모어랜드는 즉시 단호하게 말했다. "그렇게 생각하면 오산입니다. 모든 비유적 표현에는 문자적 요지가 들어 있습니다. 불꽃이 타오른다는 것은 비유적이지만 지옥이 극도로 비참하다는 것을 말해 줍니다. 모든 것을 상실하는 곳이지요. 지옥이야말로 인간에게 벌어질 수 있는 최악의 상황이라는 것을 비유로 표현한 것입니다."

"지옥에 있는 사람들은 자기 도취적이고 자기밖에 모르며 평생 하나님을 거부한 자라고 말씀하셨습니다. 그런 종류의 사람들에게는 천국이 곧 지옥일 수 있지 않을까요?" 나는 말했다.

"그것을 이렇게 표현해 봅시다. 최고의 외모에 최상의 매력을 갖추고 나보다 훨씬 똑똑한 사람, 혹시 그런 사람 옆에 가 본 적 있습니까? 모두들 내 말은 안중에 없고 그 사람 말만 들으려 합니다. 나야 그 사람한테 개의치 않는다고 합시다. 그래도 장장 30년간 날마다 24시간 내내 그 사람과 한 방에 있어야 한다면 그것은 말할 수 없이 어려운 경험이 될 것입니다.

이제 그 사람의 뛰어난 면면에 백만, 천만을 곱해 보십시오. 그것이 하나님의 작은 일부입니다. 그분은 정말, 정말 똑똑하십니다. 아주 매력 있습니다. 우리보다 훨씬 도덕적으로 순결합니다. 그분과 열정적인 사랑에 빠지지 않은 사람을 영원히 그분 곁에 강제로 있게 한다면 어떨까요? 그분을 사랑하는 사람들이나 하고 싶어할 일들을 시키면서 말입니다. 그 불편이란 이루 말할 수 없을 것입니다.

사람의 성품은 단번의 결단으로 이루어지지 않는다는 사실을 이해해야 합니다. 사람의 성품은 자신도 모르게 내리는 수많은 작은 선택들을 통해 빚어집니다. 날마다 우리는 둘 중 하나로 자신을 준비하고 있습니다. 하나는 하나님과 그 백성들과 함께 있으며 그분이 소중히 여기시는 것을 선택하는 삶이요 다른 하나는 그런 일들에 가담하지 않기로 선택하는 삶입니다. 따라서 지옥이란 일차적으로 천국에 가고 싶어하지 않는 사람들이 가는 곳입니다."

"사람들이 의식적으로 지옥을 택한다는 말인가요?"

"아닙니다. 사람들이 의식적으로 천국을 거부하고 대신 지옥을 선택한다는 뜻은 아닙니다. 하지만 그들이 천국의 일상이 될 그런 부류의 가치를 거들떠보지 않기로 한 것은 분명합니다."

나는 말했다. "그렇다면 우리는 현재의 삶의 방식에서 둘 중 하나의 선택을 하는 셈이군요. 하나님의 임재 안에 있으면서 영원히 그분을 기뻐하는 쪽이거나 반대로 하나님이나 그분을 사랑하는 이들에게 일말의 관심도 없이 자기가 우주의 중심이 되는 그런 실존 말입니다."

모어랜드는 고개를 끄덕이며 말했다. "그렇습니다. 지옥은 단순히 선고만이 아니라 어느 정도는 이 생에서, 바로 지금 여기서 날마다 자신이 선택한 길의 종착점이기도 합니다."

그렇다 하더라도 지옥에는 우리의 정의감에 어긋나는 측면들이 있다. 적어도 예전의 나는 그렇게 생각했다. 나는 대화가 끊긴 틈을 타 비행기에서 적어 두었던 질문 목록을 꺼냈다.

나는 모어랜드에게 말했다. "이 질문들마다 박사님의 답변을 부탁해도 될까요? 박사님과 논쟁을 벌이려는 것은 아닙니다. 그저 박사님의 말씀을 듣고 그것이 충분한 답변인지, 또 지옥의 교리가 종합적으로 정밀검사를 통과할 수 있는지 판가름하고 싶은 것뿐입니다."

"좋습니다." 그는 대답했다.

나는 목록을 대강 훑어본 뒤 가장 격한 반론 중 하나부터 질문을 던지기 시작했다.

반론 1 : 어떻게 어린아이들을 지옥에 보낼 수 있는가

어린아이들이 지옥에서 고통당한다고 생각하면 움찔하게 된다. 실제로 일부 무신론자들은 어린아이들이 경험할 지옥을 끔찍한 언어로 무시무시하게 표현한 19세기 전도자들의 글을 들추어내며 그리스도인들을 조롱하곤 한다. 예를 들어 일명 '어린이의 사도'라 불린 영국의 한 신부는 이런 소름 끼치는 글을 쓴 바 있다.

"한 어린아이가 빨갛게 달아오른 오븐에 들어가 있다. 밖으로 나오려는 필사적인 비명이 들리는가? 아이는 불속에서 구르며 몸을 비튼다! 오븐 천장에 머리를 찧는다. 발버둥을 친다. 이 어린아이의 얼굴이 곧 지옥에 있는 모든 사람의 얼굴이다. 바로 처참하고 끔찍한 절망이다."[6]

6 *Atheism : The Case Against God*(무신론 : 하나님을 거역한 사건), p. 300.

나는 모어랜드에게 말했다. "어린아이들이 지옥에 간다는 개념은 정말 너무합니다. 아이들이 지옥에 가야 한다니 하나님이 어떻게 사랑의 신입니까?" 나는 모어랜드의 대답이 전에 들었던 노먼 가이슬러(Norman Geisler)의 평가와 일치하는지 유심히 지켜보았다.

모어랜드는 어린아이가 오븐에 들어가 있다는 인용문을 듣고 다시 주의를 주었다. "잊지 마십시오. 불과 불꽃에 대한 성경의 표현은 비유적인 것입니다."

"거기까지는 좋습니다. 아이들은 지옥에 갑니까?"

두 딸을 둔 모어랜드는 상체를 앞으로 기울이며 이렇게 서두를 꺼냈다. "사후 세계에서 인간의 성품은 어디까지나 성인의 상황을 나타냅니다. 따라서 지옥에는 어린아이들이 없다고 분명히 말할 수 있습니다.

더 자라나 어른이 될 기회가 있었다면 천국에 가는 것을 택했을 사람들, 그런 사람들도 지옥에는 분명 없습니다. 약간의 시간이 모자라 일찍 죽었다는 이유만으로 지옥에 가는 사람은 아무도 없습니다."

어린이들의 사후에 대해서 J. P. 모어랜드나 노먼 가이슬러의 견해는 현대 복음주의자들이 많이 취하는 입장이기는 하나 아직은 논쟁의 여지가 남아 있음을 밝혀 둔다.

모어랜드는 탁자로 손을 뻗어 자신의 가죽 표지 성경을 꺼냈다. "게다가 성경에서 아이들은 구원의 비유적 표현으로서, 사후 세계와 연관된 본문들은 하나같이 아이들을 구원의 이미지로 그립니다."

모어랜드는 구약성경을 넘겨 사무엘하를 찾았다. "여기 좋은 예가 있습니다. 밧세바와 간음하여 낳은 아이가 죽자 다윗 왕은 사무엘하 12장 23절에서 '나는 저에게로 가려니와 저는 내게로 돌아오지 아니하리라' 고 말합니다.

다윗은 이 아이가 천국에 있을 것이며 언제가 자기도 그와 함께 있게 되리라는 진리를 표현한 것입니다. 이것이 아이들은 지옥에 가지 않는다는 증거라고 생각합니다."

반론 2 : 왜 모두가 지옥에서 똑같은 고통을 당해야 하는가

나는 소파에서 일어나 앞쪽 창가로 걸어갔다. 카펫 위에 춤추는 햇살을 바라보며 다음 질문의 표현을 다듬었다. 나는 매더즈 판사가 맡았던 매사추세츠 주의 사건을 떠올렸다.

"악한 사람은 남에게 해를 입힌 만큼 책임을 져야 한다는 것이 정의의 요구입니다. 그런 의미에서 지옥은 일부 사람들에게 적절한 처벌이 될 수 있겠지요. 하지만 하나님을 따르지 않겠다는 것 외에는 우리 기준으로 꽤 선한 삶을 산 사람과 아돌프 히틀러 같은 사람이 동등한 형벌을 받는다는 것은 공평하지 않다고 보는데요?"

모어랜드는 주의 깊게 들은 뒤 말했다. "모든 사람이 똑같은 결과를 당하는 것이 부당해 보인다고요?"

"맞습니다. 그 점이 마음에 걸리지 않습니까?"

모어랜드는 신약 성경을 폈다. "모든 사람이 똑같은 방식으로 지옥을 경험하는 것은 아닙니다. 성경도 고통과 처벌의 정도가 다르다고 말합니다."

모어랜드는 마태복음 11장을 검지로 훑어 가다 20절쯤에서 멈추었다. 그리고는 큰소리로 읽었다.

"예수께서 권능을 가장 많이 베푸신 고을들이 회개치 아니하므로 그때에 책망하시되 화가 있을진저 고라신아, 화가 있을진저 벳새다야. 너희에게서 행한 모든 권능을 두로와 시돈에서 행하였더면 저희가 벌써 베옷을 입고 재에 앉아 회개하였으리라. 내가 너희에게 이르노니 심판 날에 두로와 시돈이 너희보다 견디기 쉬우리라. 가버나움아, 네가 하늘까지 높아지겠느냐? 음부에까지 낮아지리라. 네게서 행한 모든 권능을 소돔에서 행하였더면 그 성이 오늘날까지 있었으리라. 내가 너희에게 이르노니 심판 날에 소돔 땅이 너보다 견디기 쉬우리라 하시니라."

모어랜드는 책을 덮으며 말했다. "사람마다 자기 행위에 따라 선고를 받는다고 되어 있군요."

"미리 정해진 것이 아니고요? 정의가 개인에 따라 조정된다는 말입니까?" 내가 물었다.

"물론입니다. 지옥의 고립, 분리, 공허에도 각기 정도의 차이가 있을 것입니다.

하나님의 처벌이 비례적이라는 뜻이지요. 하나님의 자비를 거부한 사람 모두에게 정확히 똑같은 처벌이 내려지지는 않습니다.

참고: 누가복음 12:47-48, 로마서 2:12, 고린도전서 3:13-15.

잊지 마십시오. 하나님이 우리에게 수천의 선택을 통해 자신의 성품을 빚도록 허락하셨다면, 각자가 선택한 성품의 결과도 마땅히 당하게 하십니다. 성품이 악할수록 지옥에서 경험하는 분리와 공허의 정도도 클 것입니다."

반론 3 : 왜 유한한 죄에 무한한 벌을 받아야 하는가

잘못을 저질렀다고 어떻게 영원한 벌을 받아야 하는가? 유한한 삶의 죄 값으로 무한한 벌을 내리다니 부당한 처사 아닌가? 정의는 어디로 갔단 말인가?

나는 소파에 다시 앉으며 물었다. "사랑의 하나님이라면 죄에 상응한 벌을 주어야지 영원한 지옥을 만들면 어떻게 합니까? 이 생에서 저지른 일로 영원한 고문을 받는 것이 정당화될 수 있습니까?"

"아니지요. 고문이 아니라고 했을 텐데요." 모어랜드가 지적했다. "용어는 아주 중요합니다. 지옥은 영원한 의식적 '고문'이 아니라 하나님으로부터 추방된 데 대한 영원한 의식적 '아픔'입니다."

"좋습니다. 하지만 그것이 질문의 답은 아니지요?" 나는 말했다.

"그렇군요. 대답해 보겠습니다. 첫째, 우리 모두가 아는 사실입니다만 처벌의 기준은 죄를 짓는 데 소요된 시간이 아닙니다. 사람을 죽이는 데는 10초밖에 안 걸리지만 「브리태니커 백과사전」을 훔치는 데는 가옥 구조에 따라 한나절이 소요되기도 하니까요. 처벌의 정당함은 범죄 행위에 걸린 시간이 아니라 범죄 행위 자체의 심각성에 달려 있습니다.

둘째, 이 땅에서 인간이 저지를 수 있는 가장 흉악한 일은 무엇입니까? 하나님을 대수롭게 여기지 않는 사람들은 동물 학대나 환경 파괴, 남에게 피해를 입히는 것 정도라고 말할 것입니다. 그것들이 다 나쁜 일이라는 데는 이론의 여지가 없습니다. 그러나 최악의 일에 비하면 무색하지요. 최악의 일은 우리가 모든 것을 빚지고 있는 분, 우리의 창조주이신 하나님을 우롱하고 그분의 명예를 더럽히고 그분을 사랑하지 않는 것입니다.

하나님은 선하심과 거룩하심, 자비하심과 의로우심에 있어 무한히 크신 분입니다. 한 인간이 그분 없는 삶을 택함으로써 평생 그분을 무시하고 끊임없이 그분을 우롱하며 사는 것, 그것이야말로 인간이 저지를 수 있는 최악의 죄입니다. 그것은 이렇게 말하는 삶이지요. '당신이 왜 날 이 자리에 두었든 내 알 바 아니오. 당신의 가치니 당신의 아들이 날 위해 죽었느니 하는 말은 다 시답지 않은 얘기요. 그따위 것들 깨끗이 무시하고 살겠소.' 이 죄에 합당한 벌은 최악의 벌, 즉 하나님과 영원히 분리되는 것입니다.

앨런 곰즈(Alan Gomes)가 지적한 것처럼, 흉악성의 정도를 판별할 때는 죄의 본질 자체뿐 아니라 그 죄가 어떤 대상에게 저질러졌는지도 함께 고려해야 합니다."[7]

모어랜드의 대답을 들으며 어느 율법사가 예수에게 가장 큰 법이 무엇인지 묻는 장면이 떠올랐다. 예수는 이렇게 대답했다. "네 마음을 다하며 목숨을 다하며 힘을 다하며 뜻을 다하여 주 너의 하나님을 사랑하고 또한 네 이웃을 네 몸과 같이 사랑하라."[8]

미국에서 가장 흉악한 살인은 가장 엄한 처벌로 제재를 가하게 되어 있다. 즉 평생 감옥에서 사회와 격리되어 살게 하는 것이다. 하나님의 최고 법을 위반한 자에게 최고의 제재를 가해 하나님과 그분의 사람들로부터 영원히 분리시킨다는 것은 상당히 합리적으로 보였다.

7 참고: 앨런 곰즈, "Evangelicals and the Annihilation of Hell, Part II(복음주의자와 지옥의 소멸, 2부)," 「크리스천 리서치 저널 13」, 1991년 여름호, pp. 8-13.

8 누가복음 10:27.

반론 4 : 왜 하나님은 모두 천국에 가게 할 수 없는가

"박사님이 서두에 하신 말씀으로 다시 돌아가겠습니다. 지옥이 있어야 하는 사실을 하나님이 슬퍼하신다고요." 나는 모어랜드에게 말했다.

"예, 맞습니다."

"그렇다면 왜 하나님은 모든 사람을 강제로 천국에 보내지 않는 겁니까? 간단한 해결책 같은데요."

"비도덕적인 일이기 때문입니다." 모어랜드는 그렇게 답했다.

"비도덕적이라고요? 지옥보다 비도덕적이란 말입니까?" 나는 놀라 그렇게 물었다.

"예, 비도덕적입니다. 잘 들어 보십시오. 내재적 가치와 도구적 가치는 다릅니다. 내재적 가치란 어떤 사물이 그 자체로 가치 있고 선한 것입니다. 도구적 가치란 어떤 사물이 목적의 수단으로서 가치 있는 것입니다. 예를 들어, 인명을 구하는 것은 내재적으로 선한 일입니다. 자동차가 도로 우측으로 달리는 것은 도구적 가치입니다. 질서 유지에 도움이 되기 때문에 선한 것입니다. 만일 사회가 만인의 좌측 운행을 결정한다면 그것도 괜찮습니다. 목표는 질서를 지켜 목숨을 구하는 것이지요.

인간을 도구적 가치, 즉 목표의 수단으로 대한다면 그것은 인간성을 말살하는 것이며 잘못된 일입니다. 그것은 인간을 사물 취급하는 것입니다. 인간을 내재적 가치를 지닌 존재로 대할 때에만 인간을 존중하는 것입니다."

"그것이 사람들을 강제로 천국에 보내는 것과 무슨 상관이 있습니까?" 나는 물었다.

"사람들에게 본인의 자유로운 선택을 무시하고 억지로 뭔가를 하게 만든다면 그것은 인간성을 말살하는 일입니다. 내가 하는 일이 그들의 선택을 존중하는 것보다 더 가치 있다는 말이나 같습니다. 즉 본인이 원치 않는 일을 시킴으로써 그들을 수단으로 대하는 것이지요. 모든 사람을 강제로 천국에 가게 한다면 하나님도 바로 그런 일을 하는 것입니다.

하나님이 인간에게 진정 자유 의지를 주셨다면 모든 사람이 그분과 협력하는 길을 택하리라는 보장은 없습니다. 모든 사람을 강제로 천국에 가게 하는 방안은 인간성을 말살하기 때문에 비도덕적입니다. 그것은 인간에게서 자율적 결단의 존엄성을 박탈하고 선택의 자유를 부인하며 결국 인간을 수단으로 대하는 것입니다.

하나님은 인간의 성품을 대신 만들어 주실 수 없습니다. 악을 행하거나 잘못된 신념을 기르는 사람들은 슬며시 하나님을 떠나기 시작하는 것이고 그 종착점이 지옥입니다. 하나님은 인간의 자유를 존중하십니다. 사실 원하지도 않는 사람에게 억지로 천국과 하나님을 받아들이게 한다면 그것은 사랑이 아니라 신적 폭력입니다. 인간에게 당신을 거부할 수 있도록 허용함으로써 하나님은 인간을 존중하시는 것입니다."

반론 5 : 왜 하나님은 인간을 그냥 없애 버리지 않는가

사람들에게 특히 걸림돌이 되는 지옥의 또 다른 측면은 그 기간이 영원하다는 점이다. 하지만 지옥이 영원하지 않다면 어떨까? 하나님이 사람들을 영원히 의식 속에서 당신과 분리된 채로 존재하게 하는 것이 아니라 그냥 소멸시킨다면, 아예 존재 자체를 없애 버린다면 말이다.

나는 모어랜드에게 말했다. "후회와 비탄 속에 영원을 보내는 것보다는 분명 그쪽이 더 인도적일 것입니다."

"믿거나 말거나 하나님으로부터의 영원한 분리가 소멸보다 훨씬 도덕적입니다. 하나님이 사람을 소멸함으로써 도덕적으로 정당화될 까닭이 무엇입니까? 소멸의 유일한 장점은 사람들이 하나님과의 분리를 의식하지 못하게 하는 것이지요. 그렇다면 그것은 사람을 결과의 수단으로 대하는 것입니다.

사람을 강제로 천국에 보내는 것과 다를 바 없습니다. 이런 말이나 같지요. '진짜 중요한 것은 사람들이 의식적으로 고통을 느끼지 않는 것이다. 그 목표를 성취하기 위해 사람의 존재 자체를 없애 버리겠다.' 그렇지 않습니까? 이것이야말로 사람을 목표의 수단으로 대하는 것입니다.

지옥이 있는 이유는 인간에게 내재적 가치가 있음을 인정하는 것입니다. 하나님이 내재적 가치를 중시하는 분이라면 사람을 그냥 두셔야 합니다. 그래야 내재적 가치를 존속시키는 것입니다. 그분은 당신의 형상대로 지음 받은 피조물을 절대 없애지 않습니다. 그러니까 결국 지옥이야말로 도덕적으로 정당한 유일한 대안입니다.

하나님은 지옥을 좋아하지 않지만 사람들을 그곳에 격리시킵니다. 그들의 선택을 존중하기 때문입니다. 그분은 절대 인간의 뜻을 짓밟지 않습니다. 사람을 한없는 내재적 가치의 존재로 여기셨기에 그 아들 예수 그리스도를 보내 죽게 하셨습니다. 선택만 하면 누구나 천국에서 당신과 함께 영원을 보낼 수 있도록 말입니다."

영혼 멸절설
(annihilationism)
사람은 영생하게 창조되었으나 죄로 인해 하나님의 적극적인 행위로 마침내 멸절되거나 비존재의 상태에 있게 된다는 주장. 그러나 성경은 믿는 자들뿐 아니라 죄인들도 영원히 존재할 것을 가르친다. 정통적인 기독교에서는 거의 나타나지 않으며 안식교와 '여호와의 증인'에서 발견할 수 있다. 참고: 전도서 12:7, 요한계시록 14:11.

하지만 일부 신학자들은 성경이 소멸을 가르친다고 주장한다. 죄의 벌은 영원하되 처벌 행위는 영원하지 않다고 가르친다는 것이다.

소멸을 주장하는 이들은 곧잘 시편 37편을 인용한다. "악인이 없어지리니… 연기 되어 없어지리로다… 범죄자들은 함께 멸망하리니." 시편 145편 20절에서 다윗도 지적한다. "여호와께서 자기를 사랑하는 자는 다 보호하시고 악인은 다 멸하시리로다." 이사야 1장 28절도 있다. "그러나 패역한 자와 죄인은 함께 패망하고 여호와를 버린 자도 멸망할 것이라." 예수가 사용한 비유들도 소멸의 증거라 주장한다. 예수는 "악인을 거두어 불사르게 단으로 묶고 나쁜 물고기는 내버리며 해로운 식물은 뽑아버린다"고 했다.[9]

나는 모어랜드에게 물었다. "성경이 하나님의 공평하심과 지옥의 교리를 조화시키는 합리적인 방편으로 소멸을 선택했다는 뜻이 아닙니까?"

9 참고: Samuele Bacchiocchi, "Hell: Does it Have an End?(지옥에는 끝이 있는가?)," 「사인즈 오브 타임스(*Signs of the Times*)」지, 1999년 8월, pp. 8-10.

모어랜드는 굽히지 않고 강하게 말했다. "아닙니다. 그것은 성경의 가르침이 아닙니다. 성경의 가르침을 이해하려면 저자가 의도한 본문을 기준삼아 주제와 상관없을 수도 있는 불명확한 본문을 해석해야 합니다.

예를 들면, 성경에는 예수 그리스도가 모든 사람을 위해 죽었다는 본문들이 있습니다. 그런데 갈라디아서 2장 20절에 보면 사도 바울이 '그리스도께서 나를 위해 죽으셨다' 고 합니다. 그럼 그리스도가 바울만을 위해서 죽으셨다고 해석해야 합니까? 아닙니다. 왜 아닙니까? 그리스도가 모든 사람을 위해 죽었다고 가르치는 명확한 본문들이 있기 때문입니다. 그러니 바울의 고백을 접한 뒤에도 우리는 예수가 바울을 위해서만 죽지 않았음을 압니다. 명확한 본문에 비추어 불명확한 본문을 해석하기 때문입니다.

지옥에 대한 말씀들은 어떨까요? 구약 성경에는 지옥이 영원하다고 말하는 명확한 본문들이 있습니다. 다니엘 12장 2절에 보면 세상 끝날 의로운 자들은 살아나 영원한 생명을 얻고 불의한 자들은 영원한 벌을 받는다고 합니다.[10] 양쪽 모두 히브리어로 영원하다는 단어가 사용되었습니다. 즉 지옥의 사람들이 소멸된다면 천국의 사람들도 소멸된다는 뜻이 됩니다. 한쪽만 그렇다는 억지 주장은 통하지 않습니다. 이 본문은 분명 의도적으로 이 주제에 대해 가르치는 말씀입니다.

다니엘 12:2에서 영원하다는 뜻의 히브리어는 'עוֹלָם' (올람)으로 쓰였다.

10 다니엘 12:2.

마태복음 25장에도 예수가 천국과 지옥의 영원성 문제를 의도적으로 언급하는 가르침이 나옵니다. 역시 양쪽 모두에 영원하다는 동일한 단어를 사용하고 있습니다.

마태복음 25:46, 영원을 나타내는 헬라어 'αἰώνιον' (아이오니온)이 쓰였다.

이렇듯 '소멸' 의 개념에 있어서 명확한 본문을 근거로 모호한 부분을 해석해야 합니다. 멸망당해 끊어진다고 표현된 구약 성경의 말씀들은 대개 사람들이 이스라엘과 그 땅에서 끊어지는 것을 말합니다. 대부분의 본문은 영원한 생명과 거의 혹은 전혀 상관이 없습니다. 그 땅 사람들에게 주었던 아브라함의 언약으로부터 끊어진다는 뜻입니다."

하지만 소멸을 주장하는 이들은 사람이 지옥에서 영원히 고통 당하는 대신 소멸된다는 증거로 성경에 나오는 불의 표현을 내세우기도 한다. 명망 높은 영국인 목사 존 스토트(John R. W. Stott)도 이렇게 말했다. "불 자체는 '영원히 꺼지지 않는' 것으로 표현돼 있지만 그 불에 던져지는 것이 불멸이라면 그것은 대단히 이상한 일일 것이다. 우리의 예상은 정반대이다. 즉 영원히 고통당하는 것이 아니라 영원히 소멸되는 것이다."[11]

11 「자유주의자와의 대화 1, 2, 3」 여수룬.

나는 이 사실을 지적했다. 하지만 모어랜드는 요지부동이었다. "불의 표현은 비유적인 것입니다. 요한계시록에 보면 지옥과 죽음이 불 못에 던져진다는 말씀이 있습니다. 지옥은 탈 수 있는 물체가 아닙니다. 하나의 영역입니다. 지옥이 탈 수 있다면 천국도 마찬가지일 텐데 천국은 불타는 물체가 아닙니다. 게다가 죽음을 어떻게 태울 수 있습니까? 죽음은 횃불을 가져다 점화할 수 있는 물체가 아닙니다.

불 못은 심판을 상징하는 것이 분명합니다. 지옥에 끝이 왔다고 말할 때 그 '지옥' 이라는 단어는 죽음과 마지막 부활 사이에 끼어있는 자들의 한시적 상태를 지칭하는 것입니다. 그 시점에서 그들은 다시 몸을 돌려 받아 하나님과 격리된 곳에 처하게 됩니다. 죽음이 끝난다는 것은 더는 죽음이 없을 것이기 때문입니다. 따라서 불이니 불 못이니 하는 용어는 문자적인 뜻의 불을 뜻하는 것이 아니라 심판에 대한 비유적 표현입니다."

반론 6 : 어떻게 지옥과 천국이 공존할 수 있는가

"천국이 눈물 없는 곳이라면 어떻게 영원한 지옥이 동시에 존재할 수 있습니까? 천국에 있는 사람들은 지옥에서 영원히 고통당하는 사람들 때문에 슬프지 않겠습니까?"

내 물음에 모어랜드는 이렇게 말했다. "첫째, 나는 천국에 있는 사람들이 다음 사실을 알게 되리라고 생각합니다. 지옥은 인간을 하나님의 형상대로 지음 받은 내재적 가치의 존재로 존중하는 방식이라는 사실입니다.

둘째, 인간의 누릴 수 있는 능력은 나이가 들어 좀 더 성숙한 시각을 얻을 때 가능합니다. 내 딸들이 어렸을 때는, 상대방이 받은 선물이 자기 것보다 약간만 더 좋아 보여도 자기가 받은 선물을 누릴 줄 몰랐습니다. 그러다 나이가 들자 상대방이 받은 선물과 상관없이 자기 선물을 누릴 줄 알게 되었습니다. 상대방이 받은 선물 때문에 고민한다면 그것은 자신의 권리를 상대방에게 내주는 것과 같습니다.

C. S. 루이스는 지옥은 천국에 대해 거부권이 없다고 말했습니다. 천국에 있는 사람들은 지옥에 대한 의식이 있다는 이유만으로 자기 삶을 즐기는 특권을 잃어버리지 않는다는 뜻입니다.

잊지 말아야 할 것은 영혼이란 슬픔과 비탄을 느끼면서도 동시에 마음의 동요 없이 기쁨과 평안, 사랑과 행복을 누릴 수 있다는 것입니다. 인간의 삶에서도 양쪽을 동시에 공유할 수 있을 때 그만큼 성품이 성숙했다고 할 수 있습니다."

반론 7 : 왜 하나님은 당신을 따를 사람만 창조하지 않았는가

나는 물었다. "하나님이 미래를 아신다면 당신에게 오지 않아 결국 지옥에 가게 될 사람이 누구인지 아시겠군요. 그런 사람들을 왜 만드신 겁니까? 당신을 따를 사람만 창조하고 거부할 사람들은 아예 창조하지 않을 수 없었을까요? 이 방법이 지옥보다 훨씬 인도적으로 보입니다."

"그것은 하나님의 뜻과 관련된 일입니다." 모어랜드는 말했다. "하나님이 처음부터 인간을 네다섯 명이나 대여섯 명만 창조하기로 했다면 천국에 갈 사람들만 지을 수도 있었겠지요. 하지만 더 많은 사람들을 창조하게 되면, 당신을 따를 사람만 창조하고 그렇지 않을 사람을 떼놓기가 어려워집니다."

"왜 그렇습니까?"

"하나님이 우리를 이 땅에 두신 이유 중 하나는 다른 사람에게 영향을 미칠 기회를 주시기 위해서입니다."

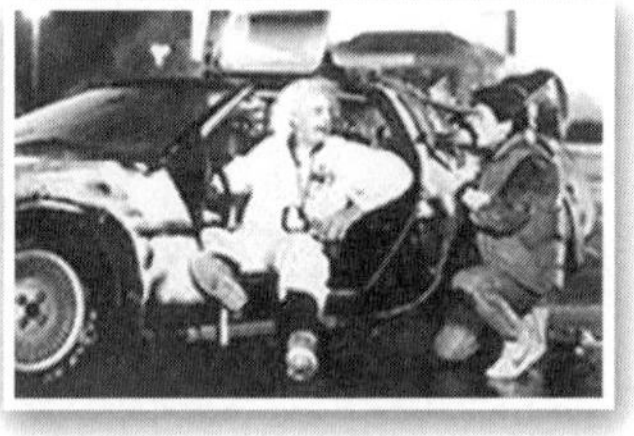

모어랜드는 적절한 예를 떠올리느라 잠시 생각에 잠겼다가 말을 이었다. "영화 '백 투 더 퓨처' 아시지요? 누군가 과거로 넘어갔다가 미래로 돌아올 때 아주 사소한 것이 달라져도 그 때문에 마을 전체가 완전히 달라집니다. 거기 진실의 요소가 담겨 있다고 생각합니다.

인간이란 단순히 다른 사람을 봄으로써 영향을 입게 되어 있습니다. 예를 들어 하나님이 우리 부모님에게 미주리에 남아 있지 않고 일리노이로 이사갈 기회를 주셨다고 합시다. 새로 이사간 집 옆집에는 위선적인 그리스도인이 살고 있었고 나는 그 사람을 보면서 평생 복음을 거부하게 됩니다. 그런데 내가 얼마나 못된 사람인지 본 직장 동료들은 내가 보여 준 비그리스도인의 나쁜 예 때문에 그리스도의 제자가 됩니다. 우리 집이 일리노이로 이사를 간다면 나만 잃고 다섯 명쯤 구원하는 셈입니다.

⬆ **Back to the Future**
로버트 저메키스 감독, 마이클 J. 폭스 주연의 1985년 SF 코미디 영화.

반대로 하나님이 우리 아버지에게 새 일자리를 주지 않아 우리 집이 그냥 미주리에 남았다고 합시다. 나는 그리스도인 운동 코치를 만납니다. 그 사람은 내게 자신의 삶을 쏟아 붓고 나는 그것을 계기로 하나님을 따르게 됩니다. 그런데 그리스도인으로서 내 삶이 형편없어서 다섯 사람쯤 나쁜 영향을 받아 그리스도를 떠납니다.

'백 투 더 퓨처' 시나리오가 바로 이것입니다. 하나님이 창조한 모든 인간은 타인의 선택에 영향을 미치게 되어 있습니다. 그리스도를 믿느냐 안 믿느냐의 결단에 영향을 미칠 수도 있지요.

또 다른 측면도 있습니다. 영혼이 창조되는 경위와 관련된 것입니다. 영혼의 존재는 잉태 시에 시작되며 어떤 식으로든 부모에 의해 전수된다는 견해가 있지요. 다시 말해 부모의 정자와 난자 속에 영혼 생성의 잠재력이 들어 있다는 것입니다. 이것을 영혼 유전설(traducianism)이라고 하는데, 내 영혼이 부모님의 성관계를 통해 지어졌다는 뜻입니다. 내 부모는 다른 사람일 수 없습니다. 그렇다면 하나님이 나를 만드실 수 있는 유일한 길은 내 조상 혈통 전체가 선행되었을 경우에 한합니다. 조부모가 다르면 부모도 달라질 것이고 따라서 내 영혼의 재료도 달라질 테니까요.

영혼 유전설 (traducianism) 원죄가 모든 인간에게 유전된다는 점을 들어 인간의 영혼은 부모로부터 자식에게 전달된다고 하는 주장. 터툴리안과 종교개혁 후 루터파, 동방교회 등이 주장했다. 개신교 신학과 가톨릭은 개인의 영혼이 개인의 잉태와 동시에 하나님에 의해 창조된다는 '영혼 창조설'을 주장한다.

영혼 유전설이 주는 의미는 이것입니다. 하나님은 완전히 다른 조상의 사슬까지 철두철미 저울질해야지 그저 인간 개개인만 저울질해서는 안 됩니다. 그래서 일부 혈통 중에서, 예컨대 나의 고조 할아버지가 그리스도를 거부해도 그리스도를 믿는 다른 사람이 거기서 태어날 수 있는 것이지요. 다시 말해 하나님은 다양한 개인뿐 아니라 다양한 혈통을 비교하여 헤아리실 것입니다.

이런 판단에서 하나님의 목표는 최대한 많은 사람을 지옥에 가지 않게 하는 것이 아니라 최대한 많은 사람을 천국에 가게 하는 것입니다.

안타깝지만 천국을 선택할 다수의 사람을 얻기 위해 지옥을 선택할 사람들의 출생을 더 많이 허락하셔야 할지도 모릅니다."

반론 8 : 왜 하나님은 사람에게 재차 기회를 주지 않는가

성경은 한 번 죽어 심판에 직면하는 것이 인간의 운명이라고 분명히 말한다.[12] 하지만 정말 사랑의 하나님이라면 왜 죽음 후에 사람들에게 제2의 기회를 주지 않는가? 그분을 따르기로 결단하고 천국에 갈 수 있도록 말이다.

12 히브리서 9:27.

"사람들이 지옥을 맛본다면 그때는 마음을 바꿀 강한 동기가 되지 않겠습니까?" 나는 물었다.

"그 질문은 사람들이 죽기 전에 하나님이 최선을 다하지 않았다는 뜻이므로 나는 반대합니다." 모어랜드는 말했다. "하나님은 사람들에게 기회를 주기 위해 최선을 다하십니다. '나를 이렇게 일찍 죽게 하지만 않았다면, 내게 열두 달만 시간을 더 주었다면 분명 그렇게 결단했을 것이오.' 하나님께 그렇게 말할 수 있는 자는 단 한 사람도 없습니다.

성경은 모든 사람이 그분께 돌아올 수 있도록 최대한 시간을 주기 위해 하나님이 그리스도의 지상 재림까지 연기하고 있다고 합니다.[13] 한 인간이 그리스도께 돌아오는 데 필요한 것이 그저 약간의 시간이라면 하나님은 얼마든지 지상의 시간을 연장하여 그 사람에게 그 기회를 주실 것입니다. 그러므로 한 번만 기회를 더 주면 그리스도를 영접할 사람이 시간이 약간 모자랐다든지 일찍 죽는 바람에 그렇게 못했다고 말할 수는 없습니다.

하나님은 공평하십니다. 그분은 사람들의 결단을 어렵게 만드는 분이 아닙니다. 삶에서 부딪치는 일반 계시에 반응하는 자들은 둘 중 하나의 결과를 맞게 됩니다. 하나님은 그들에게 복음의 메시지를 보내십니다. 하지만 하나님은 그들에게 복음을 들을 기회가 주어지면 어떻게 반응할지 아시기에 그것을 근거로 심판하실 수 있습니다. 얼마든지 가능한 일이라고 믿습니다. 간단히 말해서 하나님은 자신을 찾는 자들에게 상 주십니다."[14]

하지만 그것은 부분적인 답에 지나지 않았다. "잠깐만요. 사후에 하나님의 임재나 부재를 느껴 보면 그것이 사람들에게 더 강력한 동기가 되지 않을까요?"

"그렇지요. 하지만 부정적인 방식에서 그렇습니다. 첫째, 하나님과 분리되어 사는 기간이 길수록 자유 선택을 구사하여 그분을 믿을 수 있는 가능성이 낮아진다는 것을 알아야 합니다. 대다수 사람들이 젊었을 때 그리스도께 오는 이유가 거기에 있습니다. 나쁜 습관을 따라 산 시간이 길수록 그 습관을 돌이키기가 더 어렵습니다. 불가능하지는 않지만 더 어렵습니다. 그러니 하나님과 분리되어 예컨대 10년만 유예기간을 보낸다면 마음이 바뀌리라고 무슨 근거로 말할 수 있겠습니까?

게다가 그것은 죽음 이전의 삶을 전혀 무의미하게 만드는 일입니다. 그렇다면 이런 물음이 가능해집니다. 왜 하나님은 처음 인간을 창조할 때부터 유예기간을 두지 않았습니까? 애당초 인간에게 정말 필요한 것이 유예기간이라면 왜 하나님은 인간을 75년 동안 지상에 살다 죽게 한 뒤에야 유예기간을 두신단 말입니까? 진리는 이것입니다. 이 땅에서의 삶이 곧 유예기간입니다!

13 베드로후서 3:9.

14 히브리서 11:6.

다음으로 염두에 두어야 할 것이 있습니다. 사람들이 사후에 하나님의 심판석을 본다면 그 불가항력적 위력 앞에 더는 선택의 능력을 잃고 말 것입니다. 그때 그들이 내리는 '결단'은 어느 것 하나도 진정한 자유의 선택일 수 없습니다. 완전히 강압된 것이지요.

내가 회초리를 들고 우리 딸한테 '물어보지도 않고 언니 옷을 입었으니까 당장 미안하다고 말해' 하고 말하는 것이나 같습니다. 그 사과는 진정한 사과가 아니라 회피에 지나지 않을 것입니다. 제2의 기회에 '선택'하는 사람들은 진정 하나님과 그분 나라와 그분의 길을 선택하는 것이 아닙니다. 그분 나라의 삶에 적합한 자가 될 수 없습니다. 오직 심판을 피하기 위해 타산적인 '선택'을 하는 것뿐입니다.

한 가지만 더 말하지요. 하나님은 사람들이 알 수 있을 만큼 존재를 충분히 드러내는 동시에 하나님을 무시하고 싶은 사람들이 얼마든 그럴 수 있도록 존재를 감추는 절묘한 균형을 유지하십니다. 그래야 사람들의 선택이 진정한 자유의 행위가 되는 법이지요."

반론 9 : 윤회가 보다 자비롭지 않은가

힌두교는 지옥의 개념을 거부한다. 대신 윤회를 믿는다. 인간이 사후에 다른 형태로 이 세상에 환생해, 자신이 전생에 만들어 낸 나쁜 업보를 씻고 깨달음으로 나아갈 수 있는 기회를 다시 얻는다는 것이다.

나는 물었다. "윤회야말로 사랑의 하나님이 사람들에게 새 출발을 허락하는 합리적인 방법이 아니겠습니까? 다음 삶에서 회개할 수 있도록 말입니다. 그러면 그들을 지옥에 보낼 필요도 없겠지요. 이것이 지옥보다 나은 것 아닙니까?"

"하지만 진리란 내가 좋으냐 싫으냐를 기준으로 판가름하는 것이 아닙니다. 힌두교의 윤회가 진리인지 증거를 살펴봐야 합니다. 한 개념의 진리 여부를 결정하는 길은 증거를 살펴보는 것 외에 없다고 봅니다." 모어랜드는 그렇게 말했다.

"그렇지요. 하지만 윤회의 증거가 있지 않습니까? 전생의 기억이 있는 사람들도 있고, 도대체 알 리가 없는 딴 언어를 말하는 사람들도 있고요."

"내 생각에 윤회는 여러 가지 때문에 증거가 약합니다. 한 예로 윤회는 논리성이 없습니다. 그 이유를 예를 들어 설명하지요. 숫자 2는 본질적으로 짝수입니다. 당신이 내게 '지금 숫자 2를 생각하고 있는데 이 숫자는 홀수입니다'라고 한다면 나는 이렇게 말할 것입니다. '3이나 5라면 몰라도 2는 아니겠지요. 내가 알고 있

는 숫자의 본질과 다르군요. 2는 반드시 짝수입니다.'

내 키가 172센티미터라는 사실은 내 본질이 아닙니다. 몸무게가 75킬로그램이라는 사실도 내 본질이 아닙니다. 내가 인간이라는 사실이 나의 본질입니다.

당신이 만일 '저쪽 방에 J.P.모어랜드가 있는데 몸무게가 2킬로그램 빠졌답니다' 라고 말하면 대부분의 사람들은 '잘된 일이군' 할 것입니다. 하지만 당신이 만일 '저쪽 방에 J. P. 모어랜드가 있는데 얼음 덩어리랍니다' 라고 말하면 어떻게 될까요? 대부분의 사람들은 '그렇다면 J.P.모어랜드일 리 없습니다. 우리가 좀 그를 아는데 그는 인간입니다. 얼음 덩어리가 아닙니다' 할 것입니다.

윤회는 내가 개나 아메바로 환생할 수 있다고 말합니다. 그렇다면 얼음 덩어리로 환생하지 말라는 법도 없겠지요. 그것이 사실이라면 J. P. 모어랜드와 다른 것의 차이란 도대체 무엇입니까? 내게는 본질적인 요소가 전혀 없습니다. 숫자 2의 본질이 짝수이듯이 나의 본질은 인간이라는 것입니다. 그런데 윤회는 나의 본질이 결국 본질적인 것이 아니라고 말하지요."

"그래서 논리성이 없다는 것이군요." 내가 끼어들며 말했다.

"그렇습니다." 모어랜드는 말했다. "내가 윤회를 믿지 않는 또 다른 이유는 조금 전에 언급하신 증거들, 소위 전생에 대한 기억 같은 것이 대부분 다른 방법으로 더 잘 설명될 수 있기 때문입니다.

심리학적 설명이 그것입니다. 기억하고 있는 특별한 세부 사항이 흐릿하거나 운 좋게 들어맞는 경우입니다. 그중 일부는 귀신의 활동으로 설명할 수도 있습니다. 사실 연구들을 조심스레 검토해 보면 결코 윤회를 뒷받침하지 못하는 것을 알 수 있습니다.[15]

끝으로, 이 문제에 전문가가 계시기 때문에 나는 윤회를 믿지 않습니다. 바로 나사렛 예수입니다. 그분은 죽었다가 죽은 자 가운데서 살아나 이 문제를 권위적으로 정리한 역사상 유일한 분입니다. 예수는 윤회가 틀렸고, 인간은 한 번 죽으며 그 후에는 심판이 있다고 말합니다. 그분이 세심하게 가르쳤던 제자들도 여기에 대해 그분의 가르침을 똑같이 되풀이했습니다."

대신 예수는 지옥의 실체에 대해 가르쳤다. 사실 성경에 등장하는 누구보다도 이 문제를 가장 많이 언급한 분이 예수다. 나는 이렇게 지적했다. "많은 무신론자들이 예수를 위대한 스승으로 받아들이는데 그분이야말로 지옥에 대해 가장 많이 말씀하신 분이거든요. 정말 아이러니입니다."

15 윤회 증거에 관해 자세히 분석하기 위해서는 다음 책들을 참고하라. J. P. 모어랜드 외, *Beyond Death : Exploring the Evidence for Immortality*(죽음 이후 : 불멸성의 증거를 찾아), Crossway, 1998, pp. 237-253; 노먼 가이슬러 외, *The Reincarnation Sensation*(환생 센세이션), Tyndale, 1986.

휴 헤프너
(Hugh Hefner)
1953년 27살에 「플레이보이」지를 창간한 미국 엔터테인먼트계의 대부. 일흔이 넘은 나이에도 여전한 염문의 주인공.

"맞습니다." 모어랜드는 말했다. "이 점을 잊지 마십시오. 증거에 따르면 예수와 제자들은 유덕한 사람들이었습니다. 가난한 사람들을 보는 눈을 배우려면 테레사 수녀 같은 분에게 물어야 합니다. 휴 헤프너(Hugh Hefner)에게 묻지 않지요. 테레사 수녀의 인품이 더 뛰어나기 때문입니다. 지옥이 궁극적으로 공평한 곳인지 알려면 예수에게 물어야 합니다. 분명한 사실은 예수가 지옥의 교리에서 문제점을 지적하지 않았다는 것입니다.

우리가 가진 도덕적 감정과 직관을 예수와 비교할 때 우리는 박빙을 딛고 서 있는 것입니다. 무엇이 공평하고 무엇이 공평하지 않은지에 대해 내가 그분보다 더 깊은 통찰을 가질 수 있겠습니까? 그곳이야말로 우리가 끼어들 영역이 아니라고 생각합니다."

지옥의 진실

나는 소파에 몸을 기대고 잠시 생각에 잠겼다. 모어랜드는 지옥이라는 주제의 가장 난감한 반론들에 능숙하게 답변했다. 종합해 볼 때 그의 답변이 지옥의 교리에 얼추 합리적인 근거를 제시하는 것으로 인정할 수밖에 없었다.

그렇다고 내 불편한 심기가 해소된 것은 아니었다. 비단 나만 그렇지는 않을 것이다. C.S. 루이스도 지옥의 교리는 "기독교를 잔인한 종교로 공격하고 하나님의 선을 비난하는 주요 근거 중 하나"[16]라고 말한 바 있다.

16 C. S. 루이스, *The Problem of Pain*(고통의 문제), William Collins Sons, 1983, p. 107.

모어랜드는 이제까지 철학자요 신학자로서 반론했는데 그의 개인적 의견은 어떤지 궁금했다. "박사님 자신은 어떻습니까? 이 교리를 뒷받침하는 설득력 있는 논거들을 쭉 펼치셨는데, 솔직히 말해 주십시오. 지옥의 존재가 불편하게 느껴질 때가 없습니까?"

모어랜드는 은테 안경을 벗고 눈을 비비며 말했다. "그야 물론 불편합니다. 두말할 필요 없지요. 하지만 앞에서도 말한 것처럼 뭔가를 불편하게 느끼는 것과 합리적 사고를 바탕으로 오류로 판단하는 것은 엄연히 다릅니다. 지옥이 도덕적으로 정당하다고 믿지만 기분이 편하지 않은 것은 슬프기 때문입니다."

그는 잠시 멈추었다가 말을 이었다. "하나님도 지옥이 편치 않다는 것을 잊지 마십시오. 그분은 지옥을 좋아하지 않습니다. 그렇다면 이 불편한 감정에 어떻게 반응하는 것이 옳을까요? 불편하지 않은 사후 개념을 새로 만들어 내야 할까요? 아닙니다. 지옥이 현실임을 인정하고 그 불편한 감정을 동기 삼아 적절한 행동을 취해야 합니다.

그리스도를 모르는 사람들은 이를 동기 삼아 그분을 찾고 만나려는 노력을 해야 합니다. 우리처럼 그리스도를 아는 사람들은 이를 동기 삼아 그분의 자비와 은혜의 메시지가 필요한 이들에게 전해지도록 노력해야 합니다.

이 모든 과정에서 바른 시각을 고수해야 합니다. 지옥이 인간의 존엄성과 선택의 가치에 대한 영원한 기념비적 사실임을 잊지 마십시오. 지옥이라는 격리 세계를 통해 하나님은 두 가지 중요한 사실을 말씀하십니다. '나는 사람들에게 절대 강요하지 않을 만큼 선택의 자유를 존중한다. 그리고 나는 내 형상을 지닌 자들을 소중히 여기기에 그들을 소멸하지 않는다.'"

"지옥의 교리가 신앙을 찾는 자들에게 걸림돌이 되는 것은 아시지요?"

"물론입니다. 거기에 관해 하고 싶은 말이 있습니다. 어떤 사람과 새로 친구가 될 때 그 사람에 대해 모든 것을 이해하거나 그의 모든 견해에 동의할 필요는 없습니다. 하지만 이 정도는 물어야겠지요. '이 사람과 친구가 되고 싶을 정도로 믿는가?'

예수에 대해서도 마찬가지입니다. 그분과 관계를 맺기 전에 모든 문제가 풀리지는 않습니다. 하지만 이 질문은 해야 합니다. '나는 그분을 신뢰하는가?'

신앙을 찾는 이들에게 권하고 싶습니다. 요한복음을 읽은 뒤 '나는 예수를 신뢰할 수 있는가?' 자문해 보십시오. 신뢰할 수 있다는 답이 나오리라 생각합니다. 시간이 지나고 그분과의 관계가 깊어지면, 지금은 완전히 이해하지 못하는 부분들도 납득하게 되리라 믿습니다."

"하나님이 하실 일은?"

나는 잠시 모어랜드의 말을 마음에 새긴 뒤 자리에서 일어나 그의 전문가적 답변에 감사를 표했다. "까다로운 주제였습니다. 기꺼이 인터뷰에 응해 주셔서 정말 감사합니다."

그는 고개를 끄덕인 뒤 웃으며 말했다. "천만에요. 도움이 되었기를 바랍니다."

악수를 나눈 뒤 그의 배웅을 받으며 차에 올라 공항으로 향했다. 차가 많이 막혔지만 괜찮았다. 비행기 출발 전까지는 시간이 많았다. 실은 거북이걸음이 오히려 고마웠다. 인터뷰를 곱씹어볼 기회가 되었기 때문이다.

지옥은 하나님이 택하실 수 있는 유일한 길인가? 지옥은 공정하고 도덕적인가? 지옥의 교리에는 논리적 모순이 없는가? 분명 예수는 그렇다고 했다. 모어랜드의 논리는 지옥의 장애물을 쓰러뜨리기에 충분하다는 생각이 들었다.

그의 모든 발언에 완전히 수긍한다는 뜻은 아니다. 하지만 그의 설명이 종합적으로 충분히 강력했다는 것만은 분명하다. 이 문제가 내 신앙 여정의 뒷덜미를 잡지 않을 만큼 말이다.

도널드 카슨
(Donald. A. Carson)
트리니티 신학교 신약학 연구 교수로, 「예수 사건」 9장에서 예수의 신적 속성에 대해 논증했다.

로스앤젤레스의 피할 수 없는 교통 체증에 갇힌 나는 가방에 손을 넣고, 모어랜드와의 인터뷰를 준비하며 수집했던 연구 자료를 뒤졌다. 이윽고 어렵사리 녹음테이프 하나를 꺼냈다. 전에 유명한 신학자 D. A. 카슨과 지옥에 관해 인터뷰한 적이 있었는데 바로 그 인터뷰가 담긴 테이프였다.

테이프를 넣은 뒤 앞으로 돌렸다. 오늘 오후에 있었던 인터뷰에 아주 적합한 결론 같았다.

"지옥은 착한 사람이 믿을 것을 믿지 않았다는 이유로 가는 곳이 아닙니다. 사람이 지옥에 가는 이유는 무엇보다도 그들이 자신을 지으신 분을 무시하고 스스로 우주의 중심에 서려 했기 때문입니다. 지옥은 이미 회개한 사람들이 있는 곳이 아닙니다. 하나님이 자비도 없고 선하지도 않아 그들을 거기서 꺼내주지 않는 것이 아닙니다. 지옥은 아직도 영원히 자기가 우주의 주인이 되기 원하며 집요하게 하나님을 무시하고 반항하는 자들이 들어찬 곳입니다.

그럼 하나님이 하실 일은 무엇일까요? 인간이 그렇게 반항해도 전혀 상관없다고 한다면 하나님은 더는 예배할 수 없는 존재입니다. 도덕이 없거나 절대적으로 비굴하거나 둘 중 하나일 테니까요. 그런 도도한 반항 앞에서 하나님이 지옥 이외의 다른 방식으로 행동하신다면 그것은 하나님이기를 포기하는 것입니다."[17]

17 「예수 사건」 9장, 두란노.

최종 진술

1. 지옥에 대한 당신의 원래 생각은 무엇이었는가? 모어랜드의 논증을 통해 그 생각은 굳어졌는가 아니면 흔들렸는가?

2. 마크 트웨인은 "천국은 기후를 위해 있고 지옥은 우정을 위해 있다"며 빈정댄 적이 있다. 앞으로 이런 견해를 제시하는 사람에게 어떻게 말하겠는가?

3. 신앙의 구도자로서 혹은 그리스도인으로서 지옥의 교리가 당신에게 걸림돌이 된 일이 있는가?

증거 자료

- Gary R. Habermas & J. P. Moreland, *Beyond Death : Exploring the Evidence for Immortality*, Crossway, 1998.
- Michael J. Murray, "Heaven and Hell," *Reason for the Hope Within*, Eerdmans, 1999.
- William V. Crockett 편집, *Four Views on Hell*, Zondervan, 1996.
- J.P. 모어랜드, 「창조와 진화에 대한 세 가지 견해」, IVP

교회야말로 압제와 폭력의 역사가 아닌가?

일부 사람에 의해서지만 기독교는 역사상 알려진 가장 잔인하고 냉혹하고 무분별한 만행의 구실이었다. 십자군 운동, 종교 재판, 마녀 화형, 유대인 대학살 등을 어렵지 않게 꼽을 수 있다. …기독교 안에서 가치 있는 것을 보지 못했다.

켄 샤이(Ken Schei), 무신론자[1]

기독교는 인류의 축복이고… 인류에 유익한 영향을 끼쳐 왔다. … 오늘날 의례적인 기독교 환경에서 기독교 윤리 가운데 살아가는 대다수 사람들은 우리가 나사렛 예수에게 얼마나 큰 빚을 졌는지 깨닫지 못한다. … 이 세상에 존재하는 선과 자비는 대부분 그에게서 온 것이다.

D. 제임스 케네디(James Kennedy), 그리스도인[2]

1 "What Is an Atheist for Jesus?(예수에게 무신론자란 무엇인가?)," www.atheists-for-Jesus.com/about.htm

2 *Why I Believe*(나는 왜 믿는가?), pp.118, 121.

웨인 W. 올슨(Wayne W. Olson)의 인생에는 파티가 끊이지 않았다. 연푸른 눈동자와 하얀 머리칼의 위풍당당하고 상냥한 판사 올슨은 쿡 카운티 형사 법정에서 일어난 괴상한 일들을 포복절도할 입담으로 꾸며 만인을 즐겁게 해주곤 했다. 예리한 위트에 주량이 엄청난 그는 시카고 시의원 출신답게 금방이라도 툭 칠 듯 친근함을 준다.

올슨은 탁월하진 않아도 양심적으로 보이는 법조인이었다. 신문에 이름 실리는 것을 좋아해, 내가 「시카고 트리뷴」지 기자로 있을 때, 웨스트사이드에 있는 형사 법정 건물로 자주 기사거리를 들이밀곤 했다.

가끔 우리는 퇴근 후 단골 술집에서 술을 마시며 웃고 떠들었다. 폴카 밴드의 드럼 주자로 법과 대학을 마친 그의 사연은 좌중의 흥을 돋우곤 했다. 그는 천성이 외향적이라 혼자 있는 것을 견디지 못했다.

한번은 그가 기자실로 전화해 나를 결혼식에 초대했다. 판사실로 올라가 보니 올슨은 즉석 결혼식을 집례하고 있었다. 신랑은 막 올슨에게 3년 징역형을 선고받은 수갑 찬 강도였고 신부는 그의 임신한 애인이었다. 올슨의 지명으로 나는 졸지에 신랑 들러리가 되었다.

2분짜리 결혼식이 끝나고 교도관들이 신랑을 데리고 나가자 올슨은 웃으며 말했다. "안됐지 뭡니까. 신혼여행도 못 가고."

형사 사건을 관장하는 마약 판사 올슨은 어느 모로 보나 법망을 피할 사람이 아니었다. 일부러라면 모를까 그럴 리가 없었다. 그러나 1980년 추수감사절 주말, 올슨은 미국 법조계 유례 없는 사건에 감쪽같이 걸려들고 말았다.

올슨이 한가한 나흘간의 휴가를 기해 법정을 비운 사이 FBI 요원들이 그의 어두운 판사실에 잠입, 법적으로 공인된 도청장치를 설치했다. 미국 역사상 연방 수사관이 최초로 현직 판사의 방에 도청장치를 설치하는 순간이었다. 올슨이 알았다면 기꺼이 다른 사람에게 양도했을 명예였다.

터렌스 헤이크

올슨의 방에 배치된 검사 터렌스 헤이크(Terrence Hake)는 실은 '그레이로드 작전(Operation Greylord)'이라는 정부 비밀 수사대의 일원이었다. 올슨이 휴가에서 돌아온 뒤 누구든 감시 대상 인물이 판사실로 들어서면 헤이크는 비밀 송신장치를 통해, 바깥에서 잠복 중인 FBI 요원에게 암호 메시지를 보냈다. 그러면 그 요원이 다른 수사관에게 신호를 보내 도청장치를 가동하도록 되어 있었다. 그런 식으로 요원들은 닫힌 문 뒤에서 오고가는 밀담을 엿들을 수 있었다.[3]

총 250시간 이상의 대화를 비밀리에 녹음한 결과, 올슨 판사가 이중 인생을 살고 있다는 정부 혐의가 사실로 확인되었다. 호감을 주는 편안한 성격으로 카운티 법정에서 최고의 인기를 구가하던 올슨이, 사상 초유의 뇌물을 받고 음흉스레 정의를 파는 타락한 부당 취득자로 밝혀졌던 것이다.

올슨이 변호사들로부터 상납금을 챙기며 사사건건 정의를 유린하는 내용이 테이프에 보존돼 있다. 이런 말도 있다. "나는 돈 받는 사람이 좋소. 입장을 분명히 알 수 있거든."[4] 사실 도청장치가 설치된 지 며칠도 안 되어 요원들은 올슨이 부정직한 검사와 함께 마약 사건을 뻔뻔하게 주무르는 이야기를 듣고 경악을 금치 못했다.

3 Maurice Possley, "Court Hears How FBI Agents Bugged Judge(FBI 요원들의 판사 도청 사건)," 「시카고 트리뷴」지, 1985년 4월 26일자.

4 Maurice Possley, "Judge Liked 'People Who Take Dough,' Greylord File Shows(그레이로드 파일로 밝혀진 '돈 받는 자들'을 좋아한 판사)," 「시카고 트리뷴」지, 1985년 4월 27일자.

올슨 : 난 돈 좀 밝히는 편이오.

검사 : 두 개(200달러)면 될까요? 그 정도면 충분합니까, 판사 나으리? 오늘 765(달러) 벌어들였소.

올슨 : 글쎄, 다른 사람과 계약은 돼 있지만 당신한테 주리다. 당신이 더 잘할 것 같소.

검사 : 이거 두 장(200달러)입니다. 모자라면 말씀만 하십시오. 어떻게든 계약 조건대로…

올슨 : 나는… 받은 돈을… 나랑 절반씩 갈라먹는 사람이 좋소. 공치는 날이 있거든. 빈손으로 찾아오는 사람이 있다니 나 원 창피해서….[5]

5 Maurice Possley, "Records Charge Deals By Judge; 'We Can Make $1,000 a Week'(판사의 거래 고발한 녹취록; '우리는 매주 1,000달러씩 벌 수 있다')," 「시카고 트리뷴」지, 1985년 2월 21일자.

올슨은 55건의 뇌물 수수, 부당 취득, 공갈 혐의로 기소되었다. 이 충격적 뉴스가 터졌을 때 나는 이미 「시카고 트리뷴」지를 떠나 다른 신문사에서 편집 일을 하고 있었다. 고개가 절로 내둘러졌다. 그는 참으로 오랫동안 나와 동료들과 일반 대중을 속였다. 배신감이 들었다. 자기가 수호하겠다고 서약한 법을 그토록 당차게 짓밟다니 분노가 느껴졌다. 한때 다른 사람의 운명을 당당하게 호령하던 판사가 이제 12년형을 선고받고 연방 교도소에 수감되다니 운명의 반전도 이만저만 아니었다.

그는 감옥에도 혼자 가지 않았다. 여남은 명의 다른 부정직한 판사들과 변호사들이 '그레이로드 작전' 그물에 줄줄이 걸려들었다. 쿡 카운티 법정 역사상 가장 성공적인 비밀 수사였다. 그런데 이 수사에서 제기된 의문들은 기독교와도 관련되어 있다.

썩을 대로 썩다?

그레이로드 작전을 통해 표면에 떠오른 이슈 중 하나는 이것이다. 올슨과 부패한 법조계 인사의 범죄는 정직한 사법 체계의 변칙적 사례인가? 즉 오늘날 형사 제도는 돈벌이에 혈안이 된 사기꾼 판사에 의해 드물게 발생하는 오점을 제외하고는 근본적으로 깨끗하고 공평한 것인가? 아니면, 올슨과 그 일당은 쿡 카운티 사법부의 근본까지 좀먹은 총체적 타락의 증상인가? 그야말로 썩을 대로 썩은 것인가? 올슨 사건은 법조계 인사들의 '평소 실력'에 다름 아닌가?

본질적으로 이와 똑같은 질문을 기독교에도 던질 수 있다. 그리스도인들은 고금을 통한 교회의 직권 남용과 폭력 사건들을 변칙적 사례로 보는 경향이 있다. 그러나 비판자들은 십자군 운동, 종교 재판, 살렘(Salem) 마녀 재판 같은 기상천외한 사건들을 보다 깊은 문제점으로 여긴다. 즉 기독교 자체가 타인들에게 자기 뜻을 강요하려는 끝 모르는 권력욕으로 썩을 대로 썩었다는 것이다. 그것도 필요하다면 폭력과 착취까지 사용하면서 말이다. 현대사의 가장 유명한 무신론자 버트런드 러셀은 그것을 불가피한 현상으로 보았다.

⬆ **살렘 마녀 재판**
1692년 미국 매사추세츠 주 살렘에서 일어난 사건으로 19명이 마녀로 몰려 교수형을 당했다. 목사 파리스의 노예 티츠바가 지껄이는 신들린 소리를 듣고 있던 젊은 여성들이 땅에 엎드려 괴상한 행동을 취한 데서 발단되었다.

"절대 진리가 특정 인간의 말에 담겨 있다고 생각하는 순간 그의 말을 해석하는 전문가 집단이 생겨나고 그 전문가들은 예외 없이 권력을 획득하게 마련이다. 진리의 열쇠를 자기들이 쥐고 있기 때문이다. 다른 모든 특권 계층과 마찬가지로 이들은 그 권력으로 자기 일신상의 이익을 도모한다. … 그들은 어쩔 수 없이 모든 지적, 도덕적 진보의 적이 되고 만다."[6]

예수의 이름으로 자행된 만행들은 분명 기독교를 대적하는 이들에게 피뢰침이 되어 왔다. 노벨상을 수상한 물리학자 스티븐 와인버그(Steven Weinberg)는 이렇게 말했다. "종교가 있든 없든 어차피 선한 사람들은 선을 행하고 악한 사람들은 악을 행하게 되어 있다. 하지만 선한 사람들이 악을 행하는 데는 반드시 종교가 개입된다."[7]

켄 샤이(Ken Schei)는 교회의 폐해를 이유로, 표현 자체에 모순이 있기는 하지만 급기야 '예수의 무신론자들'이라는 기관을 창설하기까지 했다. 소위 예수의 '사랑과 자비의 메시지'는 받아들이지만 그를 하나님으로 보거나 그의 몸 된 교회는 인정하지 않는 입장이다.

교회가 저지른 일에 대한 찰스 템플턴의 혐오감은 그의 책에는 물론 나와의 인터뷰에도 그대로 드러나 있다. 그는 기성 교회가 "헤아릴 수 없이 많은 선"을 행했다는 것을 인정하면서도 "교회가 최선의 상태를 보여 준 일은 극히 드물고, 부정적 영향을 미친 경우는 너무 많다. … 고금을 막론하고 전 세계 대륙에서 평화의 왕의 추종자라는 그리스도인들은 분쟁을 조장하고 그에 가담했다"[8]고 비난했

6 버트런드 러셀, *Why I am Not a Christian*(나는 왜 크리스천이 아닌가), Simon & Schuster, 1957, pp. 25-26.

7 "Why Are We Here : The Great Debate(우리가 여기 있는 이유 : 대토론)," 「국제 헤럴드 트리뷴」지, 1999년 8월 26일자.

8 *Farewell to God*, pp. 127,129.

9 위의 책, p. 154.

다. 그는 중세 교회를 "테러리스트 집단"[9]에 견주었다.

이런 평가를 역사적 자료로 반박할 수 있을까? 그리스도인들이 십자군 전쟁의 대량 학살과 종교 재판의 잔인한 고문에서 자신들을 옹호하는 것이 가능할까? 아니면, 기독교의 전형적 행동 유형으로서 신앙의 구도자들을 기성 교회에서 떠나게 만드는 정당한 구실이 될 수 있을까?

난해한 질문들이다. 그러나 다행히도 나는 답을 얻기 위해 멀리까지 갈 필요가 없었다. 내가 시카고 교외에 살고 있을 그즈음, 최고의 기독교 역사가 한 사람이 우리 집에서 한 시간도 안 떨어진 곳에 살고 있었던 것이다.

| 일곱 번째 인터뷰 |

존 D. 우드브리지 박사

영어와 불어를 능숙하게 구사하는 우드브리지(John D. Woodbridge)는 미시간 주립 대학교에서 사학으로 석사 학위를, 프랑스 툴루즈(Toulouse) 대학교에서 박사 학위를 받았다. 그는 풀브라이트 장학금을 받았으며, 미국 인문학 지원단 및 미국 학술단체 위원회의 연구비도 받았다. 파리 소르본느 대학교 종교학부인 오트제튀드(Hautes Etudes)를 비롯해 수많은 대학교에서 가르친 후, 현재 일리노이 주 디어필드에 있는 트리니티 복음주의 신학대학원에서 교회사 연구 교수로 재직 중이다.

우드브리지는 역사와 관련된 책을 많이 썼는데 그중 전공 서적으로 존스 홉킨스 대학교 출판부에서 펴낸 *Revolt in Pre-Revolutionary France : The Prince de Conti's Conspiracy against Louis XV, 1755-1757*(대혁명 이전 프랑스의 반란 : 루이 15세를 대적한 콩티 제후의 음모, 1755-1757) 이 있고, 좀 더 대중적인 저서로는 「인물로 본 교회사 상 · 하」(*Great Leaders of the Christian Church*, 도서출판 횃불 역간), 「넉넉히 이기는 자들」(*More Than Conquerors*, 도서출판 횃불 역간), 「그리스도의 대사들」(*Ambassadors for Christ*, 도서출판 횃불 역간) 등이 있다. 신학과 성경 연구에 관한 책도 집필했는데 D.A. 카슨과 공저한 *Hermeneutics, Authority and Canon*(해석학과 권위와 정경), *Scripture and Truth*(성경과 진리), *Biblical Authority*(성경의 권위) 등이 있다. 아

울러 2년간 「크리스차니티 투데이」지의 수석 편집자로 일하기도 했다.

우드브리지는 미국 천주교 역사 협회, 미국 교회사 학회, 미국 18세기 연구학회, 프랑스 17세기 학회, 프랑스 현대 역사학회 등 미국과 프랑스의 유수한 역사학회 회원이다.

전통적인 식민지 시대 네덜란드 풍 자택에서 만난 우드브리지는 어디서 많이 본 듯한 얼굴이었다. 나중에야 나는 그가 배우 피터 보일(Peter Boyle)을 쏙 빼닮은 것을 알았다. 59세로 세 자녀를 둔 그는 단추 달린 청색 셔츠에 흰색 낚시용 그물 스웨터를 입고 있었다. 우리는 그의 집 식탁에 마주앉았다. 식탁에는 종이가 어지러이 널려 있었다. 안식년 동안 집필해 온 새 책을 마무리하는 중이라고 했다.

피터 보일
(Peter Boyle, 1933-)
최근까지도 활발한 활동을 벌이는 영화 배우. '당신이 잠든 사이에' 등에 출연했다.

자연스레 대화를 시작할 길이 묘연했다. 이 주제는 특히 어려웠다. 그로부터 몇 달 후, 교황 요한 바오로 2세는 지난 2000년 동안 로마 가톨릭 교회가 저질렀거나 묵인해 온 죄들을 공식적으로 인정하고 하나님의 용서를 구하게 된다.[10] 하지만 그보다 먼저 교황 자신이 과오를 시인하기도 했다.

교회의 죄를 고백하다

"1994년, 교황은 '교회사의 어두운 측면' 을 인정하라고 촉구하며 '신앙의 이름으로 저질러진 많은 형태의 폭력, 종교 전쟁, 종교 재판, 인권 침해에 대해 어떻게 침묵을 지킬 수 있는가?'[11] 라고 말했습니다. 그런데 역사상 교회는 이런 폐해들을 의도적으로 묵과해 오지 않았습니까?"

우드브리지는 두 손을 깍지끼고 팔꿈치를 식탁에 올려놓은 채 듣고 있었다. 그는 잠시 내 질문을 분석한 뒤 이렇게 대답했다.

"교황의 발언은 용기 있는 것이라고 봅니다. 그동안 그리스도의 이름으로 행해진 잘못들을 로마 가톨릭 교회가 시인한 것은 기독교 전체를 향한 비난을 자초할 수도 있으니까요.

그런데 '교회' 라는 말을 조심해서 사용할 필요가 있습니다. 기독교를 대표하는 기관이 하나밖에 없었다는 인상을 주거든요. 나는 '교회' 의 일원, 즉 목자의 음성을 듣는 양으로서의 진정한 그리스도인 개인들과 제도적 '교회들' 사이에 분명한 선을 긋고 싶습니다." 그는 '교회들' 이라는 점을 강조하며 이렇게 덧붙였다.

"물론 눈에 보이는 교회들 안에는 수많은 진정한 그리스도인들이 있습니다. 하지만 교회에 속해 있다고 해서 반드시 예수의 제자인 것은 아니지요. 문화적 그리

10 참고: Richard Boudreaux, "Pope Apologizes for Catholic Sins Past and Present(천주교의 과거와 현재의 죄 사과한 교황)," 「로스앤젤레스 타임스」지, 2000년 3월 13일자.

11 Peggy Polk, "Papal State: Despite His Recent Ills, Pope John Paul II is Focused on the Future(교황 근황 : 최근 질환에도 불구 미래에 초점 맞춘 교황 요한 바오로 2세)," 「시카고 트리뷴」지, 1995년 6월 5일자.

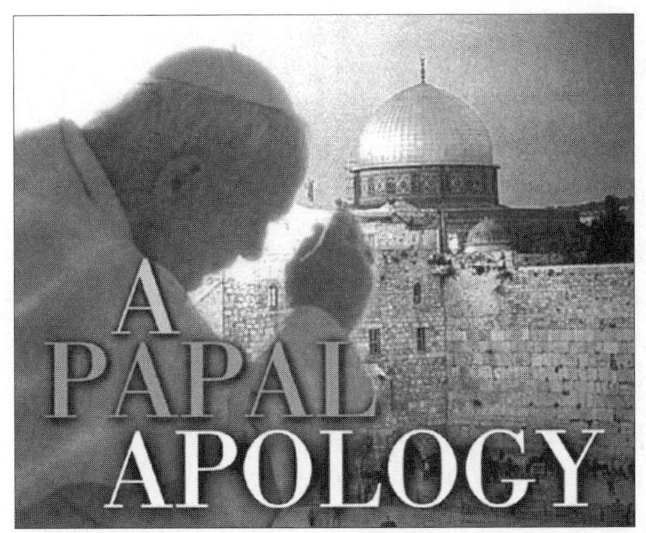

⬆ 2000년 3월 12일, 대희년을 맞아 교황은 '용서의 날'을 제정, 로마 가톨릭의 과오를 사과하는 미사를 집전했다.

스도인일 뿐 진정한 그리스도인이 아닌 사람들도 있습니다."

나는 의심쩍게 실눈을 뜨며 물었다. "그것은 21세기 수정주의의 단면이 아닙니까? 과거를 되돌아보며 '사실 기독교의 이름으로 저질러진 모든 만행은 자칭 신자일 뿐 실제로는 그리스도인이 아닌 자들에 의한 것이다' 하면 한결 쉬워질 테니까요. 편리한 도피 수단으로 보입니다."

"그렇지 않습니다. 새삼스러운 구분이 아닙니다. 사실 이 구분은 예수 자신에게까지 거슬러 올라갑니다." 그는 단호하게 말하며 어지럽게 널린 종이 밑에서 숨어 있는 성경책을 꺼내 마태복음의 한 부분을 읽었다.

"나더러 '주여, 주여' 하는 자마다 천국에 다 들어갈 것이 아니요 다만 하늘에 계신 내 아버지의 뜻대로 행하는 자라야 들어가리라. 그날에 많은 사람이 나더러 이르되 '주여, 주여. 우리가 주의 이름으로 선지자 노릇하며 주의 이름으로 귀신을 쫓아내며 주의 이름으로 많은 권능을 행치 아니하였나이까?' 하리니 그때에 내가 저희에게 밝히 말하되 '내가 너희를 도무지 알지 못하니 불법을 행하는 자들아, 내게서 떠나가라' 하리라."[12]

12 마태복음 7:21-23.

우드브리지는 고개를 들며 말했다. "그러니까 예수는 벌써 2000년 전에 이것을 구분했습니다. 역사 속에서 그분의 가르침에 합당하지 않은 일들이 기독교의 이름으로 자행된 것은 분명한 사실입니다.

아돌프 히틀러도 기독교 색채를 입으려 했지만 그는 분명 예수의 가르침을 대변한 자가 아닙니다. 신학자 칼 바르트는 '하이 히틀러'라는 말로 강의를 시작해 달라는 부탁을 받고 '산상수훈 주해를 시작하기 전에 하이 히틀러라고 말하기란 참으로 어렵다!'고 했습니다. 그 둘은 전혀 어울리는 짝이 아닙니다. 따라서 이 구분을 받아들이면 지금까지 기독교 신앙 탓으로 여겨 온 몇몇 사건들을 보다 정확히 알 수 있습니다."

나는 여전히 개운치 않았다. "그러니까 역사상 벌어진 나쁜 일들은 진정한 그리스도인들이 저지르지 않았다는 말입니까?"

"아니지요. 그런 뜻이 아닙니다. 죄성을 지닌 우리는 그리스도인이지만 해서는 안 되는 일을 합니다. 성경도 그렇게 말합니다. 우리는 이 세상에서 완전하지 않습니다. 안타깝게도 역사상 저질러진 악행 중 일부는 그리스도인이 일으켰을 수 있습니다. 그들은 예수의 가르침에 어긋나게 행동한 것입니다.

하지만 동시에 일부 제도 교회들이 저지른 잘못에 분연히 맞섰던 소수의 목소리가 있었습니다. 일례로 오늘 아침에 읽은 글입니다만 스페인이 라틴 아메리카를 식민지화할 무렵, 그리스도의 이름으로 원주민을 착취하는 데 반기를 든 천주교 신자들이 있었습니다. 그들은 '이래서는 안 된다!' 고 말했습니다. 정부나 교회의 대리자들이 저지른 과오에 기꺼이 맞서 항거한 그리스도인들이지요."

"교황의 발언에 대해 다시 묻겠는데, 이 시점에 교회의 과거 죄를 고백하는 것은 적절한 일입니까?" 나는 물었다.

"물론입니다. 그리스도인들이 행한 몇몇 일들이 죄라고 고백하는 것은 지극히 적절합니다. 성경은 우리에게 죄를 고백하라고 가르칩니다. 고백이야말로 그리스도인의 표식 중 하나입니다. 과오를 기꺼이 시인하고 용서를 구하며 앞으로의 삶을 바꾸려 노력하는 것이지요. 사실 교황만이 그 일을 한 것은 아닙니다. 최근 미국의 남침례교 교단은 초창기 남침례교 교인들이 노예 문제에서 심각한 오류를 범했다고 인정했습니다. 몇 년 전에는 캐나다의 루터교 단체가 마르틴 루터의 글에 나타난 반유대주의에 대해 유대인들에게 사과한 일도 있습니다."

"역사가로서 박사님은 회의론자들이 교회 역사의 폐해들을 붙잡고 늘어져 기독교를 반박하는 논거나 공격의 미끼로 삼는 것을 어떻게 보십니까?"

"충분히 이해가 갑니다." 그는 대답했다. "불행히도 역사상 특정 사건들은 일부 사람들의 마음속에 기독교에 대한 냉소를 심기에 충분했습니다. 하지만 그리스도인에 대해 오해를 불러일으키는 선입견들도 많이 있습니다. 일부 비판자들은 문화적 기독교와 진정한 기독교를 구분하지 않고 줄곧 공격하고 있습니다.

이것이 우리가 해결해야 할 문제이기도 합니다. 볼테르(Voltaire)는 대단한 기독교 비판자였지만 영국에서 퀘이커교, 장로교 그리스도인들을 만나 그들의 신앙에 깊은 감명을 받았습니다. 이렇듯 때로 제도적 형태의 기독교가 사람들에게 반감을 준다 해도 진정한 신앙의 표현은 비그리스도인에게 큰 매력을 줄 수 있습니다."

볼테르(1694-1778) 프랑스 계몽사상가. 공증인의 아들로 태어나 귀족과 동등해지려는 욕망을 품었다. 예수회 교도들에게 엄격한 교육을 받았다.

이런 배경에서 우리는 기독교의 여명기부터 역사를 더듬어 가며, 기독교 신앙 때문에 일어난 황당한 사건들을 차례로 살펴보기로 했다.

기독교의 여명기

역사가들은 기독교가 혹독한 핍박 속에서도 로마 제국 전역에 놀라운 속도로 퍼져나간 사실을 늘 신기해하며 이런저런 이론을 제기해 왔다. 나는 무신론자에서 그리스도인이 된 패트릭 글린의 말을 어떻게 생각하는지 우드브리지에게 물었다.

"기독교가 급속도로 퍼져나간 이유 중 하나로 역사가들은 초기 그리스도인들의 훌륭한 인품을 손꼽는다지요? 가난한 자와 짓밟힌 자들에 대한 그리스도인들의 친절과 섬김이 새신자들을 계속 끌어왔다고요. 한 역사가는 '그리스도인들은 그 사랑으로 고대 문명인들을 놀라게 했다' 고 표현했습니다."[13]

13 패트릭 글린, *God : The Evidence*(하나님 : 궁극적 증거), p. 157.

우드브리지는 고개를 끄덕이며 말했다. "기독교의 급속한 확장에 대한 글린의 말은 정확하다고 봅니다. 2세기 말에 터툴리안(Tertullian)은 이렇게 썼습니다. '우리는 불과 엊그제 시작됐지만 이미 당신들의 도시와 섬과 궁전과 원로원과 법정을 가득 채우고 있습니다. 이제 당신들에게 남은 것은 신전뿐입니다.' 이렇듯 기독교는 150년 만에 대단히 빠른 속도로 퍼져나갔습니다.

터툴리안(155-225)
195년 회심한 북아프리카의 기독교 변증학자. Trinitas(삼위일체)라는 말을 처음으로 사용하기도 했다. 신앙의 규범(전통)에 어긋나는 것은 몰라도 된다고 할 정도로 철저하게 신앙 규범에 맞추어 살 것을 주장했다.

이 급속한 확장을 설명하는 한 가지 사실은 글린이 지적한 대로 많은 그리스도인들이 이웃과 가난한 자들, 과부와 상처받은 자들을 돌봐 주었다는 것입니다. 그들은 사랑이 넘쳤습니다. 아이들, 특히 여자아이들도 애정으로 대했습니다. 로마인들은 아기를 무지막지하게 다루곤 했지요. 그리스도인은 삶의 방식과 주장하는 것이 일치했습니다. 그래서 '우리가 그리스도를 본받는 것처럼 당신들은 우리를 본받으시오' 라고 주저 없이 말할 수 있었습니다."

그 말끝에 우드브리지는 약간 부끄러운 듯 이렇게 덧붙였다. "안타깝게도 현대 복음주의자들의 경우 '우리를 보지 말고 그리스도를 보십시오' 라고 말해야 할 때가 많습니다. 우리 삶을 세밀히 조사할 경우 사람들 눈에 어떻게 드러날지 두렵기 때문입니다. 초기 그리스도인들은 그렇지 않았습니다. 그들은 신앙과 행동이 일치했습니다."

우드브리지는 종이 한 장을 꺼내며 이렇게 말했다. "기독교가 그렇게 빨리 성장한 이유는 초기 비그리스도인을 통해서도 알 수 있습니다." 그러면서 그는 그리스 풍자 작가이며 기독교 비판가 루키안(Lucian)의 글을 큰소리로 읽었다.

"이 현혹된 인간들은 자기들이 영원 불멸하다는 기본 확신에서 시작한다. 그들 사이에서 흔히 볼 수 있는 죽음에 대한 초연함과 자발적 헌신도 거기서 비롯된 것이다. 그들에게 법을 준 창시자가 그들의 마음속에 심어준 사실이 있다. 회심하여 그리스의 신들을 부인하고 십자가에 달린 현자를 숭배하며 그의 법대로 살기 시작하는 순간부터 모두가 다 형제라는 점인데, 그들은 이것을 정말 사실로 믿는다. 그 결과 그들은 세상의 모든 좋은 것도 공동 소유로 여길 뿐 대수롭게 보지 않는다."[14]

우드브리지는 이어서 말했다. "그의 말은 그리스도인들이 서로를 형제로 대하며 서로 아낌없이 소유까지 나누었다는 것을 확증해 줍니다. 그밖에 암시된 다른 중요한 것은 그들이 죽음을 그리스도와 같이 있게 되는 것으로 믿었다는 것입니다. 순교자 저스틴(Justin)은 *First Apology*(제일 변증)에서 '당신들은 우리를 죽일 수 있지만 해칠 수는 없다'[15]고 말했습니다. 살인이야말로 최고의 가해이지요. 하지만 그들의 관점에서 죽임당하는 것은 그다지 중요한 일이 아니었습니다. 바울도 '내게 사는 것은 그리스도니 죽는 것도 유익함이니라'[16]고 말했습니다.

초창기 그리스도인의 대담 무쌍한 헌신, 죽음도 아랑곳하지 않고 그리스도의 진리를 증거하던 열정, 겸손과 사랑이 넘치는 생활 방식, 서로는 물론 무력하고 상처받고 억압받는 이들에 대한 섬김, 기도 생활, 성령의 능력 등을 두루 감안할 때 기독교 신앙이 그렇게 급속도로 확장된 이유가 십분 이해됩니다."

"그렇게 해서 기독교가 로마의 국교로 채택된 것은 결국 기독교에 좋은 일이었습니까, 나쁜 일이었습니까?" 나는 물었다.

"핍박이 종식된 것은 아주 다행이었습니다. 그 점에서는 좋은 일이었지요." 우드브리지는 웃으며 말했다. "그러나 교회와 정부가 밀접해지면서 교회가 정부를 착취 수단으로 사용하기 시작한 것은 아주 나쁜 일이지요. 또 교회에 세속주의가 유입되었습니다."

"어떻게 말입니까?" 나는 물었다.

"콘스탄티누스 대제가 그리스도인이 된 사람에게 멋진 옷과 금 조각을 하사하기로 약속했다는 소문이 나돌았습니다. 그리스도인이 되는 구실로는 좋은 것이 아니지요. 입으로는 기독교를 믿는다고 하지만 실제로는 예수를 받아들이지 않도록 문이 넓어진 것입니다."

14 참고: 루키안, *The Death of Peregrine*(페레그린의 죽음), pp. 11-13. *The Works of Lucian of Samosata*(사모사타의 신학자 루키안의 연구)에서 인용.

15 저스틴, *First Apology : Ante-Nicene Fathers*(첫 번째 변명 : 니케아 이전 교부들), Eerdmans, 1973.

16 빌립보서 1:21.

저스틴

로마에 기독교 학교를 세웠던 그리스 신학자. 기독교 박해 기간에 이교도 우상에 절하라는 회유를 거절하고 순교했다. 이교도와 유대인을 향해 기독교 믿음을 논증하는 글을 남겼다.

원래 태양신을 숭배하던 로마 콘스탄티누스 대제는 그 자신이 그리스도인이 되어 313년 밀라노 칙령을 공포, 신앙의 자유를 인정하였다. 또 당시까지 전국적으로 벌어지던 기독교 박해를 중지시키고 교회의 사법권 · 재산권 등을 우대하였다. 기독교가 로마 제국의 정식 국교가 된 것은 392년의 일이다.

"다시 말해 예수의 진정한 제자가 아니라 문화적 그리스도인이 된 것이군요?"

"그렇습니다." 그는 말했다.

초기 기독교에 관한 기초 작업이 이루어진 만큼 나는 회의론자 시절 가장 나를 괴롭혔던 기독교 역사의 다섯 가지 오점, 십자군 전쟁, 종교 재판, 살렘 마녀 재판, 선교사들의 착취, 반유대주의를 파헤치기로 했다. 말할 수 없이 불미스럽고 더러운 사연들 말이다.

오점 1 : 십자군 운동

나는 우드브리지에게 말했다. "기독교 십자군은 200년 동안 성지에서 이슬람교도들을 몰아내려 했습니다." 나는 역사책 한 권을 펴서 페이지를 쭉 넘기며 해당 부분을 찾았다. "이 끔찍한 기사는 1차 십자군 운동 때 십자군들이 예루살렘에 입성하던 장면을 이렇게 묘사하고 있습니다." 나는 우드브리지에게 목격자의 증언을 읽어 주었다.

"우리 군인들 중 일부는… 적들의 머리를 베었다. 다른 군인들은 화살을 쏘아 적들을 망루에서 떨어뜨렸다. 적들을 불속에 던져 넣고 장시간 고통을 가하는 자들도 있었다. … 사람과 말들의 시체를 밟고 걸어다닐 수밖에 없었다. 하지만 솔로몬 성전에서 있었던 일에 비하면 아무것도 아니다. … 피가 군인들의 무릎과 말고삐에까지 차 올랐다. 이곳에 불신자들의 피가 흘러넘치는 것은 하나님의 공정하고 멋진 심판이다. 너무나 오랫동안 적들의 불경한 모독으로 수난당해 온 것이다."[17]

17 브루스 셸리, 「현대인을 위한 교회사」 크리스찬다이제스트.

나는 질색하며 책을 덮었다. 그리고 우드브리지를 뚫어져라 쳐다보며 약간 빈정대는 말투로 물었다. "십자군 운동이 '공정하고 멋진' 일이었다는 데 동의하십니까?"

우드브리지는 입술을 오므리며 단호하게 말했다. "그런 유혈 사태는 역겹고 가증한 일입니다. 그런 일이 분명히 있었습니다. 생각하면 가슴이 아픕니다. 나는 그것을 변명하거나 합리화하고 싶지 않습니다. 하지만 십자군 운동의 공정성 여부를 묻는 질문 외에 보다 전체적인 정황을 살펴보는 것이 훨씬 도움이 되리라 생각합니다."

"부탁합니다." 나는 의자 뒤쪽으로 물러앉으며 말했다.

우드브리지는 이렇게 시작했다. "십자군 운동은 1095년 교황 우르반 2세에 의해 시작되었습니다. 교황의 그 유명한 선동 설교를 들은 군중들은 '하나님의 뜻!'이라고 외쳤습니다. 십자군 운동은 성지 내 기독교의 마지막 요새 아크레 성이 다시 이슬람에 넘어간 1291년까지 계속되었습니다. 예루살렘은 이미 1187년에 이슬람의 손에 넘어간 뒤였습니다.

교황은 귀족들과 그리스도인들에게 성지 탈환을 촉구했습니다. 성지를 점령하고 있는 그리스도의 적, 회교도에게서 성지를 되찾으라는 것이었지요. 초기 십자군의 입장에서는 자기들이 그리스도를 위해 위대한 사명을 수행하는 줄 알았을

⬇ 지방마다 다니며 십자군 원정을 촉구하는 설교자를 그린 13세기 삽화.

것입니다. 물론 실제로 벌어진 일을 연구해 보면 깊은 고민에 빠질 수밖에 없습니다. 4차 십자군 운동의 경우에는 성지까지 가지도 못했습니다. 동로마의 콘스탄티노플을 빼앗아 나라를 세웠지요. 어마어마한 유혈극이 뒤따랐습니다. 서양 '그리스도인들'이 동양 '그리스도인들'을 죽인 것입니다.

폭력 외에 문제시되는 것은 십자군에 참가한 사람들의 동기였습니다. 1215년 교황 이노센스 3세는 십자군에 참가하면 구원을 얻을 수 있다고 가르쳤습니다. 다른 사람을 대신 싸움터에 보내도 역시 구원을 얻는다고 했습니다. 이런 가르침은 명백히 기독교를 왜곡한 것입니다. 그것은 성경의 가르침을 조롱하는 것이고 기독교 신앙과 일치하지 않습니다.

십자군의 동기는 회교도가 예루살렘을 재탈환하면서 한층 더 평가하기 어렵습니다. 후기 십자군들은 절박한 곤경에 처한 그리스도인들을 구하기 위해 성지로 향한 것이지만 십자군 운동의 탐욕과 살육은 어떤 의도에도 불구하고 기독교 신앙의 명성에 흉측한 오점을 남겼다고 해야 할 것입니다.

이것은 21세기 자유주의적 시각만이 아닙니다. 13세기 초 다수의 그리스도인들도 같은 말을 했습니다. 십자군의 이상이 와해된 이유 중 하나도 십자군 출정의 엄청난 폐해 때문이었습니다. 이후에도 교황들이 여러 번 십자군을 일으키려 했지만 정치적 지지나 대중적 지지를 얻을 수 없었습니다. 십자군 운동의 실상이 진정한 기독교와 달랐기 때문에 새로운 십자군에 대한 관심이나 열의가 식을 수밖에 없었던 것입니다.

십자군 운동 당시 유럽(서로마)에는 교황 클레멘스 3세, 신성로마의 황제 하인리히 7세, 프랑스 왕 필리프 1세 등이 패권을 다투었다. 동로마 비잔틴 제국에는 알렉시오스 1세가 진격하는 셀주크 투르크에 힘겹게 맞서고 있었다.

이렇게 예수의 이름으로 행해진 일과 실제로 예수의 가르침을 대변하는 일은 엄연히 다릅니다. 예수의 가르침과 십자군의 살육을 연결시키려 한다면, 글쎄요, 둘이 조화를 이룰 수 있는 길은 전혀 없습니다."

나는 물었다. "그리스도인이 다른 사람을 압제하려 하고 실제로 누구 못지 않게 난폭하다는 증거가 바로 십자군 운동이라는 견해에 대해 박사님은 뭐라고 하시겠습니까?"

우드브리지는 잠시 생각한 뒤 답했다. "우선 십자군 운동에 관한 한 상당히 일리가 있다고 하겠습니다. 해서는 안 될 일을 예수의 이름으로 저지른 사람들이 분명 있습니다. 그 다음에는, 예수의 이름으로 행해진 일이라 해서 모든 것이 기독교의 책임일 수는 없다고 지적하겠습니다.

어쨌든 십자군 운동 중에 벌어진 끔찍한 일들은 적당히 얼버무리고 싶지 않습니다. 그런 일들은 십자군이 따르던 예수의 가르침에 전적으로 어긋납니다. 하지만 예수의 가르침이 어긋난 것은 아닙니다. 어떤 이유로든, 원수를 사랑해야 한다는 예수의 명백한 가르침에서 크게 벗어난 자들의 행동은 잘못된 것입니다. '정당한 전쟁' 이론도 예수의 원리에 선행될 수 없습니다.

위선이나 난폭한 행위를 예수처럼 노골적으로 비난한 분은 없습니다. 따라서 비판자들이 십자군 운동의 면면을 위선과 난폭한 행위로 탄핵한다면, 바로 예수가 그들 편입니다. 예수도 그들과 같은 생각일 것입니다."

12세기 서유럽에서 로마 가톨릭 교회는 세계 교회, 로마 교황은 서유럽의 원수, 교황청은 세계 정부였다. 그런 점에서 프랑스 남부에서 일어난 이단 운동은 교황의 권위에 맞서 세계 정부의 체제 변혁을 목표로 하는 혁명운동으로 간주되었다.

오점 2 : 종교 재판

종교 재판은 1163년에 교황 알렉산더 3세가 주교들에게 이단자들을 찾아내 처단하라고 명령한 데서 시작되었다. 결과는 공포의 참극이었다. 소송은 비밀리에 이루어졌고 최고 권력자들이 재판관의 옷을 입었다. 정당한 절차는 없었다. 고소당하는 자들은 자기를 고소하는 자가 누구인지도 몰랐다. 피고측 변호사도 없었다. 고문을 동원해 자백을 받아냈다. 회개를 거부하는 자들은 화형대의 제물이 되었다.

"종교 재판의 요인은 무엇입니까? 어떻게 진정한 그리스도인들이 그런 만행에 가담할 수 있습니까?" 나는 물었다.

우드브리지는 이렇게 설명했다. "종교 재판의 뿌리는 이단 문제에 대한 교황의 깊은 관심으로 거슬러 올라갑니다. 특히 프랑스 남부 알비장스 사람들 안에 문제가 있었습니다. 그들이 이단적 교리 예식의 지지자였던 것은 분명합니다. 전통적인 설득 방법, 예컨대 선교사를 파송하는 것으로는 통하지 않았습니다. 종교 재판은 이단을 막기 위한 대안적 접근 혹은 방책이었습니다. 물론 정치적 요인도 작용했습니다. 프랑스 북부 사람들은 어떻게든 남부의 성(省)에 개입할 구실을 찾고 있었지요."

"그것이 종교 재판의 발단이군요."

"그렇습니다. 종교 재판에는 기본적으로 세 차례의 물결이 있었습니다. 첫 번째는 방금 말한 것입니다. 두 번째는 이사벨라와 페르디난드가 스페인의 종교 재판 제정을 도움으로써 1472년에 시작되었습니다. 역시 교황의 권위를 뒤에 업고 있었지요.[18] 세 번째는 교황 바오로 3세가 개신교도, 특히 칼빈주의자들을 색출하기로 하면서 1542년에 시작되었습니다."

"그러니까 자칭 그리스도인 천주교 신자들이 자칭 그리스도인 개신교 신자들을 핍박한 것이군요." 나는 말했다.

"그렇습니다. 결코 '하나의 교회'를 말할 수 없다는 것을 다시 한번 보여 주는 사례지요. 당시 사람들은 이단을 정치적 선동과 동일시했기 때문에 이단자로 지목된 사람은 동시에 정치적 선동가로 간주됐습니다. 일례로 미카엘 세르베투스(Michael Servetus) 재판의 경우 죄목은 이단자였지만 정부가 정작 우려한 것은 그가 정치적 선동을 꾀했다는 것이었지요. 종교와 정치가 얽혀 있었던 것입니다."

"진정한 그리스도인이 종교 재판의 피해자였을 수도 있습니까? 흔히 이 만행에서 진짜 그리스도인이 어떻게 남을 고문할 수 있는지 의아해 하는데요. 진짜 그리스도인이 목숨을 잃은 장본인이었을 가능성도 있습니까?"

"예, 그럴 가능성이 아주 높습니다." 그는 말했다. "죽은 사람의 신원을 모두 알 수는 없지만 진정한 신앙의 수호자들이 죽었을 가능성이 높습니다. 종교 재판을 시작한 뒤로 천주교 교회의 교세가 약해졌다는 증거도 분명 있습니다. 개신교도

18 세 번째 밀레니엄을 앞둔 시점에서 스페인의 신부들과 수녀들은 "종교 재판에 밀접하게 관여했던 종교 사역자들 및 군인이었던 수사들"에 대해 공적으로 용서를 구했다. "Catholic Clerics Apologize for Past Cruelties(과거의 잔인한 행위에 대한 천주교 성직자들의 사과)," 「시카고 트리뷴」지, 1999년 11월 14일자.

이사벨라와 페르디난드

여러 왕조로 분열되어 있었던 15세기 스페인은 아라본의 페르디난드와 카스틸리아의 이사벨라가 결혼하면서 강력한 전제 왕국의 기틀이 마련되었다.
이들은 반대파의 숙청을 위해 교황의 이단 축출을 강력히 지지했고 특히 유대인들을 모두 추방했다.
한편 콜롬부스의 신대륙 발견도 이들의 후원에 힘입었다.

들도 때로 부적절한 방법을 사용해 이단을 억압했습니다."

"종교 재판은 하나의 변칙적 사례입니까, 아니면 역사상 만연된 교회의 폐해와 압제 유형의 일환입니까?"

"종교 재판은 그리스도인이 결코 벗어날 수 없었던 비극이라고 생각합니다. 하지만 이것이 기독교 교회사를 대변한다고 보지는 않습니다. 이런 가증한 행위가 전형적 유형의 일환이라고 말하는 것은 극단적 비약입니다.

긴 세월 동안 기독교 교회들은 소수 집단이었고 따라서 타인을 핍박할 만한 위치에 있지도 않았습니다. 사실 핍박 얘기가 나왔으니 말이지만, 고금을 통틀어 수백만의 그리스도인 자신이 혹독한 핍박의 피해자였고 그런 핍박은 오늘날도 계속되고 있습니다. 기독교 순교자는 그 어느 때보다 20세기에 가장 많았습니다. 바로 오늘도 전 세계 곳곳에서 신앙 때문에 그리스도인들이 죽어가고 있습니다. 그러므로 답은, 아닙니다. 종교 재판은 전형적 유형이 아니라 교회 역사상 예외적 사건입니다."

그 말에 핍박받는 그리스도인에 관한 어느 잡지의 기사가 떠올랐다. 대부분의 사람들이 오늘날 그리스도인을, 신앙의 위험과 전혀 거리가 먼 미국 시민 정도로 생각하지만 기자 데이비드 네프(David Neff)의 지적은 달랐다.

"오늘날 전형적 그리스도인은 개발도상국에 거주하고, 유럽 언어가 아닌 언어를 쓰며, 살해, 투옥, 고문, 강간 등의 끊임없는 핍박 아래 살아가고 있다."[19]

오점 3 : 살렘 마녀 재판

1600년대 말의 살렘 마녀 재판은 단적인 기독교의 광란으로 자주 언급된다. 통틀어 19명이 교수형을 당했고 증언을 거부한 사람도 견디지 못하고 죽었다.[20]

"이것은 기독교 신앙이 다른 사람의 권리를 짓밟을 수 있다는 일례가 아닙니까?" 나는 물었다.

"진정한 기독교가 정말로 개입돼 있다면 분명 그런 사례입니다. 재판에 이르게 된 경위를 잘 살펴보면 그런 사태를 촉발한 요인들이 무엇인지 알게 됩니다. 남의 땅을 가로채려는 음모와 관련된 문제, 히스테리와 관련된 문제, 현장에 있지도 않은 사람이 뭔가를 행했다고 증언하며 이른바 정령 출현을 믿는 문제 등 여러 요인이 있었지요. 재판 정황을 조사해 보면 기독교와 무관한 변수들이 많이 있습니다."

19 데이비드 네프, "Our Extended, Persecuted Family(핍박받는 우리의 가족),"「크리스차너티 투데이」지, 1996년 4월 29일자.

20 Mark A. Noll, *A History of Christianity in the United States and Canada*(미국과 캐나다의 기독교 역사), Eerdmans, 1992, p. 51.

"교회는 잘못이 없었다는 뜻인가요?"

"기독교의 누명을 완전히 벗길 수는 없지만, 이 문제를 연구하는 역사가들은 이런 사건일수록 원인이 한 가지만일 수 없다는 것을 잘 압니다. 단순히 '기독교'의 책임이라고 말하기에는 삶이란 훨씬 복잡한 것이지요. 유럽에서 마녀 재판이 있기는 했습니다만 미국에서 이 사건은 하나의 변칙적 사례였습니다. 마녀 재판에 관여한 일부 사람들의 심리적 건강 상태를 따져야 하고, 상황에 대한 그들의 잘못된 인식도 고려해야 합니다.

다시 말하지만 살렘 마녀 재판은 끔찍한 사건입니다. 나는 그 심각성을 축소하려는 것이 아닙니다. 다만 교회 탓만으로 돌리기에는 사건의 경위가 훨씬 복잡하다는 것이 역사가들의 인식입니다."

"당시의 전제 중 하나는 마녀의 존재였지요. 박사님 생각은 어떻습니까? 마녀가 있다고 믿으십니까?"

"예, 나는 마녀의 존재를 믿습니다. 사실 몇 년 전 프랑스 텔레비전에서 아주 저명한 역사가 로베르 망드루(Robert Mandrou)가 이런 말을 하더군요. 계몽된 이후의 인간은 더는 마녀를 믿지 않는다고 말입니다. 그때 한 여자가 전화를 걸어 이렇게 말했습니다. '망드루 씨, 선생님의 모든 말씀에 깊은 감명을 받았습니다. 하지만 꼭 말씀 드리고 싶은 것이 있어요. 저는 마녀입니다.' 실제로 마법은 프랑스와 미국, 세계 곳곳에서 행해지고 있습니다.

따라서 살렘 마녀 재판의 해석에 있어서, 모든 것이 완전히 엉터리 수작이고 마녀나 마법 같은 것은 존재하지 않는다고 보아서는 안 됩니다. 현실은 엄연히 그 반대입니다. 많은 비그리스도인도 그것을 알고 있습니다.

그렇다고 살렘에서 있었던 일의 변명이 될 수는 없겠지요. 다만 복잡한 요인들을 차근차근 종합할 때 이 상황은 단순히 기독교가 광란에 빠진 사례로 일축할 수 없습니다. 삶이란, 또 역사란 그렇게 간단하지 않습니다."

"재판은 어떻게 끝났습니까?" 나는 물었다.

"널리 알려진 사실은 아니지만 결정적인 역할을 한 것은 한 그리스도인이었습니다. 인크리즈 매더(Increase Mather)라는 청교도 지도자의 강력한 규탄으로 사건이 마무리되었습니다. 그리스도인의 목소리가 광란을 잠재웠으니 아이러니지요."

1400년경부터 시작된 마녀 사냥은 1600년을 중심으로 하는 일 세기 동안 전 유럽을 휩쓸고 미국에까지 이르렀다. 마녀 사냥이 합리주의와 휴머니즘의 시대인 16, 17세기에 절정에 달했다는 사실은 아이러니가 아닐 수 없다.

인크리즈 매더
(1639-1723)
1685년부터 하버드의 초대 학장을 지내기도 했다. 살렘 마녀 재판에 긴요하게 연루되었으나 아내가 마녀라는 누명을 쓰면서 상황을 의심하고 바로잡게 되었다.

오점 4 : 선교사의 착취

"선교사들은 누가 오라고 하지도 않는데 찾아간다. 숭고한 의도에도 불구하고 그들은 자기가 개입하는 장소에 대해 무지하며 자기가 도우러 왔다는 사람들의 심정과 가치관에 관심이 없다. 그들은 자기와 아무 상관도 없는 일에 참견한다. 그들은 원주민의 전통 신앙을 불량품 내지 악마적인 것으로 가정한다. 그들은 사람들에게 뇌물을 주거나 압력을 가해 전통적 관습을 버리게 만든다. 그렇게 사람들을 '구원' 하는 과정에서 오히려 사람들을 망쳐놓고 만다."[21]

21 Dale & Sandy Larsen, *Seven Myths About Christianity*(기독교에 관한 7가지 신화), InterVarsity Press, 1998, p. 110.

나는 이 비난의 말을 우드브리지에게 읽어 준 뒤 이렇게 물었다. "역사상 선교사들은 토착 문화의 몰락을 조장하지 않았습니까? 말로는 사람들을 돕는다고 하면서 결과적으로는 오히려 사람들을 착취한 것 아닙니까? 선교사들이 끼친 해악이 오히려 유익보다 많지 않습니까?"

우드브리지 가족 중 여러 명이 선교지에 나가 섬긴 전통이 있기에 다소 민감한 사안일지도 모른다. 그러나 그는 자기 집안을 비난하는 말로 여기지 않고 특유의 공정하고 균형 잡힌 시각으로 답변했다.

"스페인이 라틴 아메리카에 들어갔을 때부터 시작해 봅시다. 이 문제가 얼마나 복잡해질 수 있는지 보여 주는 좋은 사례지요." 그는 말했다.

내가 고개를 끄덕여 동의를 표하자 그는 계속 말을 이었다. "원주민에 대한 학대와 착취가 있었습니까? 예, 불행히도 그랬습니다. 하지만 그것이 선교사들이 들어간 결과입니까? 역사에 따르면 선교사 운동은 소위 중상주의(mercantilism)라는 절대왕정의 경제 정책과 맞물려 있었습니다."

"그래서요?"

"중상주의란 금을 가장 많이 가진 나라가 가장 힘이 세다는 주의입니다. 유럽의 정치적 세력 균형은 어느 나라가 라틴 아메리카와 주변 지역을 성공적으로 손에 넣느냐에 의해 어느 정도 결정된다고 간주되었습니다. 그 결과 안타깝게도 선교사 파송 운동에 중상주의적 동기가 섞여 있었습니다. 스페인이 라틴 아메리카에서 끔찍한 일들을 저지른 것은 사실이지만 대부분은 중상주의자나 투기꾼들에 의해 조장된 것입니다. 많은 선교사들은 훌륭한 일을 해냈습니다."

우드브리지는 가까이 놓여 있던 책 한 권을 펼쳤다. "프린스턴 대학교의 역사가 앤소니 그래프턴(Anthony Grafton)은 선교사들이 행한 가치 있는 일들에 대해 이렇게 말합니다." 이어 그는 *New Worlds, Ancient Text*(신세계, 옛 말씀)라는 책의 한 부분을 읽어 주었다.

"로마 가톨릭 교회는 인디언의 인간성을 옹호했다. 다수의 선교사들이 도착했다. 특히 신세계의 소박하고 때묻지 않은 사람들을 그리스도께 인도하겠다는 일념으로 이상주의자 수도사들이 많이 왔다. 그들은 교회와 신앙 공동체를 세웠다."[22]

우드브리지는 이어 말했다. "그래프턴은 복음주의자가 아닌데도 선교사 운동을 주의 깊게 연구한 뒤 선교사들이 끼친 엄청난 유익을 인정하게 됐습니다. 그런데 불행히도 선교사들은 중상주의의 앞잡이로 총칭되어 라틴 아메리카에서 일어난 끔찍한 일의 주범으로 지목될 때가 많습니다.

앞에서 말한 것처럼 16세기 스페인 안에서는, 라틴 아메리카에서 벌어지는 상황이 과연 기독교적인가에 대해 공방이 있었습니다. 인디언을 옹호하는 지도자들은 그들을 착취해서는 안 된다고 주장했습니다. 그 핵심 인물인 바르톨로메 드 라스 카사스(Bartolomé de Las Casas)는 천주교 성경에서 '가난한 사람들에게는 빵 한 조각이 생명이며 그것을 빼앗는 것이 살인이다'[23]라는 말씀을 읽고는 의식 개혁에 혼신의 힘을 다했습니다. 그 말씀을 읽은 다른 천주교인들 역시 라틴 아메리카에서 벌어지고 있던 악한 일들에 맞서 일어났습니다."

← 브루미디가 그린 바르톨로메의 유화. 창 밖으로 원주민의 모습이 보인다.

그 말을 듣자 뉴욕 UN 건물 바깥에 서 있는 동상이 떠올랐다. 국제법의 창시자 프란체스코 드 비토리아(Francesco de Vitoria)를 기념한 동상인데, 그는 신대륙 인디언들의 온전한 존엄성을 주장한 신학자들 중 하나로 스페인 법정에서 인디언 착취에 맞섰던 사람이다.

"때로 '기독교 문명'이 일부 잘못을 저지른 것은 사실이지만 하나님을 영화롭게 하는 자비의 행위도 수없이 많았습니다. 천주교 교회는 중세 시대에 가난한 자들을 돌본 감동적인 이력을 갖고 있습니다. 캘리포

22 앤소니 그래프턴 외, *New Worlds, Ancient Text*(신세계, 옛 말씀), Belknap Press, 1992, p. 132.

23 위의 책, p. 136. 집회서(Ecclesiasticus 또는 Sirach)는 천주교와 정교회에서는 정경의 일부지만 개신교에서는 하나님의 영감으로 된 성경으로 보지 않는다. 집회서는 저자의 이름을 따 '시락의 아들인 예수의 지혜'라고도 알려져 있으며, 저자가 BC 195-171년 사이에 기록한 것으로 보인다 (인용된 구절은 집회서 34:21-역주).

니아 주에는 천주교 선교회가 해안선을 따라 위쪽으로 뻗어 나가며 그곳 사람들을 섬겼습니다. 다른 나라로 간 수많은 개신교 선교사들의 일기를 읽어 봐도 그들이 토착 문화를 압제하거나 말살하기로 작정한, 자의식이 강한 자들이었다는 결론에 도달하기는 어렵습니다."

우드브리지의 답을 통해 전체 정황이 드러나기는 했지만 나는 보다 개인적인 반응을 들어보고 싶었다. "박사님의 집안에도 선교사들이 꽤 있지요. 그분들의 경험은 어땠습니까?"

"우리 할아버지는 중국에 파송된 초기 개신교 선교사 중 한 분이었습니다. 할아버지의 일기를 읽었지만, 그분이 앞서 말한 그런 일을 했다는 인상은 전혀 받지 못했습니다. 할아버지는 중국인들이 그리스도를 알게 되기를 바라는 불타는 열정이 있었고, 중국인의 가난과 개개인의 존엄성을 크게 해치는 일부 관습을 우려했습니다. 그분은 그들의 문화를 중시하셨고, 그들과 잘 융화되도록 머리를 땋아 늘이기도 하셨습니다.

루소(1712-1778)
프랑스 사상가. 인간은 자연 상태에서는 자유롭고 행복하고 선량했으나, 자기 손으로 만든 제도나 문화에 의하여 부자유스럽고 불행한 상태에 빠졌으므로 참된 인간의 모습, 즉 자연을 발견하여 인간을 회복해야 한다고 주장했다.

선교사를 비판하는 사람들은 때로 루소(Rousseau) 식의 이상주의에 빠지곤 합니다. 원주민은 항상 행복하고 완벽한 삶을 살았으며 그들의 문화에는 귀신이나 부정적 강신술이 전혀 없었다는 것이지요. 하지만 특정 지역 속에 들어간 사람들의 기록을 읽어 보면 일부 원주민들은 육체적, 영적으로 비참한 상황에 처해 있었고 선교사들이 큰 도움이 되었음을 알 수 있습니다.

우리 어머니가 쓴 편지들도 읽어 보았습니다. 어머니는 독신 시절 아프리카에서 선교사로 일했는데 오토바이를 타고 정글 깊숙이 들어가 마을을 돌아다니거나, 문둥병자 수용소에서 일하며 환자들을 돌보았지요. 어머니는 그리스도의 사랑으로 그들을 섬기며 그들의 병을 고쳐 주었습니다. 말라리아를 비롯해 정글 생활에 따르는 여러 위험을 무릅쓰고 목숨까지 내걸고 일했습니다.

때로 원주민의 문화가 바뀌기도 했지만 대부분 그 변화는 유익을 가져왔습니다. 원주민들은 그리스도인이 되면서 그리스도의 사랑과 기쁨을 맛보았습니다. 그것은 놀라운 일입니다. 고약한 결과가 나타나는 것은 문화를 변화시키려는 이들의 마음속에 다른 동기, 이를테면 경제적 이득, 인종적 우월감 등이 끼어 있을 때입니다."

"선교사를 비판하는 사람들은 예수의 메시지에 가치를 느끼지 못하기 때문에 자연히 예수의 제자가 되어 누리는 유익도 모를 수 있습니다." 내가 말했다.

"맞습니다!" 그는 큰소리로 말했다. "그런 전제가 깔려 있을 때가 많지요. 하지만 복음이 곧 하나님의 구원의 능력이라는 전제만 있다면, 세상의 다양한 문화가 복음을 들음으로써 누리는 유익은 이루 헤아릴 수 없을 것입니다.

내 동료 중에 훌륭한 아프리카인 신학자가 있습니다. 그는 기독교가 아프리카 종교들을 말살하려는 서구 제국주의의 이념이라고 말하는 책들과 씨름해야 했습니다. 그의 시각은 아주 다릅니다. 그는 기독교가 아프리카에 기여했다고 봅니다. 기독교는 아프리카에 희망과 구원을 가져왔습니다. 많은 아프리카인들이 복음에 깊이 감사하고 있습니다. 물론 기독교 메시지를 지닌 일부 사람들이 예수의 가르침에 부합하지 못했다는 점도 부인하지는 않지만요."

오점 5 : 반유대주의

기독교 역사의 가장 흉측한 그림자 중 하나는 반유대주의다. 예수가 유대인이요 오랫동안 고대해 온 이스라엘과 세상의 메시아로 자처한 점을 감안할 때 그것은 분명 아이러니다. 예수의 제자들도 유대인이었고 신약 성경도 의사인 누가가 기록한 누가복음과 사도행전만 제외하고는 전부 유대인에 의해 기록되었다.

1998년 로마 가톨릭 교회는 나치의 유대인 대학살 때 유대인을 돕지 않은 천주교인의 '과오와 실수'에 대해 사과했다. 뉴욕의 존 오코너(John O' Connor) 추기경이 "우리는 가장 진실한 마음으로 새로운 시대를 시작하기 원한다"[24]는 말과 함께 지난 세월 교회의 반유대주의에 대해 '비통한 슬픔'을 표현한 것이다.

24 "Cardinal's Yom Kippur Letter Seeks Atonement for Church Anti-Semitism(교회의 반유대주의에 속죄를 구한 추기경의 편지)," 「시카고 트리뷴」지, 1999년 9월 21일자.

우드브리지는 반유대주의가 가슴 아프게도 기독교 역사에 오점을 남겼다는 데 서슴없이 동의했다. 핵심 질문은 맨 처음 그것이 어떻게 시작됐느냐는 것이다.

"유대인들이 대부분 예수를 메시아로 생각하지 않은 것이 한 가지 요인입니다. 유대인들이 예수를 거부하자 일부 그리스도인에게 유대인은 그리스도의 적이 되고 말았습니다. 거기에 예수의 십자가 죽음이 유대인 탓이었다는 생각까지 더해 보십시오. 이것이 '기독교' 내 반유대주의를 만든 두 가지 강력한 요소입니다."

나는 그것으로 양이 차지 않아 "다른 요인들도 더 있을 텐데요" 하고 말했다.

"물론 있습니다. 애리조나 대학교의 유명한 역사가 하이코 오버맨(Heiko Oberman)이 파악한 바에 따르면, 중세와 종교개혁 무렵 유대인에 대해 뜬소문이 나돌았습니다. 그것이 반유대주의 감정에 기름을 부은 격이 되었습니다."

"어떤 소문입니까?"

"1348년 흑사병이 돌았을 당시, 우물에 독을 뿌리는 데 유대인들이 가담했다는 소문, 기회 있을 때마다 기독교의 성례를 욕되게 했다는 소문, 사적으로 동물 제사를 드린다는 소문, 기독교의 성경을 함부로 개작했다는 소문 등이지요. 이런 비난들은 물론 사실이 아니지만 분노와 적개심을 일으키기에 충분했습니다."

우드브리지 역시 아직 만족스럽지 않은 눈치였다. 그는 또 다른 설명을 찾는 듯 잠시 눈길을 돌렸다. 다시 나를 보았을 때는 좌절의 기색이 역력했다.

그는 말했다. "나로서는 이런 것만으로 속 시원히 설명되지 않는 것 같습니다. 그리스도인은 그전에도 예수의 가르침과 상관없는 언행을 그분의 이름으로 행해 왔습니다. 중세를 거쳐 마르틴 루터에 이를 즈음에는 의당 자신들의 그런 모습을 깨달았으리라 생각할 만도 하지요. 아니 그렇게 바랄 만도 하다고 해야겠지요."

"루터 얘기를 꺼내셨는데, 루터의 반유대주의는 그의 글에 잘 나타나 있습니다. 도대체 어떻게 된 겁니까?" 나는 말했다.

극심한 우울증과 반대파의 공격에 시달리던 생애 후반, 루터는 유대인들을 팔레스타인으로 내쫓자고 주장했다. 하지만 이런 반유대주의적 주장들은 인종 차별보다는, 그리스도를 배척한 데 대한 종교적인 분노로 보는 견해가 우세하다.

"분명 루터도 유대인에 대한 소문들을 들어 알았을 것입니다. 하지만 초기만 해도 분명 유대인들을 사랑했던 것으로 보입니다. 그 사랑 때문에 그들이 집단적으로 회심해 예수를 메시아로 받아들이기를 바랐지요. 하지만 그런 일이 일어나지 않자 유대인에 대해 아주 입에 담지 못할 말을 했습니다. 말기에 성격이 괴팍해지면서 일어난 일입니다."

나는 그의 대답이 약간 뜻밖으로 느껴져 이렇게 말했다. "루터의 반유대주의는 평생 지속된 문제인 줄 알고 있었는데요."

"일부 학자들은 유대인에 대한 그의 시각이 한결같았다고 주장합니다. 하지만 나는 루터의 가장 독하고 적대적인 발언은 인생 말기에 나온 것으로 봅니다. 유대인들이 그리스도께 돌아오지 않는 데 대한 뿌리깊은 좌절에서 그런 말을 했을 것입니다.

하지만 설사 그렇다 해도 그의 발언 중에는 루터교인들조차 거부할 정도로 소름끼치는 내용들이 있습니다. 그리스도인은 절대 반유대주의자가 되어서는 안 됩니다. 예수의 제자로서 그것은 생각조차 할 수 없는 일입니다.

반면에, 현대의 복음주의자들 중에 이스라엘의 친구가 된 예가 많습니다. 내 생각에 오늘날 교회들이 유대인에 대해 갖고 있는 전반적 태도는 존중입니다."

"기독교의 반유대주의 역사 때문에 기독교를 종교로 생각조차 할 수 없다는 유대인에게 박사님이라면 뭐라고 하겠습니까?"

우드브리지는 가만히 고개를 끄덕이며 서글픈 목소리로 말했다. "실제 그런 일을 겪은 일이 있습니다. 일반 대학교에서 가르칠 때였는데 한 유대인 여학생이 찾아와 이렇게 말하더군요. '루터에 대해 논문을 쓰고 싶습니다. 우리 할머니 말씀이 그 사람은 유대인을 미워했다던데 사실인가요?' 나는 사실로 알고 있지만 어쨌든 논문을 써 보라고 했습니다. 그 학생이 논문을 완성해 왔을 때 나는 울지 않을 수 없었습니다. 나도 몰랐던 루터의 발언을 모두 찾아냈던 것입니다. 최악의 상황이었지요."

"지금이라면 그 학생에게 뭐라고 하겠습니까?"

"루터가 한 말을 한없이 유감으로 생각한다, 그 내용은 예수의 가르침과 전혀 일치하지 않는 것이다, 예수의 이상을 늘 삶으로 실천하지 못하는 것이야말로 우리 그리스도인이 안고 있는 난제이다, 그렇게 말하겠습니다. 그리고 힘들겠지만, 부디 예수의 삶과 말씀을 깊이 생각하면서 그 실제적 가르침을 기준으로 기독교를 판단해 달라는 말도 하고 싶습니다."

우드브리지는 더 자세히 말하고 싶지만 도움이 될 만한 다른 말이 생각나지 않는 듯 이렇게 털어놓았다. "아주 고상한 답이 못 되어 유감스럽기는 하지만 어쨌든 진심으로 그렇게 말하겠습니다."

"어떤 유대인들은 히틀러가 그리스도인이었다고 생각합니다." 내가 그렇게 말문을 열자 우드브리지는 기다렸다는 듯 말허리를 잘랐다.

"그렇습니다. 다시 말하지만 문화적 기독교와 진정한 기독교를 구별해야 하는 이유가 바로 거기 있습니다. 국가 사회당이 떠오르는 동안 히틀러는 기독교와 마르틴 루터로 자신을 포장하려 했습니다. 교활한 이념의 술수였지요. 하지만 칼 바르트나 그리스도인 비판자들은 히틀러가 정통 기독교를 대변하는 자라고 단 한 순간도 생각하지 않았습니다.

역사적인 예를 하나 더 소개하지요. 1665년과 1666년에 많은 유대인들은 어떤 특정인을 메시아로 믿었습니다. 그런데 그 사람이 그만 이슬람교로 개종하고 말았습니다. 유대인의 꿈이 짓밟힌 셈이지요. 지금 내가 유대교 역사가에게 '그 사람을 메시아로 보십니까?' 하고 묻는다면 그는 '천만에요. 그 사람은 사기꾼이오' 할 것입니다.

마찬가지로 우리 그리스도인도 히틀러를 기독교의 메시아로 보지 않습니다. 사람은 잘못된 것을 주장할 때가 종종 있습니다. 그는 사기꾼

1666년은 '메시아의 해'로 많은 유대인은 샤베타이 쯔비를 주목하고 있었다. 그는 터키 서머나에서 1626년 아브월 9일, 즉 성전이 파괴된 날 태어났다. 유대인 전설에 따르면 메시아 생일은 성전 파괴와 관련 깊다. 천부적인 카리스마로 적지 않은 추종자를 모은 샤베타이는 1666년 메시아적 행동의 하나로 터키의 술탄을 방문했다. 술탄이 자진해 권좌를 포기하리라는 예상과 달리 체포된 샤베타이는 주장을 입증해 보이지 않으면 죽으리라는 위협 속에 모든 주장을 철회하고 술탄의 문지기가 되었으며 심지어 이슬람으로 개종했다. 유대인에게는 말 그대로 날벼락이었다.

이고 악한 사람이며 기독교의 진정한 대변자는커녕 진정한 그리스도인일 리도 없습니다."

기독교의 초상

기독교의 다른 역사적 오점들에 대해서도 얼마든지 더 얘기할 수 있다. 여자에 대한 예수의 파격적인 태도에도 불구하고 끈질기게 이어 온 여성 압제나, 인종 차별과 노예 제도를 정당화하려고 엉뚱하게 성경을 인용한 것 등을 예로 들 수 있다. 그러나 나는 이미 오랜 시간을 들여 우드브리지를 힘들게 했다. 그는 옹호의 여지가 없는 일을 옹호하려 하지 않고 적절한 정황과 설명을 제시하려 노력했다. 이런 사건들이 기독교에서 통상적인지 예외적인지 확인하기 위해 기독교 역사의 반대쪽 측면을 살펴볼 차례였다.

나는 말했다. "지금까지 말한 것을 모두 감안하여 결론을 내리면 어떻게 될까요? 세상은 기독교 때문에 좋아졌습니까, 나빠졌습니까?"

우드브리지는 의자에 똑바로 앉으면서 강하게 말했다. "더 좋아졌지요. 거기에 대해서는 이론의 여지가 없습니다. 지금까지 말한 것들은 절대 감춰서는 안될 가슴 아픈 역사적 사건들입니다. 우리는 거기에 대해 사과하고 다시는 그런 일이 반복되지 않도록 최선의 노력을 기울여야 합니다. 그러나 전체 기독교 역사가 세상에 큰 유익을 끼쳐 왔다는 데는 변함없습니다."

"기독교의 죄는 지적하면서 무신론이 인권 유린에 앞장선 점은 망각하기 쉽지요." 나는 그렇게 말한 뒤 유명한 그리스도인 루이스 팔라우(Louis Palau)의 책을 꺼내 다음 대목을 우드브리지에게 읽어 주었다.

"무신론의 지진 같은 충격은 유럽과 여러 지역에 거대한 해일을 몰고 왔다. 지난 한 세기에만 백만 명이 넘는 사람들이 무신론에 의해 목숨을 잃거나 학살되었다. 인류는 레닌, 히틀러, 스탈린, 마오쩌뚱 등이 의도적으로 실시한 반(反)유신론의 끔찍한 실험으로 혹독한 대가를 치렀다. 이들은 저마다 무신론 사도들의 저작에 깊은 영향을 받은 자들이었다. … 무신론이 퍼져나가는 것을 본 뒤로 이전 어느 때보다 분명해진 사실은 하나님이 없다면 우리는 잃어버린 존재라는 것이다."[25]

우드브리지는 이렇게 답했다. "하나님이 없다면 잃어버린 존재라는 말에 공감합니다. 그렇다고 무신론자는 무조건 제대로 통치할 수 없다는 말이 아닙니다. 기독교 관점에서 무신론자들도 하나님의 일반 은혜를 누리기 때문입니다. 하지만

25 루이스 팔라우, *God Is Relevant*(하나님은 의미 있습니다), Doubleday, 1997, pp. 23,82.

무신론에는 도덕적 결정 기준이 없다는 점을 생각할 때 무신론 정권 하에서 세상이 왜 그렇게 끔찍한 참사를 겪어야 하는지 충분히 이해됩니다. 도덕의 절대 기준이 없는 곳에서는 무참한 권력이 이기는 법입니다."

"기독교가 문명에 긍정적으로 기여한 점에는 어떤 것들이 있다고 보십니까?"

우드브리지는 의자에 깊숙이 몸을 묻고 잠시 생각한 뒤 대답했다. 진실함과 경이와 열정이 밴 그의 목소리에는 교회에 대한 애정이 고스란히 묻어났다.

"기독교의 영향은 여러 장면으로 구성된 빛나는 벽화라고 생각합니다. 각 장면마다 밝고 눈부신 아름다운 색채로 그려져 있지요. 기독교가 없다면 그림은 잿빛 일색으로, 몇 개의 선만이 여기저기 서로 끊긴 채 흩어져 약간의 의미만 줄 것입니다. 다행히 기독교는 전체 그림에 아주 깊은 의미와 희망과 멋과 풍부함을 더해 주었습니다."

나는 그 이미지에 마음이 끌려 이렇게 물었다. "그림의 내용은 무엇입니까?"

"그림 한가운데에는 예수와 우리를 위한 그분의 구원 사역이 있습니다. 그분은 우리의 죄, 외로움, 하나님으로부터의 소외를 단번에 영원히 해결하셨습니다. 대속의 죽음과 부활을 통해 당신을 따르는 모든 자에게 천국을 열어 주신 것입니다. 이것이야말로 기독교가 이루어 낸 최대의 공헌입니다. 요한복음 3장 16절은 이를 잘 요약하고 있지요. '하나님이 세상을 이처럼 사랑하사 독생자를 주셨으니 이는 저를 믿는 자마다 멸망치 않고 영생을 얻게 하려 하심이니라.'

또 그림에는 삶의 의미와 절대 도덕의 존재가 새겨져 있습니다. 그런 계시가 없다면 의미를 찾기란 참 어려울 것입니다. 「시지프스의 신화」(*The Myth of Sisyphus*) 첫 문단에서 '나나 다른 누구나 자살하지 않을 이유가 무엇인가?' 라고 한 알베르 카뮈(Albert Camus)처럼 되고 마는 것이지요. 그 질문에 기독교가 답해 줍니다. 기독교는 우리에게 삶의 기준, 도덕적 기준, 하나님 및 다른 사람들과 건강하고 의미 있는 방식으로 관계 맺는 기준을 제시합니다.

시지프스의 신화
혼신의 힘을 기울여 커다란 바위를 끊임없이 산꼭대기로 밀어올려야 하는 시지프스, 그것은 신들이 내린 형벌이다. '부조리의 철학'으로 1957년 노벨문학상을 수상한 알베르 카뮈는 평지로 내려가는 잠깐 동안의 휴식과도 같은 멈춤은 부조리를 깨닫는 의식의 시간이라고 했다.

그림 한쪽에는 그리스도의 삶과 가르침에 영향을 입은 수많은 인도적 베풂들도 보입니다. 천주교, 정교회, 개신교 할 것 없이 가난하고 불우하고 비천한 자들을 돕는 일에 깊이 관여해 왔습니다. 일신의 이익마저 포기한 채 다른 사람들을 진심으로 섬기려 했지요. 모든 선교사의 사역, 모든 병원, 모든 노숙자 쉼터, 모든 재활 프로그램, 모든 고아원, 모든 구제 기관, 굶주린 자를 먹이고 가난한 자를 입히고 병든 자를 위로하는 모든 이타적 행위, 이 모두를 잃는다면 세상은 그야말로 회복 불가능의 타격을 입는 셈입니다.

기독교 사상의 영향으로 그림에는 음영과 깊이가 더해집니다. 그리스도인은 지성까지 하나님께 드렸습니다. 문학, 음악, 건축, 과학, 예술 등에서 그들의 공헌을 모두 제해 버리면 세상은 한없이 무미건조하고 천박한 곳이 될 것입니다. 하버드, 예일, 프린스턴 등 그리스도인이 세운 교육 기관들을 생각해 보십시오. 모두들 처음에는 복음 전파를 위해 구상되고 설립된 학교들입니다.

끝으로 모든 것을 아름답게 다듬는 성령의 터치가 있습니다. 성령이 없다면 세상이 어떤 곳이 될지 상상이나 할 수 있겠습니까? 주변에서 벌어지는 끔찍한 일들을 한번 생각해 보십시오. 지금 그 상태로 족합니다. 만일 이 세상에 성령의 구속력(拘束力)이 없다면 삶의 흉악함은 현재보다 훨씬 심각해질 것입니다."

"그 역사의 그림 속에서 기독교의 긍정적 측면이 앞서 말한 부정적 사건들을 압도한다고 보십니까?" 나는 물었다.

"물론입니다." 그는 주저 없이 말했다. "우리가 그리스도인으로서 예수님의 가르침대로 살지 못하고 신앙의 장벽을 만들어 낸 사건들을 생각하면 마음이 아픕니다. 하지만 고금을 통해 겸손하고 용감하게 신앙을 지켜 온 이들, 남모르게 숨어서 섬긴 이들, 다른 사람들을 돕는 일에 목숨을 내어준 이들, 세상을 훨씬 살기 좋은 곳으로 만든 이들, 엄청난 압박에도 굴하지 않고 옳은 일을 행하려 씨름한 이들, 이 모든 무명의 사람들로 인해 정말 감사하게 됩니다."

그는 결론적으로 말했다. "기독교 역사를 생각할 때 내 마음에 제일 먼저 떠오르는 것이 바로 이 사람들입니다. 쉽게 잊혀지지만 그들이야말로 영웅입니다."

우드브리지는 거기서 말을 멈추고 동경의 미소를 지으며 그들에게 최고의 찬사를 바쳤다. "그들이야말로 예수가 꿈꾸었던 모습입니다."

기독교가 남긴 선물

긴 하루를 마치고 고단한 몸으로 집에 돌아왔을 때도 내 마음속에는 우드브리지의 감동적인 말이 여전히 울렸다. 나는 좋아하는 의자에 털썩 주저앉아 잡지를 대충 훑어 보았다. 웬 우연인가. 잡지에는 20세기가 저무는 시점에 기독교가 없었다면 문명이 어떻게 되었을지 되돌아보는 기사가 실려 있었다. 우드브리지가 말을 이어가고 있는 듯 보였다.[26]

마이클 노박(Michael Novak)은 기독교가 준 존엄성의 선물을 이렇게 격찬했

26 마이클 노박 외, "Where Would Civilization Be Without Christianity?(기독교가 없다면 문명의 현주소는?)," 「크리스차너티 투데이」지, 1999년 12월 6일자.

다. "아리스토텔레스와 플라톤 모두 대부분의 인간은 본질상 노예 근성이 있으며 노예 짓에나 적합하다고 말했다. 대부분의 인간은 자유를 누릴 만한 본성을 지니지 못했다는 뜻이다. 그리스인은 '존엄성'이라는 단어를 소수의 인간에게만 사용했다. 반면 기독교는 모든 인간이 예외 없이 창조주의 사랑을 받고 창조주의 형상대로 지음 받았으며 창조주와 영원한 우정과 교제를 나누게 되었다고 주장한다."

그는 자유, 양심, 진실 등 문명화 개념들의 근원을 기독교로 추적할 수 있다고 지적했다. 그의 말에 따르면 "중세 한창 때와 16세기에 기틀이 잡힌 기독교가 없었다면 우리의 경제적, 정치적 삶은 총체적으로 훨씬 빈곤했을 뿐 아니라 훨씬 잔인해졌을 것이다."

북아일랜드 벨패스트의 퀸즈(Queen's) 대학교 지구과학 교수 데이비드 N. 리빙스턴(David N. Livingstone)은 기독교가 준 과학의 선물에 초점을 맞추어 이렇게 말했다. "기독교와 과학이 끊임없이 서로 반목하는 관계라는 개념은 역사적 기록을 심히 왜곡한 것이다. 영국의 위대한 화학자 로버트 보일(Robert Boyle)은 누구보다 과학자들이 자신의 일을 통해 하나님을 영화롭게 했다고 믿었다. 하나님의 피조 세계를 조사하는 사명을 받았기 때문이다."

그는 "종교 개혁 당시 사람들은 하나님이 두 가지 방법, 즉 성경과 자연을 통해 인류에게 계시하셨다고 믿었으며 그래서 그들은 자연 세계의 과학적 탐구에 힘쓰게 되었다"고 지적했다. 그 결과 기독교 신앙에 자극받은 과학자들이 과학 전반에서 수많은 공헌을 세웠다.

오타와(Ottawa) 대학교 영문학 교수 데이비드 라일 제프리(David Lyle Jeffrey)는 기독교가 준 문맹 퇴치의 선물에 대해 말했다. "유럽과 아프리카, 아메리카에서 문맹 퇴치는 문화를 뒤바꿔놓는 기독교의 위력과 불가분의 관계라 해도 과언이 아니다. 아프리카, 라틴 아메리카, 기타 세계 여러 지역과 마찬가지로 유럽도 문맹 퇴치와 문서 탄생은 기독교 선교사들의 도래와 시기적으로 일치하는데 이것은 우연이 아니라 필연적 현상이다."

내 마음을 가장 사로잡은 것은 기독교가 남긴 겸손의 선물에 관한 역사가 마크 놀(Mark Noll)의 말이었다. 별로 주목받지 못하는 미덕인 겸손은 기독교 역사의 어두운 측면에 대한 우드브리지와의 인터뷰를 감안할 때 인상적인 것이었다.

"오랜 기독교 역사에서 너무 자주 반복되어 가슴 아픈 일은, 우리 평범한 그리스도인들의 삶이 기독교 이상에 비참할 정도로 이르지 못했다는 사실이다. 오랜 기독교 역사에서 단지 은혜의 기적이기에 놀라운 일은, 그리스도인들이 예수를 높이기 위해 인생의 자랑거리를 내던진 일이 비일비재했다는 사실이다. 그런 '모순의 징후들' 중 그리스도를 가장 온전히 닮은 것은, 강한 그리스도인들이 부, 교육, 정치적 권력, 고급 문화, 높은 위치 등을 가지고 멸시받는 자들, 외면당한 자들, 버림받은 자들, 잃어버린 자들, 보잘것없는 자들, 힘없는 자들 곁으로 다가간 경우이다."[27]

27 위의 기사, p. 56.

놀에 따르면, 권력은 우상 숭배에 빠지게 하는 것으로 사람을 부패하게 만들고 좀처럼 사과할 줄 모르게 한다. 그런데 놀은 힘있는 사람들이 전적으로든 부분적으로든 기독교 신앙으로 인해 대중 앞에 기꺼이 자신을 낮추고 권력 남용을 회개한 역사 속의 사례를 몇 가지 소개하고 있다.

그중 한 사연이 특히 내 관심을 끌었다. 살렘 마녀 재판에 대해 우드브리지가 맨 나중에 언급했던 사건, 널리 알려지지 않았으나 빛나는 사건과 관련된 것이었다.

재판에 관여했던 한 판사가 자신의 역할에 깊은 가책을 느끼게 되었다. 그는 보스턴의 새뮤얼 시월(Samuel Sewall)이라는 청교도였다. 어느 날, 그는 아들이 "나는 자비를 원하고 제사를 원치 아니하노라 하신 뜻을 너희가 알았더면 무죄한 자를 죄로 정치 아니하였으리라"[28]는 성경 말씀을 암송하는 것을 들었다. 그리고 그는 그리스도인의 양심에 따라 마침내 행동을 취하게 된다. 말씀이 시월의 마음을 무너뜨린 것이다.

28 마태복음 12:7.

1697년 1월 14일 교회 예배 시간에 시월은 목사에게 회개의 글을 건네며 읽어 줄 것을 부탁했다. 목사가 쪽지를 읽는 동안 그는 회개하는 마음으로 회중 앞에 부끄럽게 서 있었다. 그간 있었던 많은 일들에 대해 자신의 죄를 고백하는 그 글에는 "이 일의 책임과 수치를 달게 받기 원하며 사람들의 용서를 구하고 특히 무한한 권세를 지니신 하나님께서 이 죄와 다른 모든 죄를 용서해 주시기를 간절히 기도합니다"라고 적혀 있었다. 애통하며 회개하는 그의 겸손한 행위를 계기로 재판에 관여했던 다른 배심원들도 자신의 과오를 고백하게 되었다.

새뮤얼 시월
(1652-1730)
살렘 마녀 재판 당시 주지사에 의해 법관으로 임명되었다.

나는 잡지를 덮어 탁자에 놓았다. 아무리 강자라도 자기가 잘못을 저질렀을 때 기꺼이 무릎 꿇고 회개하는 것이야말로 기독교의 가장 놀라운 유산 중 하나라는 생각이 들었다. 그것은 인생을, 또 역사를 좋은 방향으로 바꾸는 신앙의 위력에 대한 또 하나의 증거였다.

최종 진술

1. 기독교 역사에서 당신에게 가장 걸림돌이 됐던 부분은 무엇인가? 이 글을 읽고 당신의 견해는 이전과 똑같은가, 아니면 달라졌는가?

2. 역사상 드러나는 죄들은 교회 역사의 예외적 사건이라고 생각하는가? 아니면 신앙의 근본적 잘못이 표출된 것이라 생각하는가?

3. 세상은 기독교로 인해 더 좋아졌는가? 무신론은 어떤가? 왜 그렇게 생각하는가?

증거 자료

- Mark A. Noll, *A History of Christianity in the United States and Canada*, Eerdmans, 1992.
- Rodney Stark, *The Rise of Christianity*, Princeton University Press, 1996.
- 브루스 셸리, 「현대인을 위한 교회사」, 크리스찬다이제스트
- D. 제임스 케네디 외, 「예수가 만약 태어나지 않았다면」, 도서출판 청우

여전히 회의가 드는데 그리스도인이 될 수 있는가!

독실한 그리스도인들도 깊은 내면의 생각 속에서는 믿음이 부조리하다는 것을 알고 있다. 그들의 신앙 고백 기저에는 회의라는 거인이 잠자고 있다. … 내 경험으로 보건대 회의를 극복하는 최선의 길은 거기 굴복하는 것이다.

댄 바커(Dan Barker), 목사 출신의 무신론자[1]

하나님을 믿되 열정도 없고 고뇌도 없고 불확실함도 없고 회의도 없고 때로 절망조차 없을 것이라고 생각하는 사람들은 하나님 자체를 믿는 것이 아니라 그저 하나님이라는 관념을 믿는 것이다.

매들린 렝글(Madeleine L' Engle), 그리스도인[2]

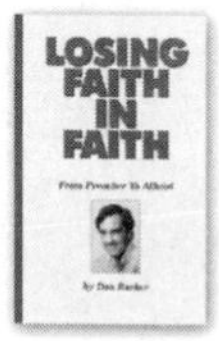

1 *Losing Faith in Faith*(믿음 안에서 믿음을 잃는 것), pp. 106,109.

2 *If I Really Believe, Why Do I Have These Doubts?*(정말 믿는다면 왜 회의가 있는가?)에서 인용.

변호사가 내게 귀띔했다. 인간 승리라는 것이다. 변화된 깡패의 이야기, 거리의 폭력배가 종교를 통해 새사람 된 감동의 사연이 독자들의 마음을 훈훈하게 할 것이라는 장담이었다. 일요일자 신문의 헤드라인.

나는 눈알을 굴렸다. 내게는 너무 사탕발림처럼 들리는 이야기였다. 내가 찾던 것은 뭔가 활력 넘치고 강한 것, 「시카고 트리뷴」지 주말판 1면에 실릴 만한 것이었다. 거듭난 괴짜의 꿈 같은 동화에는 관심이 없었다.

하지만 주말은 시시각각 다가오고 있었고 내가 건지려던 톱기사는 도무지 미궁에서 헤어날 줄 몰랐다. 나는 마지못해 변호사의 제보를 기사로 작성하기로 했다. 사기꾼의 허위 사연을 폭로하다 뜻밖의 특종이 나올지 누가 알겠는가.

나는 전화기를 들고 경찰서의 아는 사람들에게 전화를 걸기 시작했다. 론 브론스키(Ron Bronski)라는 인물을 아는지 물어 보았다. 물론이었다. 강력반의 소식통들은 모두 그를 잘 알고 있었다. 거리에서 잔뼈가 굵은 그는 시카고 북서부 지역을 두려움에 떨게 한 벨에어즈라는 갱 단의 2인자였다. 위험하고 난폭한 인물이라고 했다. 불같은 성질에다 불법 마약 거래로 화려한 전과의 소유자였다.

"그 친구, 반사회적 이상 성격자입니다." 한 수사관은 말했다. 다른 수사관은 그의 이름만 듣고도 콧방귀를 뀌며 한마디로 일축했다. "인간 쓰레기."

가중 폭행 혐의로 수배 중이라는 말도 들었다. 뒷골목에서 라이벌 깡패에게 총을 쏘았다는 것이다. 나는 취재 수첩에 '비겁하다'는 단어를 적어 두었다.

한 경찰이 말했다. "우리도 못 본 지 오래됐습니다. 딴 데로 도망갔겠지요. 사실 주변에만 없으면 어디 있든 우리도 신경 안 씁니다."

이어 나는 오리건 주 포트랜드의 몇몇 교회 지도자들에게 전화했다. 변호사는 브론스키가 지난 2년 동안 그곳에 살았다고 했던 것이다. 금속 가게에서 일하다가 그리스도인을 만난 그는 범죄 인생을 청산하고 동거녀와 결혼한 뒤 독실한 예수의 제자가 되었다고 했다.

그가 다니는 교회의 목사는 이렇게 말했다. "론은 멋지고 사랑 많은 사람입니다. 그리스도께 완전히 헌신되어 있지요. 우리는 일주일에도 몇 차례씩 함께 기도하고 있습니다. 그는 환자들을 문병하고 기도해 주는 일로 늘 바쁩니다. 거리에서 터득한 지식으로 청소년들에게 전도하고 있거든요. '예수에 미친 사람'이라 해도 과언이 아니지요."

목사는 브론스키가 하나님과 화목하게 되었을 때 사회와는 그렇지 못한 상태였다고 말했다. "그도 수배 중임을 알고 있었어요. 그래서 돈을 모아 시카고 행 기차를 타고 자수하러 갔습니다." 목사는 말했다.

그 말이 내 호기심을 자극했다. 가중 폭행 혐의에 유죄를 시인하면 20년 징역을 살아야 한다. 나는 밀착 취재에 들어가기로 했다. 변호사가 만남을 주선해 주는 대로 브론스키를 직접 인터뷰하기로 한 것이다.

그날 밤 나는 우리 집 식탁에 앉아 경찰과 목사가 그린 브론스키의 상반된 초상을 생각하고 있었다. "겉으로 보기에는 기적적인 변화 같단 말이야." 불 앞에 서서 차를 끓이고 있는 아내에게 그렇게 말했다.

"겉으로 보기에요?" 아내가 물었다.

"더 깊이 파 보면 속임수가 드러나겠지."

아내는 맞은편 의자에 앉아 천천히 한 모금씩 차를 마셨다. "경찰이 좇고 있지도 않은데 자수했다면서요? 무슨 동기로 그랬을까요?"

"내가 밝히고 싶은 것도 바로 그 점이오. 형량을 줄여 보려고 달라진 척하는지도 모르지. 아니면 담당 변호사와 검사 사이에 모종의 거래가 오갔는지도 모르고. 그것도 아니면 증인들이 이미 다 죽었으니 유죄 판결이 어렵다는 것을 알고 있거나. 혹시 대중의 호감을 사서 판사에게 영향력을 행사하려는 것일 수도 있고, 그것도 아니라면 정신 착란으로 둘러대려는 것인지도…."

이유는 끝도 없었다. 그가 자수한 진짜 이유를 헤아려 볼수록 혼란은 더 심해졌다. 나는 극단적인 가능성을 모두 생각해 보았다. 그가 정말 변화되어 자기 죄의 대가를 달게 받기로 결단한 가능성만 빼고 말이다.

이윽고 아내가 손을 들며 말했다. "와! 정말 괴상한 이론들이군요." 그러더니 컵을 내려놓고 내 눈을 바라보며 예리한 목소리로 말했다. "말해 보세요. 정말 이 사람을 사기꾼으로 생각해서 허점을 찾으려는 거예요? 아니면 그가 가짜이기를 바라고 반론을 제기하는 거예요?"

나는 방어 태세를 취하며 되받았다. "여보, 의심을 품는 것이 내 직업이라고!"

하지만 아내의 말은 정곡을 찌른 것이었다. 솔직히 나는 기독교가 사람의 성품과 가치관을 송두리째 바꿀 수 있음을 믿고 싶지 않았다. 그렇게 불량하고 타락한 인생에 하나님이 근본적 전환을 일으켰을 가능성을 생각하는 것보다 회의를 제기하며 괴상한 반론을 만들어 내는 편이 훨씬 쉬웠다.

연막을 걷어내고

론 브론스키는 허점을 찌르려는 내 냉소적 시도를 너끈히 이겨냈다. 뒷골목 세계에 정통한 형사들도 그의 삶의 변화가 진실한 것임을 보장했다. 검사도 마찬가지였다. 판사도 동의했다. 판사는 징역형 대신 집행 유예로 풀어 주었다. "집에 돌아가 가족과 함께 사십시오." 판사의 말에 브론스키는 놀라움과 고마움을 감출 줄 몰랐다.

그로부터 20년이 지난 오늘도 브론스키는 포트랜드 도심에서 거리의 아이들에게 말씀을 전하는 내 절친한 친구로 남아 있다.[3]

브론스키에 대한 선입견에는 내가 영적 회의론자 시절 제기했던 회의들이 그대

3 참고: 리 스트로벨, "Reformed Hood Comes Back to Pay His Dues(죄과를 치르러 돌아온 변화된 폭력배)," 「시카고 트리뷴」지, 1977년 10월 27일자; *God's Outrageous Claims*(하나님의 잔인 무도한 주장), Zondervan, 1997, pp. 63-67.

로 배어 있다. 처음 내게는 기독교 신앙에 대한 정말 진지하고 심각한 반론들이 있었다. 시간이 흘러 그런 이슈들에 충분한 답을 얻게 되었을 때는 주변적인 새로운 논란거리를 들춰내기 시작했다.

그러다 론 브론스키에 대한 아내의 말이 떠올랐다. 아내가 또 다시 비슷한 말을 들이밀지 모른다는 생각이 들었다. "당신은 정말 기독교를 환상이라고 여겨 기독교의 허점을 찾으려는 거예요? 아니면 기독교가 진실이 아니기를 바라는 거예요?"

마음이 찔렸다. 솔직히 무신론자 시절 기독교의 흠을 찾아내려는 동기는 얼마든지 많았다. 행여 내가 예수의 제자가 된다면 폭음을 일삼거나 자아에 도취되어 부도덕하게 살던 생활 방식을 바꾸어야 한다는 것을 알았기 때문이다. 하지만 나는 그런 삶을 버리고 싶은 마음이 없었다. 사실 내가 아는 삶이라고는 그것이 전부였다. 따라서 나는 진리를 찾으려 하기보다는 꾸며낸 회의와 인위적인 반론으로 어떻게든 진리를 밀쳐내고 싶었다.

나 혼자만 그런 것은 아닐 것이다. 신앙의 구도자들 중에는 기독교에 온당한 의문을 품고 마음과 영혼에 만족이 될 만한 답을 찾는 사람들이 많이 있다. 하지만 신앙을 거부하고자 하는 뿌리깊은 동기를 숨기기 위해 연막을 피우는 사람들도 있다고 생각한다.

자신의 신앙에 대해 회의하는 그리스도인들도 마찬가지다. 그리스도인들은 신앙의 이런저런 측면에 대해 진실한 회의에 빠질 수 있다. 하지만 말로는 회의라 해도 실은 미묘한 방어 기제인 경우들도 있다. 기독교의 특정 부분에 대한 반감으로 고민하는 것처럼 보이지만 실제로는 예수를 더 심각하게 받아들이지 않을 구실을 궁리하는 것일 수 있다.

어쩌면 많은 그리스도인들이 회의의 종류를 막론하고 회의를 품는다는 것 자체를 두려워할 수 있다. 그런 의문 때문에 그리스도의 제자 자격을 잃는 것이 아닌가 걱정하기도 한다. 하나님, 예수님, 성경에 대해 의뭉스런 마음을 표현해도 되는지 자신이 없어 그들은 불안해한다. 그래서 의문을 속으로만 묻어 둔다. 그렇게 답을 찾지 못한 회의는 속에서 커지고 곪아 터져 결국 믿음을 토해 내야 하는 지경에 이르게 된다.

오스 기니스(Os Guinness)는 "부끄러운 것은 회의가 있다는 것이 아니라 그 회의를 부끄러워하는 것이다"[4]라고 말했다.

4 오스 기니스, *In Two Minds*(두 마음에서), InterVarsity Press, 1976, p. 61.

시각이 완전히 다른 그리스도인도 있다. 그들은 회의를 믿음이 없다는 식으로 보지 않는다. 반대로 회의를 믿음의 본질로 여긴다. 안드레 레스너(André Resner)는 말했다. "하나님과 씨름하는 것은 믿음의 부재가 아니다. 그것이 곧 믿음이다!"[5]

5 안드레 레스너, *Grief and Faith-Three Profiles of Struggle in the Face of Loss*(슬픔과 믿음-상실에 직면하는 싸움의 3가지 측면), Lynn Anderson, *If I Really Believe, Why Do I Have These Doubts?* p. 78에서 인용.

신앙의 구도자들은 모든 의문이 일일이 해결돼야만 비로소 예수를 따를 수 있는 것일까? 아직 풀리지 않은 문제와 회의가 있는 상태로도 그리스도인이 될 수 있을까? 찰스 템플턴이 인터뷰에서 고백했던 것처럼, 예수를 믿고는 싶은데 기독교에 대한 갖가지 의문 때문에 막힌다고 느끼는 사람들은 어떻게 해야 할까? 불쑥불쑥 찾아오는 회의를 해결하는 방법이 있을까? 우울질인 성격 때문에 신앙의 문제에서도 한사코 의심 쪽으로 치닫는 사람들에게도 희망이 있을까?

많은 학자들이 이 문제로 씨름해 왔지만 회의에 대한 관심이 이론과 학문을 벗어나지 못한 사람과 이야기할 생각은 없다. 직접 경험으로 혼란과 죄책감과 미칠 듯 모호한 의심을 알고 있는 사람에게서 답을 듣고 싶었다. 그리하여 나는 한 그리스도인을 인터뷰하기 위해 윌라드로 향하게 되었다. 신앙 여정에서 사망의 음침한 골짜기를 지나며 거듭 고통의 우회로를 지나온 사람이었다.

http://hope.faithsite.com

| 여덟 번째 인터뷰 |

린 앤더슨 박사

린 앤더슨(Lynn Anderson)은 1929년에 지었다는 집 바깥뜰 차고 위의 아늑한 사무실에서 일하고 있었다. 집안에는 구닥다리 타자기며 희한한 촛대 모양 전화기며 기타 골동품이 즐비했다. 그의 작업 공간은 수수한 느낌으로 인디언과 서구풍 작품들이 각각 걸려 있는 벽 옆으로 바닥부터 천장까지 닿는 목재 책장들이 놓여 있고 또 한쪽에는 63년 전 그가 태어난 캐나다 서스캐처원 주의 통나무집 사진이 걸려 있었다. 그는 전기가 없는 농가에서 건전지로 돌아가는 소중한 라디오 한 대로 바깥 세상과 조우하며 자랐다고 했다.

앤더슨은 깊은 지성이나 뛰어난 업적과 어울리지 않게 소탈한 카우보이 풍 매력을 지니고 있다. 하딩 종교대학원(Harding Graduate School of Religion)에서 석사, 애빌린 기독교 대학교

(Abilene Christian University)에서 목회학 박사를 받고 그곳에서 20년 넘게 부교수로 재직했다. 캐나다와 미국 교회들에서 30년 동안 담임목사로 사역하기도 했는데, 1996년 강단을 떠나 소망 네트워크 사역(Hope Network Ministries)을 설립, 교회 지도자들을 교육하고 세우고 있다.

Navigating the Winds of Change(변화의 바람을 뚫고), *Heaven Came Down*(지상에 임한 천국), *In Search of Wonder*(경이를 찾아), *The Shepherd's Song*(목자의 노래), *They Smell Like Sheep*(양처럼 냄새 맡다) 등 다수의 책을 썼다.

특히 내 관심을 끈 것은 *If I Really Believe, Why Do I Have These Doubts?*(정말 믿는다면 왜 회의가 있는가?)라는 도전적 제목의 책이다. 회의와 의문에 대한 앤더슨 자신의 거듭되는 씨름이 이 솔직하고 빈틈없는 책에 소개되어 있다.

잠시 환담을 나누며 서로를 소개한 앤더슨과 나는 소박한 목재 탁자를 앞에 두고 등받이가 꼿꼿한 의자에 앉았다. 바로 위 천장에서 시원한 선풍기 바람이 부드럽게 더위를 식혀 주었다. 연하게 바랜 머리칼과 불그레한 안색에 금테 안경을 낀 앤더슨은 보기 좋게 건강한 모습이었다.

앤더슨은 말할 때 감정이 그대로 드러났다. 수시로 팔을 뻗어 감정을 표현했는데, 솔직함과 진실함이 투박하게 배어 있는 듯하다가도 이따금씩 부끄러운 비밀이라도 털어놓듯 쉿소리 같은 속삭임으로 잦아들곤 했다.

나는 먼저 캐나다 서부 시골에서 보낸 유년 시절에 대해 물었다. 그의 회의 성향의 뿌리를 찾아보고 싶었던 것이다. 회의로 씨름하는 많은 사람들이 그의 사연에 공감을 느끼리라 생각한다.

회의의 뿌리

앤더슨은 독실한 그리스도인 가정에서 태어났다. 그의 부모는 그리스도인이 별로 없는 지역의 작고 유대감 강한 교회에 다녔다. 그는 자신의 정체감과 가치관이 가정과 교회 공동체에서 비롯되었다고 말했다. 하지만 일찍부터 기독교에 대한 회의가 시작되었다.

"나는 어렸을 때부터 우울하고 깊이 생각하는 성격이었습니다." 그는 그렇게 말문을 열었다. "정말 생각이 많았지요. 무엇이든 액면 그대로 받아들이지 않고 이면을 보면서 의문을 품고 한 단계 더 깊이 파고들곤 했습니다. 평생 그 성격을 떨쳐내지 못했습니다."

나는 웃었다. 실은 나도 질문이 너무 많다는 지적을 듣곤 했다. "언제 그리스도인이 되셨습니까?" 나는 물었다.

"열 한 살 때 여름 수련회에서 믿음을 고백했지만 그 뒤로 정결한 삶을 살지는 못했어요. 예수 앞에 헌신했지만 그런 분이 있는지조차 확신이 없었습니다. 자신을 속이는 기분이었지요."

"그런 감정을 다른 사람에게 털어놓았습니까?"

"목사님과 얘기했지만 이해하지 못하셨어요. 그래서 그냥 마음속에 묻어두었지요. 물론 기도는 했습니다. 자전거를 달라고 줄창 기도했는데 끝내 이루어지지 않았던 일이 생각나는군요. 그때 하나님이 나랑 상관이 없는 분처럼 느껴졌어요. '현실을 보자. 기도해 봐야 저 위에는 파란 하늘밖에 없다.' 그렇게 생각했습니다."

나는 그가 늘 그렇게 회의만 느꼈는지 아니면 믿음이 좋았던 시기도 있었는지 물어보았다.

"하나님의 임재를 실감할 때도 있었습니다. 땅거미가 질 무렵 학교를 마치고 눈보라 속에 집으로 돌아올 때면 찬송을 부르곤 했지요. 내가 하나님 손안에 있는 것만 같았습니다. 하지만 대부분의 시간은 하나님이 믿어지지 않았어요. 적어도 우리 교회 친구들이 믿는 것처럼은 믿어지지 않았습니다."

"친구들이 알까 봐 두려웠습니까?"

"물론이지요. 내게도 신앙 공동체 안에서 사랑과 소속감을 얻어야 할 절실한 필요가 있었으니까요. 친구들이 혹시라도 나를 나쁜 아이로 생각하지 않을까, 내게 화내지 않을까, 우리 부모님이 신앙의 실패자로 여겨지지 않을까 겁났습니다. 부모님이 실망하거나 창피당하는 것이 두려웠지요."

분명 부모는 자녀의 하나님관 형성에 중요한 역할을 한다. 한 연구에 따르면 버트런드 러셀, 장 폴 사르트르, 프리드리히 니체, 알베르 카뮈, 지그문트 프로이드, 매들린 머레이 오헤어(Madalyn Murray O'Hair), 칼 마르크스 등 역사상 유명한 무신론자들은 대부분 아버지와의 관계가 껄끄러웠거나 아버지가 일찍 죽었거나 어린 나이에 아버지에게 버림받음으로써 그만큼 하늘 아버지를 믿기 어려웠다고 한다.[6] 그래서 나는 앤더슨의 경우도 그 부분을 깊이 파헤쳐 보기로 했다.

"부모님에 대해 말씀해 주십시오." 나는 지나치게 개인적인 질문이 아닌지 염려하며 조심스레 물었다.

6 참고: Paul C. Vitz, "The Psychology of Atheism(무신론의 심리학)," *Truth : An International Interdisciplinary Journal of Christian Thought 1*, 1958년, p. 29.

앤더슨은 안경을 벗어 앞에 놓여 있는 성경책 위에 놓으며 말했다. “돌이켜보면 내 회의는 어느 정도 어머니의 양육 방식에서 기인한 것이 아닌가 생각합니다. 어머니는 나를 더없이 사랑하셨지만 그것을 표출할 재간이 없었습니다. 어머니가 나를 가르치는 방법은 기껏해야 내 잘못을 지적하는 것이었지요. 어머니는 아들에게 지나친 신체적 애정을 보이면 아들이 동성애자가 될지 모른다고 배운 분입니다. 사람을 칭찬하면 머리만 커지기 때문에 칭찬도 하면 안 된다고 배우셨지요.”

“그것이 박사님의 하나님관에 영향을 주었습니까?”

“아시다시피 하나님은 흔히 부모의 이미지로 다가옵니다. 그럴 만도 하지요. 성경에서 하나님은 아버지라 되어 있고 심지어 어머니라고 된 부분도 있으니까요. 그러니까 내가 하나님에 대해 느낀 거리감은 어머니에 대한 거리감이었을 수 있습니다. 반면 아버지는 외향적이고 자상하고 칭찬이 후한 분이었어요. 그런데도 좋은 말보다 나쁜 말을 귀담아듣는 것이 우리의 타락한 본성이 아닌가 합니다.”

“어렸을 때 느낀 기독교의 기본 메시지는 무엇이었습니까?” 나는 물었다.

“이런 것입니다. ‘이 표준에 도달하지 못하면 너는 패배자다. 표준에 도달할 수 있는 자는 아무도 없다. 특히 너는 안 된다.’ 그 결과 하나님께 다가갈수록, 그분과의 관계를 진지하게 생각할수록 오히려 절망감을 느꼈습니다. 그분의 기대에 부합할 수 없었기 때문이지요. 그러다 결국 이런 생각이 들더군요. ‘다 미친 짓이다! 아무리 애써도 결국 정죄당할 거라면 그런 대상을 왜 믿어야 한단 말인가? 하나님이 있다면 그런 존재일 리 없다. 이것은 괴물이 만들어 낸 것이다.’”

“자라면서 그 상태를 벗어나셨습니까?”

“그럼 얼마나 좋았겠습니까. 대학에 가니까 회의가 감성에서 지성으로 번지더군요. 성경에 대해 온갖 의문이 생겼습니다. 세상에 고난이 그토록 많은 이유도 궁금했고요.”

그는 한 일화를 이야기하며 미소 지었다. “어느 날 누군가 성경의 거창한 딜레마를 제시하더군요. 선생님은 대답을 못 했습니다. 한참 더듬거리던 선생님은 ‘모든 사실을 종합해 보면 그것이 성경의 신빙성을 뒷받침해 주는 것을 알 수 있다’고 했습니다.”

앤더슨은 아예 웃음을 터뜨렸다. “그때 이런 생각을 했어요. ‘저런! 이 사람도 성경이 사실이었으면 하고 바라는 거구나! 들춰 보면 나 못지 않게 두려운 거야!’”

구약 성경에는 하나님을 아버지나 어머니로 직접 호칭한 본문은 없다. 다만 하나님의 사랑을 아버지의 사랑 ‘חֶסֶד’ (헤세드)에 빗댄 곳이 창세기 19:19, 출애굽기 34:6이다. 어머니의 사랑은 ‘태’를 나타내는 ‘רַחַם’ (라함)에 빗댄 이사야 54:8이 있다.

회의의 유형

앤더슨은 자신을 '선천적으로 의심 많은 사람' 혹은 '이러면 어쩌지, 저러면 어쩌지?' 유형의 사람이라고 표현했다. 선천적으로 의심 많은 사람은 회의와 의문에 자석과도 같이 마음이 끌리게 되어 있다. 틀린 부분을 찾아내도록 훈련받는 변호사나 회계사처럼 말이다. 그들은 늘 불안을 느끼거나 성격이 우울질일 수 있다. 그들에게 믿음이란 자연스레 생기는 것이 아니다.

하지만 그것은 다양한 회의 유형 중 하나에 지나지 않는다. 나는 앤더슨에게 다른 유형들을 물어보았다.

그는 의자 뒤로 몸을 기대어 의자를 살살 앞뒤로 흔들며 말했다. "유형은 얼마든지 많이 있지요. 반항심에서 비롯된 회의도 있습니다. 본인은 그렇게 생각하지 않지만 말입니다. '내 삶이나 내 생각의 통제권을 아무에게도 넘길 수 없다'는 식의 태도지요. 교만한 자존심의 형태로 나타나기도 합니다. 젊은이들이 부모에게 반항하고 싶을 때 부모가 믿는 하나님께 반항할 수 있습니다.

하나님에 대한 실망에서 비롯되는 회의도 있습니다. 그렇지 않아도 어제 그런 소녀를 만났습니다. '구하고 찾으라'는 말씀을 믿고 구했는데 하나님이 주시지 않았답니다. 그래서 소녀는 의심과 씨름하게 되었습니다. '하나님이 진심으로 한 말일까? 하나님은 있기라도 한 것일까?'

자신이나 가정에 상처가 있는 경우도 있습니다. 독실한 부모에게 맞으며 자란 부인을 만난 적이 있는데요. 부모는 딸을 침대 옆에 무릎 꿇고 기도하게 한 뒤 때렸습니다. 그러니 하나님을 대하는 데 문제를 겪을 수밖에요! 배우자에게 버림받거나 회사가 이전하거나 건강이 나빠지는 등 개인적 상처를 받은 사람들도 있습니다. '하나님이 있다면 왜 이런 일이 벌어진단 말인가?' 그런 의문이 당연히 들지요.

지적인 회의도 있습니다. 내가 바로 그 경우였습니다. 나는 내 신앙을 지적으로 뒷받침하려고 갖은 애를 썼지만 나보다 훨씬 똑똑한데도 하나님을 믿지 않는 사람들이 있었습니다. 이런 생각이 들더군요. '믿음이란 천재들만을 위한 것인가? 믿음이 하나님한테 그렇게 중요하다면 어떻게 IQ가 190이 되어야 그 믿음을 붙들 수 있단 말인가?'"

나는 어떻게 사람들이 깊은 회의에 빠지는지 궁금한 생각이 들어 앤더슨에게 물었다. "회의가 깊어지게 만드는 요인이 있습니까? 본인은 의식하지 못해도 말입니다."

"인생의 시기가 큰 차이를 줄 수 있습니다. 대학 시절에는 믿음이 좋다가도 부모가 되어 아이들이 태어나고 일주일에 80시간씩 일하고 아내는 항상 아프고 상관이 닦달하게 되면 한마디로 생각할 시간이 없어집니다. 나는 믿음이란 일정한 묵상의 시간 없이는 자라날 수 없다고 생각합니다. 묵상의 자리를 확보하지 못하면 믿음이 자라지 못해 회의가 스며들지요.

묵상의 유익은 영적 성장이다. 깊은 영성은 존재 자체가 넉넉해지는 것으로 오직 말씀을 통해서만 가능하다-「묵상과 영적성숙」에서 인용.

남들과 믿음을 비교하는 것도 요인이 될 수 있습니다. 내가 만났던 한 젊은 여자가 이렇게 말하더군요. '교회 가기가 싫어요. 내가 경험하지 못한 온갖 말들을 듣고만 있어야 하니까요. 나는 믿음도 있고 성경 공부도 하고 기도도 하고 누구 못지 않게 사역도 열심히 해요. 하지만 기쁨이 없고 기도 응답도 없고 평안도 없어요. 인도하시고 보살피시는 그런 하나님 안에 있다는 느낌이 없어요.' 이런 사람들에게 드는 생각은 '도대체 하나님은 왜 나한테는 이런 것들을 주시지 않을까?' 랍니다."

나는 앤더슨이 어떻게 대처했는지 궁금했다. "그래서 뭐라고 하셨습니까?"

"시편을 읽으라고 권했습니다. 정상적 믿음에 대한 시각이 바뀔 수 있게 말입니다. 흔히들 승리의 시편에 초점을 맞추지만 시편의 60%는 탄식입니다. 사람들이 '하나님, 도대체 어디 계십니까?' 하고 부르짖는 소리지요. 정상적 믿음이란 하나님의 가슴을 치며 하소연할 수 있는 것입니다."

시편은 하나님을 찬양하는 150편의 노래를 담은 찬양의 책이다. 모세로부터 바벨론 포로 귀환까지 천 년 동안 다윗, 솔로몬, 고라 자손, 아삽 등 여러 명의 저자들에 의해 쓰여지고 편집되었다. 찬양시 외에도 탄원시, 감사시, 제왕시, 지혜시 등이 있다.

"우리 문화는 헌신을 두려워하지요. 그 두려움이 하나님을 믿으려는 마음에 영향을 줍니까?"

"그럴 수 있습니다. 자기 중심적 성향이 강한 이 나라에서 우리가 말하는 자유란 뭐든 내 방법대로 하는 것, 내 의견이 끝까지 살아 있는 것입니다. 젊은이들이 결혼을 겁내는 이유는 결혼이 평생의 헌신인 까닭입니다. 그러니 궁극적 헌신인 하나님을 향한 헌신은 어떻겠습니까. 수십 가지 맛 중 하나를 골라먹을 수 있는 아이스크림 가게, 그것이 우리의 문화입니다. 평생을 다른 대안 없이 산다는 것보다 더 두려운 선고는 없지요. 사람들이 그리스도에 헌신하는 것을 두려워하는 이유가 거기에 있다고 봅니다."

건강한 믿음의 특징

믿음에 관한 잘못된 개념에서 종종 회의가 시작된다. 하나님의 본질에 대해 잘못된 기대나 오해를 불러일으킬 수 있기 때문이다. 예를 들어, 믿음만 충분하면 하나님이 모든 사람을 치유해 주시고 부자로 만들어 주신다고 잘못 생각하는 사람들은 병에 걸리거나 파산이 임박하면 회의에 빠질 수 있다. 믿음에 대한 정확한 시각을 가지려면 먼저 믿음이 아닌 것부터 정의해 신학적 덤불을 걷어 내야 한다.

"흔히들 믿음에 대해 오해하는 것은 무엇입니까?" 나는 물었다.

"사람들은 믿음과 감정을 혼동합니다." 앤더슨은 그렇게 답했다. "예를 들면 믿음을 지속적인 종교적 흥분과 동일시하는 것이지요. 그런 흥분은 사라지게 마련입니다. 그런데 사람들은 흥분이 식으면 자기에게 과연 믿음이 있었는지 의심하기 시작합니다."

나는 중간에 끼어들며 물었다. "믿음은 감정과 상관없다는 뜻입니까?"

"아니지요. 감정은 믿음과 상관이 있습니다. 하지만 대부분 감정은 사람의 기질과 관련된 것이지요. 주관과 확신이 분명하면서도 기질상 감정이 풍부하지 않은 사람들이 있습니다."

"박사님의 경우는 어떻습니까?" 나는 물었다.

그는 빙긋 웃으며 말했다. "나는 감정의 기복이 심한 편입니다. 그것이 믿음의 기복이 아님을 깨닫는 데 오랜 세월이 걸렸습니다. 감정에 대해 조심해야 합니다. 아주 변덕스럽거든요. 예를 하나 들어 봅시다.

아내가 싫어졌다는 남자가 있었습니다. 나는 아내를 사랑해 주라고 말했지요. 그랬더니 그가 '날 이해 못하는군요. 더는 아내에게 감정이 없습니다' 하더군요. 그래서 나도 말했지요. '나는 당신의 감정을 묻지 않았소. 그저 가서 아내를 사랑하라고 한 것뿐이오.' 그러자 그는 마음에도 없이 아내를 그렇게 대한다는 것은 감정적으로 솔직하지 못하다고 했습니다.

그래서 내가 물었습니다. '당신 어머니는 당신을 사랑합니까?' 그가 약간 불쾌하다는 듯 '그야 뻔한 것 아니오' 하길래 내가 말했지요. '갓 태어난 당신을 집으로 데려온 지 3주쯤 되었을 때, 당신이 울면 어머니는 기계처럼 녹초가 된 몸을 일으켜 맨발로 찬 바닥을 밟고 냄새나는 기저귀를 갈아주고 우유를 먹입니다. 어머니가 정말 신나서 그 일을 했다고 보십니까?' 그가 아니라고 말하기에 나는 '그렇다면 당신의 어머니도 감정적으로 솔직하지 않았군요' 하고 말했습니다.

모성애는 기분 좋을 때뿐 아니라 별로 달갑지 않을 때에도 기꺼이 자녀를 돌보는 것입니다. 믿음에 있어서도 그것을 배울 필요가 있다고 봅니다. 믿음이란 하나님이나 인생에 대해 언제나 긍정적인 감정 상태를 말하는 것이 아닙니다."

"좋습니다. 그것이 오해군요. 그렇다면 믿음을 회의가 없는 상태로 보는 시각은 어떻게 생각하십니까?" 나는 물었다.

"믿음을 의심이 없는 상태로 보지는 않습니다. 내가 성경에서 제일 좋아하는 부분인데, 귀신 들린 아들을 예수에게 데려와 고쳐 달라고 한 사람이 있습니다. 예수는 믿는 자에게 능치 못할 일이 없다고 말합니다. 그러자 그 사람의 대답이 정말 일품입니다. '내가 믿나이다. 나의 믿음 없는 것을 도와주소서.'"[7]

앤더슨은 무릎을 치며 큰소리로 말했다. "멋있지 않습니까! 이거라면 나도 얼마든지 공감할 수 있습니다!"

"그러니까 회의와 믿음은 공존할 수 있군요?" 나는 물었다.

"그렇지요. 믿으면서도 회의가 있을 수 있습니다. 아브라함도 그랬습니다. 그는 믿음이 있었지만 동시에 회의도 있었습니다. 그것이 때때로 그의 행동과 말에서 드러났습니다. 믿음을 무너뜨리고 부정적 회의로 넘어가는 경계가 어디인지는 모르지만 회의가 전혀 없는 곳에는 건강한 믿음도 있을 수 없다고 생각합니다."

"사실상 회의에도 긍정적 역할이 있는 셈이군요?"

"그렇다고 봅니다. 소위 '건전한 신자' 심리를 생각하면 나는 약간 불안해집니다. 밝은 미소와 흐리멍덩한 눈으로, 도대체 회의라고는 한번도 품어본 일이 없고 언제나 만사 형통이라고 생각하는 사람들 말입니다. 왠지 나와 한 세상에 사는 사람으로 보이지 않습니다. 뭔가 나쁜 일이 벌어질 때 그들이 어떻게 될지 걱정됩니다.

내가 아는 의사의 네 살 난 아들이 암에 걸렸던 일이 생각납니다. 사오십 명의 사람들이 밤마다 모여 아이를 위해 간절히 기도했습니다. 그중에는 '우리가 기도했으니까 당연히 하나님이 낫게 해 주실 거야' 라고 생각한 이들도 있었습니다. 그러다 아이가 낫지 않자 그들은 무너지고 말았습니다.

그들은 신학을 잘못 배웠던 것입니다. 회의나 심각한 의문 때문에 도전에 부딪친 일도 없었습니다. 회의를 겪었다면 오히려 좀 더 실질적이고 현실적인 믿음, 즉 치유뿐 아니라 죽음 앞에서도 하나님을 믿는 믿음으로 자랄 수 있었을 것입니다."

앤더슨은 다음 말을 강조하려는 듯 나를 뚫어지게 바라보며 힘주어 말했다. "역경이나 까다로운 의문, 묵상을 통해 도전에 부딪친 믿음이 결국 더 강한 믿음입니다."

7 참고: 마가복음 9:14-27.

이면을 들추면

분명 회의는 긍정적인 면이 있다. 그러나 나는, 모든 회의를 액면 그대로 받아들이면 자칫 속을 수 있다는 것을 배웠다. 론 브론스키에 대한 내 선입견처럼 때로 인간은 더 깊은 동기를 들키지 않기 위해 회의론을 교묘한 방패로 사용할 수 있다. 신앙의 장애물이 되지 않도록 마땅히 해답을 찾아야 하는 경우까지 폄하할 마음은 없지만 일부 사람들이 엉뚱한 문제로 연막을 피우는 이유의 뿌리는 파헤치고 싶었다.

나는 앤더슨에게 말했다. "박사님의 경험으로 볼 때, 이면에 회의의 진짜 동기가 따로 있는데 지적인 반론을 내세울 수도 있습니까?"

"당연하지요." 그는 의자를 흔들거리는 것을 멈추고 진지하게 말했다. "사실 모든 불신의 이면에는 궁극적인 이유가 따로 있다는 것이 내 개인적 생각입니다. 자신의 의심이 지적이라고 믿는 사람들 중에는 실제로는 다른 가능성을 따져볼 만큼 자신을 충분히 모르는 경우도 있습니다."

"예를 들어주시겠습니까?" 나는 물었다.

그는 금방 예를 생각해 냈다. "내가 어렸을 때 어느 똑똑한 소설가가 집필 중인 소설에 지방색을 입히려고 우리가 사는 캐나다 작은 마을에 온 일이 있었습니다. 무신론 공산주의 가정에서 자란 무신론자였는데 하루는 우리 집을 찾아와 아주 심각하게 말했습니다. '종교에 대해 물어봐도 될까?' 나는 수시로 회의와 씨름하던 터지만, 좋다고 말했습니다.

"그는 '자네는 내 이름을 아는 하나님이 정말 있다고 믿나?' 하고 묻더군요. 믿는다고 했지요. 그랬더니 다시 '성경이 사실이라고 믿나? 처녀가 아기를 낳고 죽은 사람이 무덤에서 나온 것 말일세.' 나는 다시 믿는다고 했지요.

그러자 그가 잔뜩 감정을 실어 말했습니다. '나도 믿을 수만 있다면 뭐든 다 내놓을 것 같은데. 세계를 돌아다녀 보니까 대부분의 사람들이 비참하게 살고 있더군. 진정 삶 속에서 행복을 누리는 것처럼 보이는 사람들은 바로 자네가 믿는 것을 믿는다고 고백하는 사람들이라네. 하지만 나는 도무지 믿어지지 않네. 내 머리가 자꾸만 방해가 되거든!'"

앤더슨의 눈이 커졌다. "한 방 맞은 것 같았지요. 뭐라고 해야 할지 막막했습니다. 그 사람이 나보다 훨씬 똑똑했으니까요!"

이어 앤더슨은 내게 바짝 다가온 뒤 말했다. "하지만 돌아보면 문제는 그의 머리가 아니었습니다. 그가 예수를 따를 경우 잃게 될 것들을 한번 생각해 봤지요. 그는 하나같이 종교를 헛소리로 간주하는 똑똑한 작가 모임의 회원이었습니다. 동료들의 비웃음과 직업적 자존심은 그가 지불하기에는 너무 큰 대가였을 거라는 생각이 듭니다."

그는 내가 이해할 시간을 잠시 둔 뒤 말을 이었다. "다른 예를 들어 보지요. 언젠가 해병대 출신의 사람을 만난 적이 있는데요. 그 사람이 이렇게 말하더군요. '사는 것이 왜 이렇게 비참합니까? 나는 아내와 자식들도 있고, 펑펑 써도 못다 쓸 만큼 돈도 많이 벌었고, 근방에서 잠자리를 안 한 여자가 없을 정도입니다. 그런데 나 자신이 싫습니다. 도와주십시오. 하지만 하나님 얘기는 꺼내지 마십시오. 그런 얘기라면 믿어지지 않으니까요.'

몇 시간쯤 실랑이했습니다. 결국 나는 이렇게 말했습니다. '당신은 나한테 솔직히 말하고 있다고 생각할지 모르지만 내가 보기에는 그런 것 같지 않소. 내 생각에 당신의 문제는 믿어지지 않는 것이 아니라 믿을 마음이 없는 것이오. 지금 즐기고 있는 것들을 놓치기가 두렵기 때문이오.'

그는 한참 생각하더니 이렇게 말했습니다. '당신 말이 맞는 것 같습니다. 한 여자와만 잠자리를 같이 해야 하는 것도 상상할 수 없고, 돈을 조금 버는 것도 상상할 수 없습니다. 제대로 한다면 지금보다 많이 벌 수 없겠지요. 속임수를 쓰지 못할 테니까.' 그도 결국은 솔직하게 나오더군요."

그 말과 함께 앤더슨의 목소리가 낮아졌다. 속삭임이었지만 힘이 있었다. "그 사람은 몇 시간이고 줄기차게 자신의 지적인 회의를 내세웠습니다. 지적으로 이의가 너무 많아 믿을 수 없다는 것이지요. 하지만 그것은 연막에 지나지 않았습니다. 하나님에 대한 자신의 망설임을 가리는 데 사용한 안개였던 것입니다."

앤더슨은 의자에 몸을 기댄 뒤 말을 이었다. "성적인 학대를 당한 어떤 여자와도 얘기한 일이 있습니다. 부모를 통해 제시된 하나님의 모습은 끔찍한 것 일색이었습니다. 믿기 어려운 것도 충분히 이해가 갑니다. 하지만 그녀의 논증은 언제나 지적인 영역을 벗어나지 못했습니다. 진짜 장애물을 찾아 더 깊이 파고들려 해도 부딪치는 고통을 피하려 했습니다. 지적 회의를 이용해 사람을 회피했던 것입니다.

서부에 사는 남자와 대화했던 일도 기억납니다. 그는 온갖 지적인 이슈를 다 들이댔습니다. 하지만 이면을 파헤쳐 본 결과 그가 하나님을 믿지 않으려 한 것은 야한 술집을 포기하고 싶지 않아서였습니다. 돈벌이가 아주 좋아 그 재미에 홀딱 빠져 있었던 것입니다.

내 경험에서 볼 때 이면을 들춰 보면 둘 중 하나입니다. 믿을 의지가 있는 경우와 안 믿으려는 의지가 있는 경우지요. 그것이 핵심입니다."

나는 생각에 잠겨 턱을 쓰다듬으며 말했다. "믿음은 선택이라는 뜻이군요."

앤더슨은 고개를 끄덕이며 대답했다. "맞습니다. 믿음은 선택입니다."

결단으로 믿는 믿음

앤더슨에게 믿음과 의지의 역할에 대해 자세한 설명을 부탁하자 그는 바로 구약 성경의 인물 아브라함을 예로 들었다.

"흔히 아브라함을 '믿음의 조상'이라고 합니다. 하지만 그것이 그가 회의하지 않았다는 뜻은 아닙니다. 항상 옳은 일만 했다는 뜻도 아닙니다. 그의 동기가 언제나 순결했다는 뜻도 아닙니다. 세 가지 모두 그는 실패했습니다. 하지만 아브라함은 하나님을 따르겠다는 의지를 결코 포기하지 않았습니다. '나는 그분을 믿겠다. 온 땅의 왕께서 정의를 행하시지 않겠는가?' 그는 그렇게 말했습니다. 그는 절대 하나님을 포기하지 않았습니다. 믿음이란 곧 믿겠다는 의지입니다. 믿음이란 현재 하나님에 대해 가지고 있는 최선의 빛을 따르겠다는 결단이요 결코 포기하지 않는 것입니다.

창세기 18:25.

여호수아 24:15.

시종일관 성경에 흐르는 맥은 선택의 개념입니다. 여호수아를 보십시오. 그는 오늘날 너희 섬길 자를 택하라고 하면서 자기와 자기 집은 여호와를 섬기겠다고 말합니다. 이렇듯 믿음의 뿌리는 의지의 결단입니다."

나는 손을 들어 그를 제지하며 물었다. "하지만 믿음이 하나님의 선물이라는 측면도 있지 않습니까?"

"맞습니다. 거기서 선택과 자유 의지에 대한 커다란 신비가 생겨나지요. 나는 그것을 자동차의 파워 핸들과 같다고 봅니다. 자동차 바퀴를 핸들 없이 움직이려면 어떻게 될까요? 그런데 한 손가락만으로 요구 사항을 전달하면 파워 핸들이 내게 바퀴를 움직일 능력을 줍니다. 마찬가지로 그리스도를 믿겠다는 결단은 우리 의지의 몫이지만 그것은 하나님이 우리를 파워 핸들로 사용하기 위해 능력을 주시는 계기가 됩니다."

앤더슨은 손을 뻗어 성경책 위에 놓여 있던 안경을 집어들었다. 안경을 쓰고 얇은 종이로 된 성경을 두르르 넘겨 요한복음을 찾았다.

"요한복음 7장 17절을 보십시오." 그는 목소리를 가다듬은 뒤 말씀을 읽었다. "'사람이 하나님의 뜻을 행하려 하면 이 교훈이 하나님께로서 왔는지 내가 스스로 말함인지 알리라.' 즉 우리에게 믿을 의지만 있다면 예수가 하나님에게서 온 분임을 하나님이 확증해 주신다는 것입니다."

그는 몇 페이지 더 넘겨 요한복음 12장 37절로 갔다. "성경에 잘 설명돼 있습니다. '이렇게 많은 표적을 저희 앞에서 행하셨으나 저를 믿지 아니하니.' 그 다음 구절은 이렇게 되어 있습니다. '저희가 능히 **믿지 못한 것**은 이 까닭이니.'[8]

8 강조 표시는 추가한 것.

다시 말해서 그들은 기적의 메시지, 예수가 하나님이라는 증거를 거부하기로 의지적으로 결단한 것입니다. 대가를 치를 마음이 없기 때문이지요. 자신들의 종교 체제가 송두리째 날아가는 것이 싫었던 것입니다. 그렇게 믿지 않기로 결단한 채 시간이 오래 흐르면서 그들은 믿을 수 있는 능력마저 잃고 말았습니다. 결국 믿음의 핵심은 의지적 결단이며 그 결단은 지속적입니다. 하지만 우리에게 그 길이 허락된 것은 하나님의 은혜이고 지속적인 결단의 능력은 성령이 주십니다."

"원하는 정보가 완벽하게 갖춰져 있지 않더라도 반드시 내려야 하는 결단이지요." 내가 말했다.

"맞습니다. 그렇지 않으면 그것은 지식이지 믿음이 아닙니다."

"그 차이에 대해 말씀해 주십시오."

앤더슨은 성경을 탁자에 내려놓고 즉석 예화를 찾아 방 안을 훑어보았다. 적절한 물건을 찾지 못했는지 결국 그는 손을 주머니에 넣었다 꺼내며 말했다. "지금 나는 손에 뭔가를 쥐고 있습니다. 뭔지 아시겠습니까?"

나는 짐작으로 말했다. "동전이겠지요."

"하지만 확실치는 않지요? 그것은 당신의 의견입니다. 믿음이란 의견은 아닙니다. 내가 알려 드리지요. 내 손에 있는 것은 25센트짜리 동전입니다. 믿으십니까?"

"물론입니다." 나는 말했다.

"내가 사실이라고 했지만 당신은 보지 못했습니다. 그런데 믿는다고요? 그것이 믿음입니다. 히브리서에 보면 믿음은 보지 못하는 것들의 증거라고 했습니다."

히브리서 11:1.

앤더슨은 웃으며 말했다. "내가 당신의 믿음을 박살내는 것을 잘 보십시오." 그러더니 손을 펴 동전을 보여 주었다. "이제는 믿음이 아닙니다. 지식입니다."

그는 동전을 탁자에 툭 던지며 말했다. "사람들은 믿음이 뭔가 사실이라는 것을 일체의 회의도 없이 확실히 아는 것이라고 생각합니다. 그래서 확률적 증거로 믿음을 입증하려 하지요. 하지만 그것은 잘못된 접근입니다."

그는 손으로 동전을 가리키며 말했다. "이제 당신은 동전을 보고 만질 수 있습니다. 믿음이 필요 없지요. 하지만 하나님은 그런 식으로 입증되는 것을 원치 않으십니다.

「예수 사건」 두란노.

대신 사람들은 「예수 사건」에서 당신이 했던 일을 해야만 합니다. 보강 증거에 의존하는 것이지요. 그 책에서 당신은 다양한 요소의 증거들이 하나님을 설득력 있게 뒷받침하는 것을 보여 주었습니다. 그 역할은 아주 중요합니다. 증거대로 믿음의 발걸음을 내딛을 수 있도록 선택의 기회를 주는 것이지요."

회의를 처리하다!

벌써 오후 시간이 많이 지났지만 우리를 괴롭히는 회의의 처리 방법에 대해 앤더슨의 충고를 듣지 않고는 대화를 끝낼 수 없었다. 의심을 극복하는 데는 간단한 공식이 없다는 것을 알지만 그래도 회의의 고통을 덜기 위해 취할 수 있는 단계가 있다. 물론 모든 것은 의지에서 시작된다.

나는 말했다. "박사님은 맨 먼저 사람들에게, 자신이 정말 믿기를 원하는지 아닌지 그것부터 결정해야 한다고 말씀하셨지요. 그것이 시작인 이유는 무엇입니까?"

"정작 믿을 마음도 없으면서 믿고 싶다고 말하는 사람들이 있기 때문이지요. 아까도 말한 것처럼 그들은 믿지 않으려는 진짜 이유를 숨기고 시선을 딴 데로 돌리기 위해 지적인 이슈들을 들춥니다. 어떤 여대생이 내게 '기독교의 이 모든 허튼소리는, 믿어야 할 심리적 필요가 있는 사람들이 꾸며낸 것 같다' 고 한 적이 있습니다.

나는 이렇게 답했습니다. '그렇지. 사람들에게는 믿어야 할 심리적 필요가 있지. 일부 사람들에게 믿지 않아야 할 심리적 필요가 있는 것처럼 말이야. 그런데 자네가 믿지 않으려는 이유는 뭔가? 믿음 때문에 생기는 책임이 싫어서인가? 아니면 자신의 구제 불능 상태에 절망을 느껴서인가? 아니면 삶의 낙을 포기하고 싶지 않아서인가?'

학생은 깜짝 놀라 '어떻게 아셨어요? 사실은 세 가지 다 조금씩 있어요' 라고 했습니다. 보십시오. 믿지 않으려 한 데는 감정적 이유가 있었던 겁니다. 물론 다른 이유가 있는 사람들도 있지만요.

사람들은 자기가 왜 믿으려 하는지 정말 알아야 합니다. 기독교가 진리라는 증거를 보았기 때문입니까? 하나님 없이 절망을 느껴서입니까? 반대로, 믿을 마음이 없어서라면 그 이유는 무엇입니까?

지적인 회의가 있는 것은 얼마든지 좋습니다. 하지만 거기서 멈춰서는 안 됩니다. 좀 더 깊이 들어가, 하나님을 피하게 만드는 자신의 진짜 이유를 파악할 필요가 있습니다. 내가 10년쯤 상담해 온 십대 여자아이가 있습니다. 가족들에게 학대를 많이 당한 아이입니다. 그 아이가 이렇게 털어놓더군요. 자기에게 문제가 되는 것은 하나님이나 의문이 아니라 바로 자신의 상처요 감정이라고 말입니다. 그 아이는 거기서부터 시작해야 합니다."

"믿고 싶어한다고 가정하고 그 다음 단계로는 무엇을 권하십니까?" 나는 물었다.

"믿음이 있는 곳으로 가라고 권합니다. 장미꽃을 재배할 사람이 북극 땅을 사지는 않지요. 장미꽃이 잘 자라는 곳으로 갑니다. 마찬가지로 믿음을 키우기 위해 미국 무신론자 협회로 갈 필요는 없습니다. 생활과 생각과 성품과 믿음 면에서 자신이 존경하는 사람들 주변으로 가십시오. 그들에게 배우십시오. 그들의 삶을 보십시오.

또 믿음을 세워 주는 재료로 마음을 채우라고 권합니다. 책, 테이프, 음악 같은 것을 말합니다. 믿음에 강한 동기를 불어넣고, 하나님의 성품을 가르쳐 주고, 찬반의 증거를 제시하고, 신앙에 대한 비판을 지적으로 다루고, 하나님과 교제할 수 있다는 희망을 주고, 신앙 성장의 도구들을 제공하는 그런 재료들입니다."

모두 적절한 제안이었지만 아직 빠진 것이 있었다. "믿음을 위한 믿음은 무의미합니다. 자신이 믿는 대상을 정확히 아는 것이 중요하지 않습니까?" 나는 말했다.

앤더슨은 이렇게 대답했다. "잘 말씀하셨습니다. 다음 단계는 믿음의 대상을 확인하는 것입니다. 캐나다 사람들은 얼음에 두 종류가 있다는 것을 압니다. 두꺼운 얼음과 얇은 얼음이지요. 얼음이 두꺼우면 믿음이 없어도 빠질 염려가 없습니다. 하지만 얼음이 얇으면 아무리 믿음이 커도 익사할 수 있습니다. 중요한 것은 자신이 끌어 모을 수 있는 믿음의 양이 아닙니다. 우리의 믿음은 겨자씨 한 알처럼 작을 수 있습니다. 단 믿음을 갖는 대상이 확실해야 합니다.

그러니까 자신이 믿으려는 이유를 확인해야 합니다. 왜 하필 힌두교의 수도사가 아니라 예수를 믿습니까? 왜 수정 구슬이나 동양의 비교(秘敎)를 믿습니까?" 앤더슨은 탁자 위의 가죽 표지 성경을 가리키며 말했다. "분명 나는 편견이 있지만 이 책을 역사와 고고학과 문학과 체험적 증거로 확실히 뒷받침하는 믿음의 대상은 예수뿐입니다."

믿음의 실험

믿기로 결단하는 것, 믿음이 있는 곳으로 가는 것, 믿음을 세워 주는 재료를 섭취하는 것, 믿음의 대상을 확인하는 것, 모두가 훌륭한 조언이었다. 그러나 나는 아직도 뭔가 빠진 것 같아 이렇게 말했다. "어느 한 시점에서 믿음의 여정은 시작됩니다. 그 시작은 어떻게 이루어집니까?"

앤더슨의 대답은 이랬다. "자리에 앉아 믿음과 회의에 대해 골똘히 생각한다고 신자가 되는 것은 아닙니다. 좋은 책들을 섭렵하고 좋은 사람들과 어울리며 심지어 믿음의 결단을 내린다 해도 마찬가지입니다. 궁극적으로 우리는 믿음의 실험에 착수해야 합니다. 믿음이 할 일을 직접 해 보는 것이지요.

예수는 우리가 그분의 말씀 안에 계속 있으면, 즉 예수의 말씀대로 계속 행하면 그분의 참 제자가 된다고 말했습니다.[9] 제자란 곧 따르며 배우는 자를 말합니다. 그렇게 따르며 배울 때 우리는 진리를 알게 되고 진리가 우리를 자유케 합니다.

9 요한복음 8:31-32.

진리를 안다는 것은 머리 속을 지식으로 채운다는 뜻이 아닙니다. 히브리어로 '안다'는 단어는 정보 수집이 아니라 체험적 지식을 말합니다. 아담이 하와를 안 것처럼 말입니다. 아담은 하와의 이름과 주소만 안 것이 아니라 하와를 체험했습니다.

히브리어 'יָדַע'(야다)는 창세기 4:1, 4:9, 출애굽기 1:8에서 두루 쓰였는데, 우리말로는 동침하다, 이해하다, 깨닫다, 알다, 인정하다 등으로 번역되었다.

진리를 체험하여 자유케 되려면 예수를 따르고 배우는 자가 되어야 합니다. 다시 말해서 예수의 말대로 해야 합니다. 그러면 그 말의 신빙성을 체험하게 됩니다. 자전거를 타는 것과 비슷합니다. 비디오를 보거나 책을 읽는 것으로는 안 되지요. 직접 자전거에 올라 그 느낌을 맛보아야 합니다."

"어떻게 그렇게 할 수 있습니까?" 나는 물었다.

"사람들은 이렇게 말합니다. '예수의 가르침을 대충 들어보았소. 좋은 말 같기는 한데 그것이 사실인지 잘 모르겠소. 예수는 주는 것이 받는 것보다 복되다고 했다지요. 하지만 그것이 사실인지 어떻게 압니까?' 밤새도록 토론해도 입증되지 않을 것입니다. 하지만 직접 베풀어보면 그것이 진리임을 깨닫게 되지요. 그러면 사람들은 이렇게 말할 것입니다. '아, 이 문제에는 예수의 짐작이 우연히 잘 맞아 떨어졌군.' 하지만 계속해 보십시오. 그분의 '짐작'이 매번 들어맞는 것을 보고 깜짝 놀라게 될 것입니다!"

나는 손을 뻗어 앤더슨의 성경을 들고 쭉 넘겨 시편 34편 8절을 찾았다. "다윗왕이 말한 '너희는 여호와의 선하심을 맛보아 알지어다'를 말하는 것입니까?"

"그렇습니다. 그런 실험이 많을수록 체험을 통해 신앙이 자신의 일부가 될 것입니다." 그는 확신에 차서 말했다.

나는 앤더슨의 부연 설명을 기대했지만 그는 일단 그것으로 말을 맺었다. 그리고는 시선을 옆으로 돌려 생각을 가다듬은 뒤 다시 신앙의 체험에 대해 감동적인 말을 이었다.

회의 때문에 믿다

"리, 당신이 한때 무신론자였다고 알고 있습니다. 당신이라면 하나님에 대해 내가 대답할 수 없는 질문을 백 가지라도 내놓을 수 있을 것입니다. 하지만 이제 더는 그런 질문이 대단치 않지요? 이미 사실임을 맛보아 알았기 때문이지요.

내가 회의를 통해 얻은 것은 바보 같은 웃음과 흐리멍덩한 눈빛이 아닙니다. 나는 주는 것이 받는 것보다 복되다는 것을 체험했습니다. 오랜 세월을 그렇게 살았습니다. 새로운 통찰을 얻는 그 모든 시간, 설명 못할 방식으로 예수가 내게 개인적으로 말씀하신 시간들, 그분의 가르침을 따라 그 결과를 맛본 시간들을 통과하다 보니 이제는 누군가 이것이 거짓이라고 아무리 많은 지식적 의문을 제기해도 개의치 않습니다.

마치 누군가 '무지개가 아름답다는 것을 증명해 보시오'라고 말하는 것과 같습니다. 내가 '글쎄요, 빨간색과 초록색이 있잖소' 하면 그 사람은 '나는 빨간색과 초록색이 함께 있는 건 싫소' 할지도 몰라요. 그러면 나는 다시 '그래도 무지개에 어우러진 건 아름답지요!' 할 것입니다. 무지개가 보기 싫다는 말은 아직 한 번도 들어보지 못했습니다. 실제로 직접 무지개를 볼 수 있으면 설명은 더 필요도 없습니다. 자기가 직접 보고 체험했기 때문에 무지개가 아름답다는 것을 알지요.

믿음도 그와 같다고 봅니다. 결국 우리는 발을 떼어 행동에 옮겨야 합니다. 요한복음에 보아도 믿음은 명사가 아니라 동사입니다. 믿음은 행동입니다. 결코 지적인 동의만이 아닙니다. 믿음은 삶의 방향입니다. 그렇게 우리가 믿음을 실천할 때 하나님은 그것을 확증해 주십니다. 그 여정이 계속될수록 그 길이 진리임을 더 깊이 알게 됩니다."

그의 분석은 힘이 있었지만 여전히 어딘가 허점이 있었다. "믿음이 체험이라면 예컨대 불교도 마찬가지일 텐데요." 나는 그렇게 지적했다. "명상이 혈압을 낮추고 원기를 돋운다면서요. 하지만 그렇다고 불교가 진리라는 뜻은 아니지 않습니까?"

"그래서 체험은 증거의 일부에 지나지 않는 것입니다." 그는 주의를 주었다. "믿음의 대상도 확인해야 하고, 진리로 믿어야 할 확실한 이유가 있는지도 따져봐야 합니다. 하지만 음식의 궁극적 시험은 역시 맛보는 것입니다. 불교가 통하는 부분이 있습니다. 무신론도 통하는 부분이 있습니다. 그러나 예수와 동행하는 길을 계속 걷는다면 그분의 가르침이야말로 언제 어디서나 통한다는 사실을 알게 됩니다. 진리이기 때문이지요. 기독교가 통하기 때문에 진리인 것이 아니라, 진리이기 때문에 통하는 것입니다."

나는 웃으며 말했다. "체험에서 나온 말씀 같습니다."

"그렇습니다. 내 믿음은 30년 전보다 훨씬 좋아졌습니다. 그렇다고 내가 모든 답을 다 얻었을까요? 그건 과장입니다. 하지만 나는 하나님과 훨씬 화목하게 지냅니다. 내가 그분의 품안에 있다는 확신이 훨씬 강해졌습니다. 내 인생으로 그분을 영화롭게 하려는 연약한 시도를 그분이 받아주신다고 믿습니다."

"지금도 회의의 순간들이 있습니까?" 나는 물었다.

"그야 물론이지요!" 그는 큰소리로 말했다. "습관적인 죄를 이기는 데 왜 진보가 없는지 고민합니다. 물론 하나님의 잘못은 아니지요. 그래도 한편으로 왜 하나님이 이 일을 이렇게 힘들게 만드시나 하는 생각도 들지요. 그런 회의들이 있습니다. 코소보와 인도네시아와 아프리카 곳곳에서 벌어지는 끔찍한 일들에 대해서도 고민합니다. 종족이 완전히 말살되고 있잖아요. 그것도 종교의 이름으로 말입

➡ **인종 청소**(genocide) 발칸 반도의 코소보에서 세르비아계가 일으킨 알바니아계 학살 사건. 20만 명이 죽었고, 150만 명의 난민이 생겼다.

니다. 사랑의 하나님이 왜 이런 문제를 해결해 주시지 않나 하는 생각도 듭니다. 그분을 믿지 않는다는 말이 아닙니다. 이런 의문에 관해 내게 완벽한 최종 답이 없다는 뜻이지요."

"박사님처럼 선천적으로 의심 많은 사람들에게도 희망이 있습니까?"

앤더슨은 단호하고 강경하게 말했다. "물론입니다. 절대적으로 희망이 있습니다. 회의와 죄로 고민한다는 내 말이 혹시라도 패배적이거나 가망 없이 들리지 않았으면 좋겠습니다. 우리 교회 교인이 회의에 대한 내 책을 읽고는 이렇게 말하더군요. '저런 세상에! 그러니까 당신은 정말로 믿지 않는다는 말이군요.' 그래서 나는 '아니지요. 나는 정말로 믿습니다. 그런데 당신이 내 믿음을 도와주시겠습니까?' 하고 말해 주었습니다.

요즘 나는 어느 때보다도 하나님을 생생히 체험하고 있습니다. 심지어 하나님이 내 곁에 계시지 않는 것처럼 느껴지는 순간에도 그분의 은혜를 볼 수 있습니다. 아내와 떨어져 있을 때 오히려 아내의 특성이 더 선명히 느껴지는 것처럼 말입니다. 아내를 그리워하기 때문이지요. 요즘은 기도도 더 많이 하고, 내 평생 어느 때보다 하나님의 기도 응답을 많이 누리고 있습니다. 어떤 사람이나 일의 결과를 내 손으로 어떻게 해 보려는 욕구도 훨씬 줄었습니다. 하나님이 통제하고 계심을 알기 때문이지요.

아이러니하게도, 똑똑한 회의론자들이 내놓는 반론에 대해서는 갈수록 내 대답이 미흡하게 느껴집니다. 하지만 이제는 전처럼 그런 것이 중요하지 않습니다. 이 길이 진리임을 알기 때문이지요. 그것이 보입니다.

내 삶 속에서 보이고, 내 결혼 생활에서 보이고, 내 자녀들에게서 보이고, 내 대인관계에서 보이고, 다른 사람들의 삶 속에서 보입니다. 사람들이 하나님의 능력으로 변화되고 그분으로 말미암아 새롭게 되고 그분의 진리로 자유케 될 때 진리가 보입니다."

앤더슨의 목소리에는 확신과 권위가 배어 있었다. 이윽고 그는 결론적으로 단언했다. "리, 나는 맛보았습니다. 분명히 말합니다. 나는 맛보았습니다! 그래서 여호와의 선하심을 압니다."

내 마음속에는 캐나다의 한 시골 청년이 회의 때문에 괴로워하며 자신의 인생을 떠받쳐 줄 확실한 영적 기초를 애타게 찾는 모습이 떠올랐다. 그는 이제, 회의에도 불구하고가 아니라 회의 때문에 그 진리를 찾은 것이다. 하나님에 대한 개인적 체험은 어떤 확률적 증거로도 밝혀질 수 없는 사실을 거듭거듭 확인해 주고 있다.

나는 손을 내밀어 녹음기를 끄며 말했다. "이렇게 솔직히 말씀해 주셔서 감사합니다."

회의의 선물

그날 밤 거의 비어 있는 비행기를 타고 시카고로 돌아오는 동안 앤더슨과의 인터뷰를 마음속으로 새겨 보았다. 회의에 대한 그의 평가에 나 역시 동의하고 있었다. 회의란 마음을 불안하게 하고, 적절히 처리하지 않을 경우 끝내 파괴적인 요소가 될 수 있지만 분명 유익도 있다. *The Gift of Doubt*(회의의 선물)에 제시된 게리 파커(Gary Parker)의 견해가 떠올랐다.

"믿음이 한번도 회의를 만나지 않고 진리가 한번도 오류와 부딪치지 않고 선이 한번도 악과 싸우지 않는다면 도대체 믿음의 힘을 어떻게 알 수 있단 말인가? 회의와 눈싸움을 벌여 결국 회의의 눈을 깜박이게 만든 믿음과, 회의의 사선(射線)을 전혀 모르는 온실 속의 믿음, 이 둘 중 하나를 택해야 한다면 나는 매번 전자를 택할 것이다."[10]

10 게리 파커, *The Gift of Doubt*(회의의 선물), Harper & Row, 1990, p. 69.

나도 그럴 것이다. 예수에 대한 나의 근본적 믿음은 회의의 용광로를 통해 깨끗이 정련될 때 더 강하고 확실하고 당당하고 견고하게 될 것이다. 모든 의문과 도전과 장애물에도 불구하고 내 믿음은 단순히 살아남는 정도가 아니라 무성하게 자라날 것이다.

그러자 내 생각은 다시 찰스 템플턴에 이르렀다. 그가 믿음을 잃은 것은 정말 하나님에 대한 지적인 반론들 때문일까? 아니면 그 회의들 밑에 무언의 잠재적 동기가 도사리고 있어 기독교에 대한 도전에 기름을 부은 것일까? 나로서는 확실히 알 도리도 없고 그의 사생활을 파헤쳐 알아보고 싶은 마음도 없다. 다만 이 시점에서 내가 할 수 있는 최선의 일은 그의 반론을 액면 그대로 받아들이는 것이다.

앤더슨의 말에는 또 한 가지 중요한 사실이 암시되어 있다. 회의와 믿음이 공존할 수 있다면, 그것은 사람들이 하나님과의 사이에 장애물을 남김없이 완전히 해결하지 않고도 진정한 믿음을 가질 수 있다는 뜻이다.

다시 말해 모든 증거의 무게 중심이 결정적으로 하나님에 유리한 쪽으로 기운다면, 그리하여 그것을 근거로 그분을 믿기로 합리적 선택을 내린다면, 보다 주변적인 반론들은 해결의 날이 올 때까지 얼마든지 긴장 속에 그냥 둘 수 있다는 것이다.

우리는 그동안에 얼마든지 믿음의 선택을 내릴 수 있고 우리의 믿음 없음을 도와 달라고 기도할 수 있다.

최종 진술

1. 앤더슨의 사연 중 특히 공감이 가는 부분은 무엇인가?

2. 당신이 씨름하는 회의는 어떤 것들인가? 당신의 회의가 그리스도를 믿지 않으려는 동기에서 비롯되었다면 내키지 않는 이유는 무엇인가?

3. 믿기로 결단하는 것, 믿음이 있는 곳으로 가는 것, 믿음을 세워 주는 재료를 섭취하는 것, 믿음의 대상을 확인하는 것, 실험을 통해 예수의 가르침을 따르는 것 등이 앤더슨이 제기한 회의에서 벗어날 수 있는 길이다. 이중 당신에게 가장 도움이 될 만한 것은 무엇인가?

증거 자료

- Lynn Anderson, *If I Really Believe, Why Do I Have These Doubts?*, Howard, 2000.
- Gary E. Parker, *The Gift of Doubt*, Harper & Row, 1990.
- Os Guinness, *In Two Minds*, InterVarsity Press, 1976.
- Gary R. Habermas, *The Thomas Factor*, Broadman & Holman, 1999.
- 오스 기니스, 「도전 받는 현대 기독교」, IVP

믿음은 살아 있다!

아무나 어디서든 나를 좀 사랑해 주세요!

—무신론자 고(故) 매들린 머레이 오헤어(Madalyn Murray O' Hair)의 일기에 반복적으로 등장하는 표현[1]

인간이 하나님을 거부하는 것은 지적인 요구 때문도 아니고 증거 부족 탓도 아니다. 인간이 하나님을 거부하는 것은 자신에게 하나님이 필요하다는 사실을 인정하기 싫어하는 도덕적 저항 때문이다.

—래바이 재커라이어스(Ravi Zacharias), 그리스도인[2]

텍사스에서 인터뷰를 마치고 돌아오는 데 꼬박 하루가 걸렸다. 악천후로 비행기가 지연되더니 얼마 후 기계상의 문제로 아예 취소되는 바람에 다른 두 도시를 빙빙 돌아야 했다. 갈아탄 비행기마다 대만원인데다 요동도 심했다. 내 몸은 완전히 녹초가 되었으나 마음은 쉬지 않고 일하고 있었다.

기독교에 대한 8대 반론을 주제로 전문가 인터뷰를 마침과 동시에 내 신앙 여정을 심화하는 작업이 막을 내렸다. 다시 한번 믿음은 회의와 정면으로 눈싸움을 벌였다. 어느 쪽이 눈을 깜박이느냐만 남았다.

내가 좋아하는 푹신푹신한 의자에 몸을 파묻고 지난 한 해 동안 수집해 온 자료와 증거들을 어떻게 소화하고 정리할지 생각했다. 아득한 작업이다. 필기한 노트

1 「리더십(*Leadership*)지, 1999년 봄, p. 75.

2 「종(*Servant*)」지, 1999년 봄, p. 8.

만도 한 더미고 녹음 테이프는 상자 두 개로도 모자랐다. 내 서재는 온갖 참고 도서들로 발 디딜 틈이 없었다.

믿음의 8가지 장애물에는 저마다 난해한 이슈들이 뒤따랐다. 그러나 내가 인터뷰한 전문가들은 능숙하고도 만족스런 답을 제시했다. 많은 문제에서 그들은 명쾌한 설명으로 문제를 깨끗이 해결해 주었다. 결정적인 해답을 찾지 못한 주제에서도 주요 정황과 통찰 기회를 통해 반론의 소리를 위력적으로 약화시켰다. 잘못된 생각들이 걷히면서 진상이 선명해지자 반론의 독소는 보기 좋게 힘을 잃었다.

나 개인적으로 가장 곤란했던 문제는 고난의 문제와 지옥의 교리 두 가지였다. 두 문제를 파고들수록 신앙의 버팀목을 잃을 것만 같아 위태로웠다. 나는 눈을 감고 그간의 탐색에 대해 생각해 보았다. 전체의 의미를 아우를 수 있는 종합적 주제를 찾다 보니 세 가지 장면이 마음에 떠올랐다. 평정을 되찾는 데 도움이 되었던 J. P. 모어랜드의 짧은 얘기가 제일 먼저 생각났다.

장면 1 : 증거를 향한 탐색

그날 나는 지옥의 교리에 대한 인터뷰를 마치고 모어랜드의 집을 나서던 참이었다. 그가 강의가 있다는 것을 알았기에 시간을 내준 데 감사하며 녹음 장비를 꾸리기 시작했다. 그런데 뭔가 그를 붙들고 놓지 않는 것이 있었다. 함께 일어선 상태에서 그는 한 가지만 더 말해도 되겠느냐고 물었다.

"리, 꼭 짚어두고 싶은 것이 있어요." 그는 적절한 표현 방법을 찾고 있으나 설명할 길이 묘연한지 한숨을 내쉬었다. 그러더니 기둥에 비스듬히 기대어 주의를 기울이고 있는 내게 하나의 비유를 들려주었다. '아하!' 하고 무릎을 치게 한 바로 그 얘기였다.

"뭔가 결정을 앞두고 찬반 양쪽의 증거를 저울질할 때는 단편적인 증거만이 아니라 타당한 증거를 모두 함께 고려하는 것이 중요합니다." 맞는 말이지만 왜 그 말을 꼭 해야 하는지 이유를 묻지 않을 수 없었다.

그는 이렇게 설명했다. "우리 인터뷰는 기독교에 대한 반론 중 지옥이라는 주제 한 가지에만 초점이 맞춰졌지요. 하지만 이 한 가지에만 집중하면 전체 그림을 놓치게 돼요.

예를 들면, 내 아내가 백화점에서 딴 남자와 손잡고 있는 것을 보았다고 합시다. 아내가 나를 속여 왔다는 것이 합리적인 결론일까요? 증거를 따져 보면 알겠지요. 백화점에서 본 장면만 증거로 삼는다면 아내가 나를 속이지 않았다는 단서는 전혀 없는 셈입니다. 하지만 뭔가 부족하지요?

그런 결론은 다양한 단서들을 무시하는 처사입니다. 백화점 상황과는 무관하지만 아내와 함께 살아온 지난 25년간도 단서가 될 수 있어요. 나는 아내가 그런 식으로 나를 속일 사람이 아니라고 확신할 만큼 매일의 삶을 통해 아내를 알고 있습니다. 그 평생의 증거를 함께 끌어 모으면, 백화점 상황은 겉으로야 좀 이상해 보여도 아내가 나를 속일 리 없고 뭔가 사연이 있겠다는 결론에 도달할 수 있습니다.

자, 이제 아내가 나 모르게 한 남자의 전화를 받았다고 생각해 봅시다. 20년 전에 그리스도를 소개해 준 사람이라고요. 그 사람이 어쩌다 우리 동네에 오게 됐고 아내는 20년 만에 그를 백화점에서 만났습니다. 서로 가족 사진을 보여 주며 추억을 나누었지요. 마침 그 사람은 외국으로 떠날 참이라 다시는 못 볼지도 모릅니다. 그래서 둘은 정겨움에 손을 잡고 있었던 것입니다. 어떻습니까?

지옥의 합리성 연구도 비슷합니다. '지옥을 믿을 것인가, 말 것인가?' 그런 의문이 있을 수 있습니다. 이때 지옥 자체에 대한 찬반 이론만을 유일한 증거로 삼는다면, 마치 백화점에서 본 장면만을 증거로 아내를 의심하는 것과 같습니다.

우리가 생각해야 할 증거는 그밖에도 많다고 말하고 싶습니다. 지옥 자체와는 무관하지만 분명 관련된 증거지요. 하나님이 계시고, 그분은 우리를 창조하셨고, 신약 성경은 역사적으로 신빙성이 있으며, 예수는 기적을 행했을 뿐 아니라 죽은 자 가운데서 살아났고, 하나님은 천국에서 영원히 우리와 함께 있기 원하신다는 등의 증거입니다.

이 모든 증거를 함께 고려할 때 우리는 이렇게 말할 수 있습니다. '지옥이 있어야 하는 이유에 대해 이 시점에서 완전히 납득할 만한 설명이 없을지라도 분명 그럴 것이다. 예수 그리스도가 진정 하나님의 아들이고 바로 그분이 지옥을 거론했기 때문이다.

그분과 십자가 죽음으로 표현된 그분의 깊은 사랑을 신뢰할 수 있기에 나는 확신한다. 지옥이 이치에 맞고 공정하며 가장 도덕적인 대안임을 수긍할 수 있다고 말이다.'"

믿음의 증거 행렬

모어랜드의 예화는 내게 큰 도움이 되었다. 신앙상의 난제들을 파고들 때마다 그것들은 마음속에서 다른 타당한 정보들을 밀쳐 내며 지나치게 확대되는 경향이 있었다. 특히 자신에게 난처한 문제에 직면할 때 누구나 비슷한 현상을 경험할 것이다.

기독교의 음지를 폭로한다는 것은 반론 하나를 제기하여 흠집을 내는 정도로 되는 일은 아니다. 예수 그리스도에 대한 믿음을 뒷받침하는 타당한 증거들이 너무나 많기 때문이다. 각 반론을 따로따로 살펴보는 것으로도 충분하지 않다. 우리는 총체적 증거의 무게를 반드시 고려해야 한다.

그 증거는 어떤 것일까? 전문가들과의 인터뷰를 통해 밝혀진 사실들은 다음과 같다.

빅뱅

옥스퍼드 대학교 출판부에서 펴낸 *Theism, Atheism, and Big Bang Cosmology*(유신론, 무신론, 빅뱅 우주론)의 공동 저자 윌리엄 레인 크레그는 유한한 과거의 어느 시점에 우주와 시간 자체에 시작의 순간이 있었다고 말한다. 과학자들은 그 순간을 빅뱅이라 부른다. 존재하기 시작하는 모든 것에는 원인이 있는데 어느 시점에 존재하기 시작한 우주도 원인이 있다. 크레그가 말한 원인이란 스스로 존재하고, 변하지 않으며, 시간을 초월하고, 비물질적 존재인 창조주다. 유명한 무신론자 케이 닐슨(Kai Nielsen)도 이렇게 말했다. "당신의 귀에 갑자기 시끄럽게 쾅 하는 소리가 들렸다고 하자. 저 소리가 어떻게 난 것이냐고 당신이 내게 묻는다. 내가 아무 이유 없이 저절로 난 소리라고 답한다면 물론 당신은 수긍하지 않을 것이다." 크레그의 대답은, 조그만 쾅 소리에도 원인이 있어야 한다면 큰 쾅 소리(Big Bang)에 원인이 있는 것은 당연하지 않느냐는 것이다.

정밀한 우주

지난 35년간 과학자들은 우주의 생명이 면도날 위에서 아슬아슬하게 균형을 유지하고 있는 것을 발견하고 크게 놀랐다. 빅뱅은 거대한 양의 정보를 요하는 고도로 질서 정연한 사건이었다. 탄생되는 순간부터 우주는 우리 같은 생명체의 존재를 위해 불가해할 정도로 정확한 수준까지 미세하게 조정돼 있었다. 우주 초기의 팽창 속도, 중력이나 약력(弱力)의 힘, 수십 가지의 상수와 수량 등에 미세한 차이만 있었어도 우주는 생명을 지탱하는 대신 생명을 방해했을 것이다. 이 모든 사실을 바탕으로 피조 세계 뒤에 이성적인 설계자(Intelligent Designer)가 있다는 결론을 내리게 된다.

도덕법

하나님이 없다면 도덕이란 단지 사회적, 생물학적 진화의 부산물에 지나지 않으며, 기본적으로 취향이나 개인적 선호의 문제가 되고 만다. 예를 들어 강간은 단지 사회에 이롭지 않기 때문에 금기사항이 되었을 수 있다. 어쩌면 종(種)의 생존에 이로운 것으로 발전했을 가능성도 있다. 다시 말해 하나님이 없다면 우리 양심의 기준이 되는 절대적 옳고 그름은 없다. 하지만 강간이나 아동 학대 같은 행동이 전 세계 어디서나 도덕적으로 가증히 여겨지는 것처럼, 객관적인 도덕적 가치관은 존재한다. 그것은 하나님이 존재한다는 뜻이다.

생명의 기원

다윈주의는 생명체가 생명 없는 화학물질에서 자연적으로 생성된 경위에 대해 신빙성 있는 이론을 내놓지 못한다. 지구의 초기 환경은 생명의 빌딩 블록 형성을 방해하기 때문에, 원시적인 생명체가 외부의 개입 없이 우연히 조립되고 생성될 가능성은 전혀 없다. 반대로 모든 생명 세포 속 DNA라는 화학 알파벳에 부호화된 거대한 양의 정보는 생명의 기적적 창조 뒤에 이성적인 설계자가 존재하고 있음을 강력히 증거한다.

성경의 신빙성

노먼 가이슬러는 고대 세계의 어떤 책보다도 성경이 신빙성 있는 자료라는 데 많은 증거가 있다고 주장한다. 성경의 본질적 신빙성은 고고학적 발굴을 통해 거듭 확인된다. 그는 "명백한 땅의 일을 말하는 부분에서 성경을 믿을 수 있다면 경험적 방법으로 직접 증명할 수 없는 부분들에서도 성경을 믿을 수 있다"고 말했다.

성경의 신적 기원은 두 가지 방식으로 확증되어 왔다. 첫째, 메시아가 나타날 정확한 시점을 포함한 수십 가지의 구약의 예언들이 역사상 오직 한 사람 안에서 수학적 확률을 초월하여 기적적으로 실현되었다. 바로 나사렛 예수다. 둘째, 성경의 예언자들은 기적을 행해 자신들의 신적 권위를 확증했는데 예수의 기적은 그분의 적들조차 인정한 것이다. 반면 코란에 보면, 불신자들이 마호메트에게 기적을 행해 보라고 도전하는 장면이 있는데, 마호메트는 기적을 보이는 대신 코란의 어느 한 장을 읽어 보라고 했을 뿐이다. "하나님은 분명 이적을 내릴 능력이 있다"고 인정했으면서도 말이다.

예수의 부활

크레그는 예수 그리스도가 죽은 자 가운데서 다시 살아나 자신의 신성을 입증했다고 주장한다. 그는 폭넓은 진영의 신약 성경 역사가들 사이에 널리 받아들여지는 네 가지 사실을 제시했다. 첫째, 예수는 십자가에 못 박혀 죽은 뒤 아리마대 요셉에 의해 장사되었다. 이것은 무덤의 위치가 유대인, 그리스도인, 로마인에게 공히 알려졌다는 뜻이다. 둘째, 십자가 처형 후 일요일, 예수의 무덤은 비어 있는 채로 여인들에게 발견되었다. 예수의 무덤이 비어 있지 않다고 주장한 사람은 아무도 없었다. 셋째, 각기 다양한 처지와 상황에서 각양의 개인과 집단이 죽음에서 살아난 예수를 만났다. 이것을 전설로 일축할 수 없는 것은 기사가 기록된 시점이 사건 발생 시점에서 얼마 되지 않았기 때문이다. 넷째, 예수의 제자들이 이전까지 믿지 않던 사실, 즉 예수가 죽은 자 가운데서 살아났다는 것을 갑자기 또 진심으로 믿게 되었다. 그들은 예수가 부활하여 하나님의 아들로 증명되었음을 전파하기 위해 죽음까지도 불사했다. 거짓인 줄 알면서 선뜻 죽으려는 사람은 없다.

역사적 예수

내가 「예수 사건」을 쓰며 인터뷰했던 13명의 전문가들은 신약 성경에 실린 예수의 전기가 지적인 정밀 검사를 통과했다는 것, 그 전기가 지난 역사를 통해 신빙성 있게 전수되었다는 것, 성경 바깥에도 예수를 지지하는 보강 증거들이 있다는 것, 하나님으로 자처한 예수가 심리적으로 정상적이었다는 것, 예수가 신성을 지녔다는 것 등을 확증해 주었다. 이 내용에 대해서는 부록을 참고하면 된다.

증거들에서 찾은 결론

기독교에 대한 8가지 반론은 하나님의 존재와 예수 그리스도의 신성에 대한 불가항력적 증거에 비추어 살펴야 한다. 피터 크리프트가 인터뷰에서 시인한 것처럼 이 세상의 고난은 어느 정도 하나님의 존재를 반박하는 증거가 되기도 한다.

하지만 그것조차, 하나님이 존재하시고 우리를 사랑하시며 우리를 구속(救贖)하여 선을 이끌어 내셨다는 산더미 같은 증거들 속에 가려지고 만다. 이 산더미 같은 증거들 때문에 우리는 확신할 수 있다. 비록 지금은 고난과 지옥이 존재하는 이유를 다 이해하지 못해도 하나님이 공의로우시고 그 행동이 정당하기에 언젠가 우리가 더 깊이 이해할 날이 오리라는 사실이다.

8대 반론은 모두 심각한 내용이지만 기독교가 진리임을 설득력 있게 뒷받침하는 자료들을 압도하지는 못한다. 무신론자 시절 나는 기독교에 일격을 가하려면 단순히 이런저런 반론을 제기하는 것만으로는 부족하다고 생각했다. 위에 나열한 사실 이상을 압박할 수 있는 무신론적 시나리오가 필요했던 것이다. 그러나 무신론은 빅뱅, 정밀한 우주, 생명의 기원, 도덕법, 성경의 신빙성, 예수의 부활 등을 근거 있게 설명하지 못한다. 이 모든 것을 설명하는 유일한 가설은 창조주 하나님이 계시고 나사렛 예수가 그분의 독생자라는 것이다.

지금까지 나는 전문가와의 인터뷰를 통해 각 반론의 진상을 살펴보았다. 아울러 기독교가 진리이며 하나님은 믿을 수 있는 분이고 우리를 깊이 사랑하신다는 설득력 있는 증거들에 비추어 반론들을 평가해 보았다.

결론은 기독교가 흠없이 건재하다는 것이다. 8대 반론을 조사하며 1년을 보냈지만, 인간이 취할 수 있는 가장 합리적이고 논리적인 행동은 나사렛 예수를 믿는 것이라는 내 확신은 조금도 흔들리지 않았다.

장면 2 : 나의 결단

남캘리포니아 대학교 붉은 벽돌 건물에는 '진리가 너희를 자유케 하리라' 는 글귀가 새겨져 있다. 나는 그 건물 사무실에 아내와 함께 앉아 있었다. 사무실 안은 트레일러 주차장에 한바탕 돌풍이 휩쓸고 지나간 듯한 모습이었다. 책상과 방바닥과 의자들까지 온통 종이뭉치들이 쌓여 있었고 책장 선반에는 무거운 책과 닳고닳은 잡지들, 온갖 기념품이 빼곡히 들어차 있었다. 그 한가운데 우리 시대의 가장 영향력 있는 기독교 사상가이며 철학자 달라스 윌라드(Dallas Willard)가 앉아 있었다.

달라스 윌라드

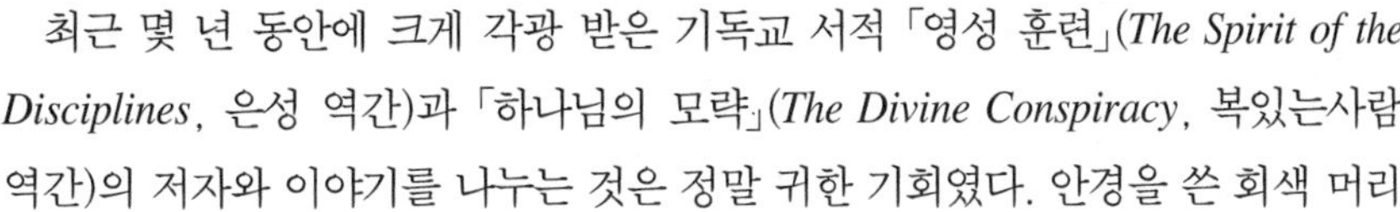
최근 몇 년 동안에 크게 각광 받은 기독교 서적 「영성 훈련」(*The Spirit of the Disciplines*, 은성 역간)과 「하나님의 모략」(*The Divine Conspiracy*, 복있는사람 역간)의 저자와 이야기를 나누는 것은 정말 귀한 기회였다. 안경을 쓴 회색 머리

칼의 철학 교수와 나눈 이야기는 기도로 믿음을 사용하는 데 대한 것이었다.

사람들이 하나님에 반응하는 방식에 대해 얘기하던 중 윌라드는 흥미로운 관점을 들려주었다. "문제는 우리가 원하느냐는 것입니다. 성경은 우리가 전심으로 하나님을 찾으면 반드시 그분을 찾는다고 말합니다. 반드시 찾게 되어 있습니다. 하나님이 당신을 계시해 주시는 대상은 바로 하나님을 알기 원하는 자들입니다. 하나님을 알려는 마음이 없는 사람은 어떻게 될까요? 그런 사람들에게 하나님은 굳이 자신을 계시하시지 않습니다. 그분은 세상과 인간의 마음을 그렇게 지으셨습니다."

예레미야 29:13.

그는 손을 뻗어 책상 위 문서 더미 속에서 종이 한 장을 꺼냈다. "수업 시간에 학생들한테 나누어 준 유인물입니다." 나는 종이를 받아 내용을 읽었다.

"다음 주 화요일 오전, 아침 식사 직후 이 세상에 사는 우리 모두는 고막을 찢는 요란한 벼락 소리에 대경실색해 주저앉을 것이다. 눈보라가 휘몰아치고 나뭇잎이 떨어지고 땅이 솟아올라 휘어지고 건물이 흔들리고 고층 빌딩이 무너진다. 하늘이 음산한 은빛 화염에 휩싸일 그때, 세상 모든 사람이 고개를 든다. 천국이 열리고 구름이 갈라지면서, 눈부시게 빛나는 거대한 제우스 같은 형상이 수백 개의 에베레스트 산처럼 우리 위에 솟아 오른다. 그가 어둡게 인상을 찌푸리자 미켈란젤로의 조각 같은 그 얼굴의 생김새가 번갯불에 그대로 드러난다. 그때 그가 나를 지목하며 남녀노소 누구나 들을 수 있도록 이렇게 말한다. "신학상의 문제들에 대한 너의 그 지나치게 똑똑한 논리적 분석과 단어 놀음에 나는 이제 신물이 난다. 노우드 러셀 핸슨(Norwood Russell Hanson), 제발 믿어라! 나는 이렇게 분명히 존재한다!"[3]

윌라드는 말했다. "이어 나는 학생들에게 이런 일이 정말 벌어지면 핸슨이 어떻게 할 것 같으냐고 물었습니다." 윌라드는 말했다.

"딴청을 부릴 테지요." 나는 말했다.

"바로 그겁니다!" 그의 대답이었다. "극히 불행한 일입니다만 그는 딴청을 부릴 것입니다. 우리는 이 사실에 주의해야 합니다. 아무리 기도가 응답돼도 원한다면 얼마든지 딴소리를 할 수 있습니다. 거의 예외가 없습니다. 그것이 평상시 사람들의 반응입니다. 사람들은 '내가 얼마나 똑똑한데. 그 따위 일들에 속아넘어갈 내가 아니지' 라고 말합니다."

충분히 공감이 간다. 나는 윌라드에게 내 경험담을 들려주었다. 우리 딸이 태어

3 노우드 러셀 핸슨, "What I Do Not Believe(내가 믿지 않는 것)," 윌리엄 뎀스키, *Intelligent Design*(이성적인 설계), InterVarsity Press, 1999, p. 27에서 인용.

난 지 얼마 안 되어 원인 모를 병으로 중환자실에 들어갔을 때였다. 목숨이 위태로웠다. 의사들도 진단을 내리지 못했다. 무신론자였음에도 나는 하나님께, 정말 존재한다면 아이를 낫게 해 달라고 기도하고 매달렸다. 얼마 후 갑자기 아이가 완전히 나아 모든 사람을 놀라게 했다. 의사들은 머리만 긁적였다.

나는 윌라드에게 말했다. "그때 나도 딴소리를 했습니다. 이렇게 말했지요. '참 신기한 우연이다! 박테리아나 바이러스에 감염됐다 저절로 나은 거겠지.' 하나님이 하신 일일 수 있다는 가능성은 생각조차 안 했습니다. 그리고 계속 무신론을 고수했지요."

윌라드는 그 얘기를 듣고 웃으며 말했다. "면전에서 당신의 상태를 진단할 뜻은 없습니다만 교만 때문이었다고 할 수 있겠지요? 당신은 너무 똑똑했던 겁니다! 그런 일로 호락호락 넘어갈 수 없었겠지요. 무지한 할머니들이나 속지 당신은 그럴 사람이 아닐 테니까요. 그런 태도를 가지고 있는 누구라도 그렇게밖에 반응할 수 없을 것입니다."

맞다! 그의 말이 맞다. 하나님이 개입하셨다는 증거가 수없이 많아도 나는 하나님이 내 기도를 응답하셨다는 가능성만은 쏙 빼놓고 얼마든지 다른 설명을, 제아무리 괴상하고 터무니없을지라도 내세웠을 것이다. 나는 누군가에게 무릎을 꿇기에는 너무 교만했고 내 부도덕한 생활 방식을 포기하기에는 너무 푹 빠져 있었다.

윌라드는 말을 이었다. "장담하지만 구약의 엘리야 사건처럼 하늘에서 불이 내려와 제단을 사르는 명백한 기적에 대해서도 사람들은 딴소리를 할 수 있습니다. 중요한 사실은 그 당시 사람들이 정말 그 일을 보고 딴소리를 했다는 것입니다! 그렇지 않았다면 이스라엘 역사는 아주 달라졌을 것입니다.

하나님은 기도를 그런 식으로 만들어 놓으셨습니다. 응답을 보고도 우리가 딴소리를 하려면 얼마든지 그럴 수 있게요. 그것이 인간의 마음입니다. 하나님이 그렇게 만드신 데는 이유가 있습니다. 하나님은 인간이 스스로 원하는 것에 좌우되도록 정하셨다는 것입니다."

잃는 것은 없다!

윌라드의 통찰은 내 신앙 여정의 정곡을 찔렀다. 나도 내가 원하기만 하면, 그간 인터뷰했던 전문가들의 말과 상관없이 얼마든지 딴소리를 할 수 있다. 아무리

궤변이나 공연한 트집이 된다 할지라도 말이다. 사실 그렇다. 명백한 진리가 눈앞에 있어도 내 지성은 온갖 종류의 정교한 반박과 변명과 반론을 만들어 낼 능력이 꽤 있었다.

그러나 믿음은 각 반론의 항목마다에 완벽하고 빈틈없는 해답을 찾는다고 주어지는 것이 아니다. 삶의 어떤 영역에서도 그런 수준의 결정적 증거를 요구하지는 않는다. 요지는 이것이다. 이미 우리에게는 하나님에 관한 증거가 충분히 있다. 그 증거를 기초로 얼마든지 행동을 취할 수 있다. 문제는 바로 그것이다. 믿음이란 선택이요 의지로 내딛는 걸음이며 하나님을 인격적으로 알고자 하는 결단이다. 그것은 이렇게 말하는 것이다. "내가 믿나이다. 나의 믿음 없는 것을 도와주소서!" 윌라드의 말처럼 "하나님이 당신을 계시해 주시는 대상은 바로 하나님을 알기 원하는 자들"이다. 린 앤더슨은 내게 이렇게 말했다. "이면을 들춰 보면 둘 중 하나입니다. 믿을 의지가 있는 경우와 안 믿으려는 의지가 있는 경우지요. 그것이 문제의 핵심입니다."

감사하게도 나는 그리스도인이 되기 위해 지성을 버릴 필요가 없었다. 예수가 하나님의 독생자라는 증거와 각 반론에 대한 설득력 있는 답이 앞으로 걸음을 내딛을 수 있도록 길을 열어 주었다. 그러나 나는 교만을 극복해야만 했다. 나를 완강하게 붙들려는 자기중심주의와 자만심을 철저히 떨쳐 내야만 했다. 하나님께 마음 문을 꽉꽉 닫아걸게 만드는 이기심과 자아 도취를 정복해야만 했다.

윌라드의 말을 내게 적용하자면 최대 이슈는 이것이다. "내가 원한 것은 무엇인가?" 나는 하나님을 인격적으로 알기 원했던가? 죄책감의 해방을 맛보고, 지음 받은 본연의 모습으로 살며, 내 인생을 향한 그분의 뜻을 좇고, 일상 속에서 그분의 능력을 누리며, 이생과 내생에서 영원히 그분과 교제하는 것을 원했던가? 만일 그렇다면 증거는 충분하다. 그 증거를 기초로 합리적 결단을 내려 그분께 "예" 하고 말할 수 있으면 된다.

내게 달린 문제이다. 당신에게 달린 문제이기도 하다. 윌리엄 크레그는 그것을 이렇게 표현했다.

"하나님이 존재하지 않는다면 인생은 허무하다. 성경의 하나님이 존재한다면 인생은 의미 있다. 이 두 대안 중 후자만이 우리에게 행복하고 견실하게 살 수 있는 힘을 준다. 그러므로 두 대안의 증거가 정확히 똑같다 해도 합리적인 사람이라면 기독교를 택할 수밖에 없다는 것이 내 생각이다. 생명과 의미와 행복을 버리고 죽음과 허무와 파멸을 택한다는 것은 더없이 비합리적인 일로 보인다. 파스칼의 말처럼 우리는 잃는 것은 아무것도 없고 대신 영원을 얻는다."[4]

4 윌리엄 크레그, *Reasonable Faith*(합리적인 신앙), Crossway, 1984, p. 72.

장면 3 : 삶의 변화

세 번째 일화는 내가 애틀랜타에서 기적의 문제에 대해 크레그와 인터뷰를 마친 뒤에 있었던 일이다. 나는 75번 고속도로로 느긋하게 차를 몰아 조지아 주 롬(Rome)으로 올라갔다. 쌀쌀하지만 쾌청한 날씨였다. 나는 옷을 차려입고 주일 예배를 드리러 한 교회로 향했다.

교회 밖에서 윌리엄 닐 무어(William Neal Moore)가 교회에 도착하는 사람들과 일일이 정중하게 악수를 나누고 있었다. 빳빳한 흰 셔츠에 밤색 넥타이를 매고 짙은 줄무늬 황갈색 양복을 입은 그는 아주 멋있어 보였다. 단정히 자른 까만 머리에 얼굴은 짙은 적갈색이었다. 그러나 가장 인상적인 것은 수줍은 듯 따뜻하고, 잔잔하나 진실하며, 매력과 사랑이 넘치는 그의 미소였다. 그 미소가 나를 반갑게 맞이했다.

"할렐루야, 무어 형제님!" 한 할머니가 그의 손을 살짝 잡으며 큰소리로 인사한 뒤 발을 끌며 안으로 들어갔다.

무어의 교회는 혼합 인종 지역인 두 주택 단지 사이에 끼어 있다. 그는 자상한 아버지, 헌신적인 남편, 신실한 가장, 부지런한 일꾼, 긍휼과 기도의 사람이다. 인생의 남은 시간을, 만인에게 잊혀진 상처받은 사람들을 돕는 데 보내고 있다. 한마디로 모범 시민이다.

이제 시간은 1984년 5월로 거슬러 올라간다. 그때 무어는 조지아 주 교도소의 사형수 독방에 갇혀 있었다. 복도 저편에는 72시간 이내에 그의 목숨을 거두어 갈 전기 의자가 놓여 있었다.

무고한 사람이 재판에 져 누명을 쓴 사건이 아니었다. 틀림없이 무어는 살해범이었다. 본인도 그렇게 자백했다. 가끔씩 작은 범죄를 저지르며 가난 속에서 어린 시절을 보낸 그는 육군에 입대했고 불행한 결혼과 재정 파탄으로 우울증에 걸렸다. 어느 날 술 취한 그는 프레저 스태플턴(Fredger Stapleton)이라는 77세 노인의 집에 침입했다. 방에 거액의 현금을 보관하기로 유명한 사람이었다.

스태플턴은 문 뒤에서 엽총을 쏘았고 무어도 맞받아 권총을 쏘았다. 스태플턴은 즉사했고 무어는 5,600달러를 들고 달아났다. 이튿날 아침 그는 도시 외곽에 있는 자신의 트레일러에서 제보를 받은 경찰들에게 체포되었다. 물증도 확실했고 게다가 그가 범행을 자백했기 때문에 쉽게 사형 선고가 내려졌다. 인생을 탕진하고 폭력을 휘두르다 비운의 죽음을 맞게 된 것이다.

그러나 처형 날짜를 기다리는 윌리엄 닐 무어는 프레저 스태플턴을 살해할 때의 그가 아니었다. 수감된 지 얼마 안 되어 두 명의 그리스도인이 무어 어머니의 부탁으로 그를 찾아왔다. 그들은 무어에게 예수 그리스도를 통해 누릴 수 있는 자비와 소망에 대해 이야기했다.

"예수님이 나를 사랑하시고 나를 위해 죽으셨다는 얘기를 그제서야 처음으로 들었어요. 나는 느낄 수 있었어요. 그것은 내가 바라던 사랑이었습니다. 내게 필요한 사랑이었어요." 무어는 그렇게 말했다.

그날 무어는 그리스도의 값없는 용서와 영생의 선물을 받아들이고, 감옥 모범수들이 사용하던 작은 욕조에서 세례를 받았다. 그때부터 그는 아주 딴 사람이 되었다.

사형수 감방에서 16년을 보내면서 무어는 다른 재소자들에게 선교사와 같았다. 그는 성경 공부를 인도하고 기도회를 열었다. 죄수들을 상담하며 그중 많은 사람들을 예수 그리스도께 인도해 믿음을 심어 주었다. 어떤 교회는 교인들을 사형수 감방으로 보내 그에게 상담을 받도록 하기도 했다. 그는 통신으로 수십 가지 성경 강좌를 들었다. 피해자 가족들의 용서도 받았다. 그는 '화평케 하는 자'로 알려졌다. 그가 있던 독방 구역의 험악한 죄수들이 그의 영향으로 그리스도인이 되면서 그곳이 가장 안전하고 조용하고 질서 있는 구역이 되었던 것이다.

그런 중에도 무어의 처형 날짜는 시시각각 다가오고 있었다. 법적으로 그는 전혀 가망이 없었다. 본인이 유죄를 인정했기 때문에 판결이 번복될 법적 소지는 사실상 전무했다. 항소 재판이 열렸지만 법정은 그의 사형 선고를 재확인하곤 했다.

"성인 같은 인물"

그러나 무어의 변화가 너무 깊었기 때문에 테레사 수녀 등이 그를 위해 구명 운동을 벌이기 시작했다. 감옥에서 무어를 만났던 한 재소자는 이렇게 말했다. "무어는 옛날의 그가 아니다. 오늘 그를 죽인다면 몸 하나야 죽이겠지만 그 몸에 담긴 전혀 엉뚱한 사람을 죽이는 것이나 같다."[5]

「애틀랜타 저널과 헌법(*Atlanta Journal and Constitution*)」지는 그가 본인만 재

5 Bill Montgomery, "U.S. Supreme Court Halts Execution: Even Victim's Family Pleaded for Mercy(미국 대법원의 처형 중지: 피해자 가족까지 선처를 구하다)," 「애틀랜타 저널과 헌법」지, 1990년 8월 21일자.

활에 성공한 것이 아니라 "다른 사람들의 재활에도 견인차"가 된 점을 높이 사면서 사설을 통해 이렇게 말했다. "많은 사람들이 보기에 그는 성인(聖人) 같은 인물이다."[6]

6 "When Mercy Becomes Mandatory(자비가 본분이 될 때)," 위의 신문, 1990년 8월 16일자.

무어가 전기 의자에 묶이기 몇 시간 전이었다. 죽음의 전극들이 잘 부착되도록 무어의 두피와 오른쪽 장딴지를 면도하기 직전, 법정은 그의 처형을 일시 중단한다는 발표로 만인을 놀라게 했다.

그보다 더 놀라운 일은 얼마 후 조지아 주 사면 석방 위원회가 그의 사형 선고를 종신형으로 바꾸는 데 만장일치로 찬성했다는 것이다. 그러나 놀라운 일은 거기서 그치지 않았다. 조지아 주 역사상 전무후무한 일이 발생한 것이다. 사면 석방 위원회는 사형을 선고받았던 무장 강도요 살해범인 무어를 석방하기로 결정한 것이다. 마침내 1991년 11월 8일, 무어는 자유의 몸이 되었다.

무성한 소나무 숲 전경이 내다보이는 무어의 집에서 그와 마주앉아 나는 그 놀라운 변화의 원인을 물어보았다.

"감옥 재활 시스템이 그런 변화를 가져왔나요?"

무어는 웃으며 대답했다. "아닙니다. 그게 아닙니다."

"그렇다면 자활 프로그램이나 정신적 훈련 때문이었나요?"

그는 다시 고개를 세차게 흔들었다. "그것도 아닙니다."

"그럼 항우울제? 명상? 심리 상담입니까?"

"다 아시면서 왜 그러십니까?" 그는 말했다.

그의 말이 맞았다. 나는 진짜 이유를 알고 있었다. 다만 그의 입으로 말하는 것을 듣고 싶었다. "도대체 당신의 변화의 비밀은 무엇입니까?" 나는 물었다.

"간단합니다. 예수 그리스도입니다." 그는 단호히 말했다. "내 힘으로는 결코 달라질 수 없었지만 그분이 나를 바꿔 주셨습니다. 그분은 내게 삶의 이유를 주셨습니다. 바른 길을 걷도록 도우셨습니다. 다른 사람들을 사랑하는 마음을 주셨습니다. 내 영혼을 구원하셨습니다."

그것이 바로 한 인간의 삶을 뒤바꿔 놓은 믿음의 힘이다. 사도 바울은 말했다. "그런즉 누구든지 그리스도 안에 있으면 새로운 피조물이라. 이전 것은 지나갔으니 보라, 새것이 되었도다!"[7]

7 고린도후서 5:17.

그리스도인 무어는 살인자 무어가 아니다. 하나님이 용서와 자비와 능력과 내주하시는 성령의 임재로 그의 삶에 개입하셨다. 자신의 죄에서 돌이켜 예수 그리스도의 용서와 인도를 받아들이기로 결단하는 사람이라면 누구나 그와 똑같은 변화의 은혜를 받아 누릴 수 있다.

그 은혜는 지금도 하나님과 그분의 방식에 "예"라고 대답할 사람들을 기다리고 있다.

믿음은 살아 있다!

기독교에 대한 8대 반론의 답을 찾아다닌 1년의 기록은 이 세 장면 속에 압축돼 있다. 첫째 장면은 그리스도를 지지하는 종합적 증거가 막강하다는 것과 기독교 신앙 속 난제들에 충분한 답이 있다는 것을 보여 준다. 즉 예수를 믿을 만한 정당한 근거는 얼마든지 있다. 둘째 장면은 교만이나 이기심 때문에 그 증거에 딴소리를 할 수 있는 우리 인간의 성향을 비쳐 주며 결국 믿음이란 의지의 걸음임을 강조한다. 하나님은 우리에게 우리가 원하는 것을 주실 것이다. 셋째 장면은 그 증거에 반응하여 교만을 극복하고 하나님께 마음을 열면, 그분이 우리 삶을 기꺼이 변화시켜 주신다는 사실을 보여 준다.

이 모든 것은 내가 신앙 여정에서 경험한 세 단어로 압축될 수 있다. 바로 탐색, 결단, 변화이다. 내가 처음 무신론을 버리고 그리스도를 붙들기로 결단한 것은 1981년이었다. 나 역시 무어처럼 그때부터 딴 사람이 되었다. 하나님과 그분의 방법에 내 삶을 점점 더 많이 열면서 시간이 갈수록 내 가치관과 성격과 우선순위와 태도와 대인관계와 열망이 바뀌는 것을 보았다. 물론 좋은 쪽으로였다.

초기의 내 탐색 과정을 다시 더듬어 본 지금 나는 1981년의 그 결단이 정말 잘한 일이었음을 새삼 절감한다. 불편한 질문들을 던지는 사이 내 믿음은 약해진 것이 아니라 오히려 더 강해졌다. 기독교의 '허점'을 깊이 파고들면서 나는 이 신앙이 근본적으로 견실하며 논리적으로 흠잡을 데가 없다는 것을 다시 한번 확인했다. 지적인 정밀검사의 혹독한 제련을 통해 내 믿음은 이전 어느 때보다도 더 깊고 풍부하고 튼튼하고 확실해졌다.

그럼에도 거실 의자에 앉아 머리 속으로 탐색 과정을 돌아보자니 내 과제가 아직 끝나지 않았다는 생각이 들었다. 전도자였다가 회의론자가 된 찰스 템플턴은 사랑의 하나님의 존재를 완강히 거부하면서도 예수가 그리워 눈물지었다. 믿음의 8대 장애물에 대한 이 방대한 인터뷰 작업은 그에게서 얻은 자극에 힘입은 바 크다.

내 탐색 과정은 템플턴과 그의 책에 일일이 조목조목 반박을 가하기 위해서가 아니라 내 신앙 여정에 가장 어려움을 주었던 이슈들에 답을 찾기 위해서였다. 그런데 템플턴의 믿음을 가로막은 이슈들과 나를 괴롭혔던 이슈들 사이에는 중복된 부분이 상당히 많다.

템플턴이 이 전문가 8인과의 인터뷰에 어떻게 반응할지 궁금하다. 그들의 증거와 논증을 수용할까? 혹 냉엄한 치매가 진전되어 신앙 문제를 새롭게 재고할 수 있는 능력을 이미 잃어버린 것은 아닐까?

희망의 편지

캘리포니아 주 오렌지 카운티의 화창한 봄날 오후였다. 얼마 전 이사온 곳이었다. 400쪽에 달하는 이 책의 원고를 막 뽑아서 한참 상자에 담고 있는데 아내가 서재 문을 열고 고개를 들이밀었다.

"뭐 하세요?"

"보내 주고 싶은 사람이 있어서." 나는 원고를 가리키며 대답했다.

아내는 찻잔을 내려놓고 다가와 내 어깨에 팔을 두르며 말했다. "찰스 템플턴 맞지요? 가끔 그분을 생각해요. 사실 그분을 위해 기도해 왔어요."

나는 놀라지 않고 물었다. "뭐라고 기도했소?"

"하나님에 대한 결론을 재고해 볼 수 있도록 건강을 지켜 주시고, 당신이 전문가들에게서 얻은 내용에 마음을 열어, 예수에 대한 내면의 끌림에 반응하게 해 달라고요."

나는 고개를 끄덕였다. 나 역시 기도해 왔다. "조금 전 그의 아내 매들린과 통화했소. 치매가 그를 호락호락 놓아주지 않는답니다. 몸에 다른 문제들도 생기고. 찰스와도 통화할 기회를 주어 치매 상태가 어떠냐고 물었더니 아주 낙심한 목소리로 말하더군. 비참하다고."

"정말 안됐어요." 아내가 조용히 말했다.

"그러게 말이오. 참 슬픈 일이오." 나는 한숨을 지으며 상자에 원고를 마저 담았다. "몇 달 전 빌리 그레이엄이 찰스를 보러 왔답니다."

"정말요? 그래서 어떻게 됐대요?" 아내가 눈을 크게 뜨며 말했다.

"서로 못 본 지 꽤 됐잖소. 찰스는 빌리를 알아보고 화들짝 놀라 울음을 터뜨리며 두 팔로 끌어안았다는군. 매들린은 빌리의 친절과 사랑이 너무 고맙다며 말을 잇지 못했소. 한동안 얘기하며 식사도 같이 했는데, 빌리의 식사 기도가 그 집 식탁에서 난생 처음 드리는 감사 기도였다고 하더군. 떠나기 전 빌리가 찰스를 위해 기도했다고 했소."

아내의 눈가가 젖어 들었다. "함께 시간을 보낼 수 있었다니 정말 다행이에요. 좋은 일이 생길지도 모르잖아요." 아내가 말했다.

나는 고개를 끄덕인 뒤 다시 원고 싸는 일로 돌아갔다. "매들린이 내 책을 빨리 보고 싶다는군. 찰스한테도 읽어 주겠다고 약속했소. 그저 너무 늦지만 않았으면 좋겠는데. 이 학자들의 말을 이해할 만큼 아직 총기가 남아 있어야 할 텐데 말이오. 그래도 어쨌든 원고는 일단 보내 주고 싶소." 나는 말했다.

곧 나는 의자에 앉아 그에게 편지를 썼다. 안부를 물은 뒤, 부디 힘닿는 대로 마음을 열고 예수에 대한 증거를 다시 생각해 볼 것을 부탁했다. 서명까지 하고 펜을 내려놓았으나 선뜻 편지를 접을 수 없었다. 뭔가 더 쓰고 싶은 말이 있었는데 빠뜨린 말이 무엇인지 알 수 없었다.

창 밖을 내다보았다. 짙푸른 하늘을 등진 새들백 산이 장관이었다. 그렇게 한참을 생각에 빠져 있었다. 그러다 갑자기 말이 떠올랐다. 나는 펜을 들고 아내가 어깨 너머로 지켜보는 가운데 재빨리 이렇게 추신을 달았다.

찰스, 잠언 2장 3-5절 말씀을 깊이 생각해 보시기 바랍니다. "지식을 불러 구하며 명철을 얻으려고 소리를 높이며 은을 구하는 것 같이 그것을 구하며 감추인 보배를 찾는 것 같이 그것을 찾으면 여호와 경외하기를 깨달으며 하나님을 알게 되리니."

찰스 템플턴은 2001년 6월 7일 사망했다. 리 스트로벨이 바랐던 대로 그가 다시 하나님에게 돌이켰는지는 알 수 없다.

나는 편지를 봉하고 상자에 넣었다. 그리고 자동차 열쇠를 집어 들며 아내에게 말했다.

"부치러 갑시다."

"예수는 있다!"

—「예수 사건」(*The Case for Christ*) 요약

무신론자였던 나는 1980년에서 1981년 사이 그리스도인이 되었다. 그 여정은 「예수 사건」(*The Case for Christ*)에 나와 있는데, 예수 그리스도의 역사적 증거에 해박한 13명의 주요 전문가들과 인터뷰한 것이다. 내가 조사했던 이슈들을 요약해 본다.

예수의 목격자

크레그 블롬버그

한때 내게 있어 복음서는 대책 없는 과잉 상상력과 전도 열정으로 얼룩진 종교적 선전물에 지나지 않았다. 그러나 예수의 전기에 관한 세계적인 권위자이며 덴버 신학교 교수인 크레그 블롬버그(Craig Blomberg)는 복음서가 목격자들의 증언이 뒷받침된 정확한 기사라는 증거를 내놓았다. 예수의 생애를 다룬 기사가 날조된 전설이 되기에는 시기상 이르다. 그 기록은 예수의 죽음으로부터 멀지 않은 것이다. 블롬버그는 말했다. "예수가 죽은 지 2년 이내에 상당수의 유대인 제자들이 대속(代贖)의 교리를 형성하고, 그분이 죽은 자 가운데서 육체적 형태로 살아났다는 것을 확신했고, 예수의 정체를 하나님과 연관시켰으며, 이 모든 확신의 근거를 구약 성경에서 발견했다." 전설이 생성되어 사실(史實)의 엄연한 핵을 제거하자면 상당한 시간이 걸리는데, 이 경우 그것은 당치도 않은 것으로 밝혀졌다.

목격자 증언 검사

블롬버그에 따르면 복음서 기자들은 신빙성 있는 역사를 보존했고, 설명하기 어려운 자료도 정직하게 포함시켰으며, 편견으로 엉뚱하게 채색하지 않았다. 각 기자는 부수적인 일부 세부사항에서는 다양한 시각을 나타내지만 본질적 사실을 두고는 서로 일치하고 있어 기사의 역사적 신빙성을 더해 준다. 또 초대 교회가 가르친 예수에 대한 사실이 과장이나 거짓으로 폭로되었다면 초대 교회가 바로 그곳 예루살렘에서 뿌리내리고 성장할 수 없었을 것이다. 요컨대 복음서는 역사적 기록으로 그 기본적 신빙성이 입증되었다.

성경의 기록

프린스턴 신학교 명예 교수인 세계적 석학 브루스 메쯔거(Bruce Metzger)에 따르면, 신약 성경의 사본 수는 다른 고대 문서에 비해 전례 없이 많고, 시기도 원전이 기록된 시기에 매우 가깝게 거슬러 올라갈 수 있다. 현대의 신약 성경은 본문 일치율이 99.5%에 달하여 기독교의 주요 교리 중 애매한 것은 단 하나도 없다. 초대 교회가 권위 있는 사본을 결정할 때 사용한 기준은 현재 우리가 갖고 있는 예수 기록이 최상의 것임을 확증해 준다.

성경 이외의 기록

고대사의 저명한 전문가 마이애미 대학교 에드윈 야마우치(Edwin Yamauchi) 박사는 이렇게 말했다. "어떤 고대 종교 창시자보다도 예수는 좋은 역사적 기록을 가지고 있다." 많은 사람들이 예수를 메시아로 믿고 그의 기적을 믿었다는 것, 그가 십자가에 못 박혀 죽었다는 것, 참혹한 죽음에도 불구하고 제자들은 여전히 그가 살아 있음을 믿고 하나님으로 경배했다는 것 등이 성경 이외의 다른 자료에서도 확증된다. 한 전문가는 예수의 생애와 가르침, 십자가 죽음과 부활에 관해 100가지 이상의 사실을 확증하는 39개의 고대 문서를 증거로 제시했다. 초기의 몇몇 기독교 신조에도 예수의 신성이 언급되어 있다. *The Historical Jesus*(역사적 예수)를 쓴 게리 하버마스(Gary Habermas) 박사에 따르면 그것은 "초대 교회에 분명히 존재했던" 교리다.

에드윈 야마우치

고고학적 증거

Archaeology and the New Testament(고고학과 신약 성경)의 저자이자 15년 이상 고고학 교수로 지내온 존 맥레이(John McRay)는, 고고학적 발굴로 신약 성경의 신빙성이 더해졌다고 말했다. 지금까지 어떤 발굴도 성경의 내용을 반증한 사례는 없었다. 뿐만 아니라 신약 성경의 1/4 정도를 쓴 누가가 특별히 세심한 역사가였음은 고고학을 통해 확증되었다. 한 전문가는 이렇게 결론지었다. "누가가 '소소한 세부사항'의 역사적 보고에 이토록 공들여 정확성을 기했다면 다른 사람에게 그보다 훨씬 더 중요한 일을 보고하는 부분에서 경솔했거나 부정확했다고

존 맥레이

가정할 수 있겠는가?" 그 중요한 일 중 하나는 두말할 것 없이 예수가 하나님의 독생자라는 주장을 확증한 부활 사건이다.

예수의 조작 가능성

예일과 프린스턴에서 공부하고 *Cynic Sage or Son of God*(냉소적 현자인가 하나님의 아들인가)를 쓴 그레고리 보이드(Gregory Boyd) 박사는, 예수의 언행 대부분을 정말 예수가 한 일로 볼 수 있는지 의문을 제기하는 단체 '예수 세미나(The Jesus Seminar)'를 비판했다. 그는 예수 세미나를 "신약 성경에 대해 극단적 입장을 취하는 극소수 급진론 학자들"로 규정했다. 예수 세미나는 기적의 가능성을 처음부터 배제하고, 문제의 소지가 많은 기준을 적용하며, 일부는 의심스러운 신화투성이 문서들을 추켜세우기도 한다. 그러나 예수에 관한 기사가 신화에서 왔다는 주장은 정밀검사를 통과하지 못한다. 보이드는 말했다. "예수가 제자들이 주장하는 바로 그분이라는 증거는… 예수 세미나의 극단적 학자들 주장보다 적어도 광년 단위로 앞서고 있다." 요컨대 신앙의 대상인 예수는 역사상 예수와 동일 인물이다.

예수의 자기 정체성

벤 위더링턴

The Christology of Jesus(예수의 기독론)의 저자 벤 위더링턴(Ben Witherington III) 박사는 전설이 끼어들 여지가 전혀 없는 최고(最古)의 전통으로 거슬러 올라가, 예수가 초월적 자기 이해를 가지고 있었음을 입증했다. 위더링턴은 여러 증거를 근거로 이렇게 말했다. "예수는 자신이 하나님의 아들이요 하나님의 기름 부음 받은 자라고 믿었는가? 그렇다. 예수는 자신을 인간의 아들로 보았는가? 그렇다. 예수는 자신을 메시아로 보았는가? 그렇다. 예수는 하나님 아닌 존재가 세상을 구원할 수 있다고 믿었는가? 아니다. 나는 이것을 믿는다." 학자들은 예수가 자신을 인자, 즉 사람의 아들로 지칭한 것은 인성(人性)의 주장이 아니라 다니엘서 7장 13-14절을 지칭한 것이라고 지적한다. 거기에서 인자는 우주적 권세와 무궁한 통치권을 지닌 자요 만국의 예배를 받는 자로 그려져 있다. 한 학자는 "자신이 인자라는 주장은 사실상 신성의 주장이다"라고 말했다.

예수의 심리적 상태

게리 콜린스

20년간 심리학 교수로서 심리학 관련 책을 45권이나 집필한 게리 콜린스(Gary Collins) 박사는 "예수가 비정상적인 감정을 보인 일이 없고, 현실 감각을 지녔으며, 뛰어난 지성과 함께 인간의 본성에 대한 놀라운 통찰력으로 깊고 지속적인 인간관계를 누렸다"고 말했다. 또 "예수가 어떤 정신 질환을 앓고 있었다는 흔적은 찾을 수 없다"고 결론 내렸다. 예수는 기적을 통한 치유, 자연을 지배하는 놀라운 권세의 발현, 타의 추종을 불허하는 가르침, 사람들에 대한 신적 이해, 신성의 궁극적 증거인 부활 등을 통해 자신이 하나님이라는 주장을 뒷받침했다.

예수의 신성

D. A. 카슨

성육신, 즉 하나님이 인간이 된 것, 무한자가 유한한 존재가 된 것은 우리의 상상력을 초월하는 것이기는 하지만, 저명한 신학자 D.A. 카슨(Carson) 박사에 따르면 예수가 하나님의 특성을 지녔다는 증거는 많다. 많은 신학자들은 빌립보서 2장에 근거해 예수가 인간 구속의 사명을 이룸에 있어서, 자발적으로 자신을 비워 하나님과 동등한 권리를 포기했다고 믿는다. 그렇지만 신약 성경은 예수가 궁극적으로 전지성, 편재(偏在)성, 전능성, 영원성, 불변성 등 신성의 모든 특징을 소유하고 있음을 구체적으로 확증해 주고 있다.

메시아 예수

예수가 태어나기 수백 년 전에 선지자들은 메시아 또는 기름 부음 받은 자가 세상에 와 하나님의 백성을 구원하리라 예언했다. 그래서 수십 가지에 달하는 구약 성경의 예언들은 진짜 메시아에 부합될 만한 하나의 지문(指紋)을 만들어 냈다. 이것은 사기꾼을 가려내고 진짜 메시아의 자격을 확인하는 기준이다. 천문학적 확률, 1조를 열 번, 백 번 곱한 것 중의 하나라는 확률로 예수는, 아니 역사상 오직 예수만이 그 예언의 지문에 꼭 들어맞았다. 이는 예수의 정체를 더할 나위 없이 확실하게 입증해 주는 표식이다. 이 주제로 인터뷰한 루이스 래피데스(Louis Lapides) 목사는 보수적 유대인 가정에서 자라 조직적으로 예언을 연구한 끝에 예수를 메시아로 믿게 되었다. 현재 그는 캘리포니아의 한 교회 목사이며, 15개의 유대인 크리스천 조직으로 구성된 전국 네트워크 회장을 역임했다.

예수 죽음의 증거

공학 박사이자 내과 의사인 알렉산더 메드럴(Alexander Metherell) 박사는 의학적, 역사적 자료 분석을 통해, 예수가 혹독한 십자가 형의 고초를 견디고 살아남을 수 없었으며 허파와 심장이 찔리면서 찢긴 상처 때문에라도 그럴 수 없다고 결론지었다. 사실 십자가에 달리기 전부터 예수는 심각한 상태였으며 무서운 채찍질로 몸에 심한 충격을 받은 후였다. 예수가 십자가에서 기절한 후 죽은 척했다는 주장을 뒷받침할 증거는 전혀 없다. 사형을 집행한 로마인들은 죄수 중 한 명이라도 십자가에서 살아서 내려오면 자기들 목숨이 달아나는 줄 잘 알고 있었기에 완벽을 기했다. 설사 예수가 그 고문을 견디고 살아남았다 하더라도 그 흉측한 몰골로 세계적 운동—그분이 무덤을 이기고 영광스레 승리하셨다는—을 주도할 수 없었을 것이다.

예수의 빈 무덤

윌리엄 레인 크레그

두 개의 박사 학위를 취득하고 부활에 관해 여러 권의 책을 쓴 윌리엄 레인 크레그(William Lane Craig)는 부활절의 영원한 상징인 예수의 빈 무덤이 역사적 실체였다는 확연한 증거를 제시했다. 빈 무덤은 초창기 자료인 마가복음과 고린도전서 15장의 신조에 기록되거나 암시되었는데, 기록된 시기를 살펴볼 때 그 내용이 전설의 산물일 가능성은 전혀 없다. 여자들이 빈 무덤을 발견했다는 복음서의 보고는 기사의 진실성을 한층 더 뒷받침해 준다. 1세기에는 여자의 증언에 신빙성이 없었으므로, 사건이 사실이 아니라면 굳이 여자들이 빈 무덤을 발견했다고 말할 필요가 없었던 것이다. 예수의 무덤 위치는 그리스도인, 유대교인, 로마인에게 모두 알려져 있었기 때문에 의심이 들었다면 누구나 확인해 볼 수 있었을 텐데, 무덤에 예수의 시체가 있다고 반박한 사람은 아무도 없었다. 심지어 로마 당국자나 유대교 지도자도 그런 주장은 하지 않았다. 대신 그들은 제자들이 예수의 시체를 훔쳐갔다는 아무 근거나 필요도 없는 터무니없는 이야기를 부득불 지어내지 않을 수 없었다. 오늘날 가장 회의적인 비판자조차 믿기 힘든 이론을 말이다.

예수의 부활 후

예수가 부활해서 사람들 앞에 나타났다는 것은 그에 대한 기억이 시간을 두고 신화를 통해 왜곡되는 과정에서 서서히 만들어진 것이 아니다. 유명한 부활 사건 연구가 게리 하버마스(Gary Habermas) 박사는 부활이야말로 "시작부터 초대 교회가 선포한 중심 메시지"였다고 말한다. 고린도전서 15장 신조에는 부활하신 그리스도를 만난 사람들이 구체적으로 언급돼 있으며, 심지어 바울은 1세기의 회의론자들에게 그들을 만나 보고 사건의 진실성 여부를 직접 판정하라고 했다. 사도행전에는 예수의 부활에 대한 초창기 확증들이 도처에 산재해 있고, 복음서에도 부활 후 여러 차례의 목격담이 자세히 기술되어 있다. 영국의 신학자 마이클 그린은 이렇게 결론지었다. "예수가 부활 후 나타난 것은 고대의 어떤 사건 못지 않게 잘 확증되어 있다. … 그 사건들이 실제로 일어났는지에 대한 의심은 있을 수 없다."

게리 하버마스

예수 부활의 근거

J. P. 모어랜드(Moreland) 박사는 예수의 부활을 강력히 뒷받침하는 상황적 증거를 제시했다. 첫째, 제자들은 부활의 발생 여부를 알 수 있는 독특한 위치에 있었는데 바로 그 제자들이 목숨까지 버려가며 부활의 사실을 전파했다. 거짓인 줄 알면서도 그것을 위해 기꺼이 죽는 사람은 없다. 둘째, 부활이 아니라면 바울과 야고보 같은 회의론자들이 회심하여 신앙을 위해 죽을 만한 타당한 이유가 전혀 없다. 셋째, 예수가 십자가에서 죽은 지 몇 주 내에 수천 명의 유대인들이 예수가 하나님의 아들임을 확신하고, 수세기 동안 사회적 종교적으로 절대시했던 사회 관습마저 버린 채 그분을 따르기 시작했다. 그들은 사회에서 매장당할 위험까지 감수하고 있음을 스스로 알고 있었다. 넷째, 성만찬과 세례는 예수의 부활과 신성을 확증해 준다. 다섯째, 로마의 무지막지한 핍박에도 불구하고 기적적으로 교회가 출현한 사실은 모울(Moule)의 말대로 "역사에 위대한 구멍, 즉 부활 만한 크기와 모양의 구멍을 뚫어 놓았다."

J. P. 모어랜드

나의 결론은 이렇다. 전문가들의 증언은 예수 그리스도가 자신의 주장대로 하나님의 독생자였다는 사실에 설득력 있는 증거를 제시한다. 내가 그토록 오랫동안 주장했던 무신론은 역사적 진실의 무게 앞에 굴복하고 말았다.

이 요약문의 자세한 내용은 「예수 사건」(*The Case for Christ,* 두란노 역간)을 참고하기 바란다.